France

SAVEURS & TRADITIONS

France

Recettes et traditions de la cuisine française

Recettes et textes
GEORGEANNE BRENNAN

Directeur de la publication
CHUCK WILLIAMS

Photographies des recettes
NOEL BARNHURST

Photographies de voyage
STEVEN ROTHFELD

Succès du Livre

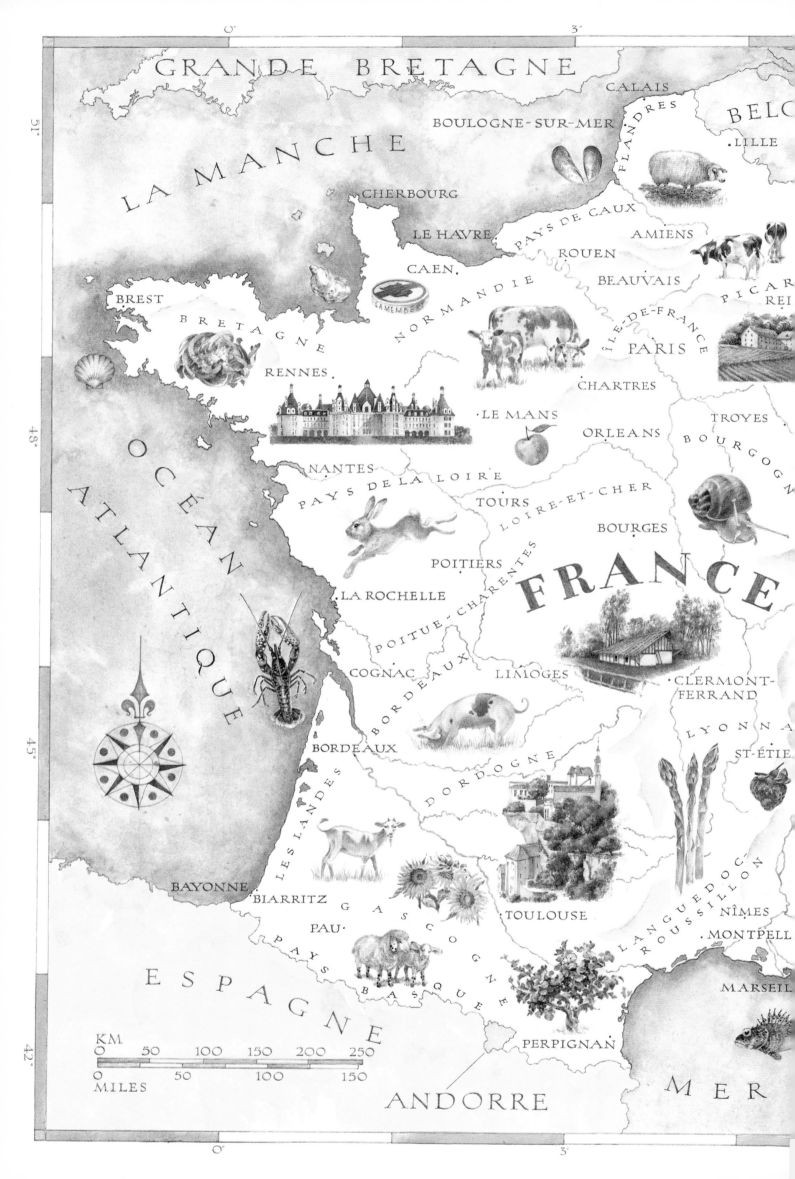

GRANDE BRETAGNE

CALAIS

BELG

LILLE

BOULOGNE-SUR-MER

FLANDRES

LA MANCHE

CHERBOURG

PAYS DE CAUX

AMIENS

LE HAVRE

ROUEN

PICAR

BEAUVAIS

REI

CAEN

BREST

NORMANDIE

ÎLE-DE-FRANCE

PARIS

BRETAGNE

CAMEMBERT

CHARTRES

RENNES

LE MANS

ORLEANS

BOURGOGN

NANTES

TROYES

PAYS DE LA LOIRE

TOURS

LOIRE-ET-CHER

OCÉAN

BOURGES

ATLANTIQUE

POITIERS

FRANCE

LA ROCHELLE

POITUE-CHARENTES

COGNAC

BORDEAUX

LIMOGES

CLERMONT-
FERRAND

LYONNA

BORDEAUX

ST-ÉTIE

DORDOGNE

LES LANDES

BAYONNE

GASCOGNE

LANGUEDOC

NÎMES

BIARRITZ

ROUSSILLON

PAU

MONTPELL

PAYS BASQUE

TOULOUSE

ESPAGNE

MARSEIL

PERPIGNAN

ANDORRE

MER

Sommaire

14

INTRODUCTION

La table française

22

LES ENTRÉES

Entrées, soupes et salades

82

LES PLATS

Poissons, fruits de mer, volailles et viandes

146

LES LÉGUMES

Légumes de saison

196

LES DESSERTS

Pâtisseries, gâteaux, crèmes et desserts aux fruits

246

GLOSSAIRE

Recettes de base et glossaire des ingrédients

INTRODUCTION
La table française

Bien manger est pour les Français une passion nationale qui rythme leur vie quotidienne et leur apporte jour après jour des instants de plaisir toujours renouvelés. Cette découverte remonte à mon premier séjour en France, où je venais pour étudier, puis en participant et en partageant au quotidien leur vie, lorsque je me suis lancée dans l'élevage des chèvres et à faire mes fromages. Cela fait maintenant presque trente ans que je possède une maison au cœur de la Provence. J'y ai connu tellement de bons moments que − je l'avoue − j'ai plutôt tendance à voir la France d'un point de vue rural et romantique et qu'il m'arrive parfois de déformer la réalité, un peu comme quand on regarde au travers d'un vieux vitrail. Je suis toujours aussi étonnée de cette constance qui paraît immuable au fil des ans et d'un bout à l'autre du pays, du plus modeste hameau, aux grandes villes, à privilégier ce que j'aime le plus dans la cuisine française : un art de la table, une exigence de qualité et le respect et la passion que l'on porte aux produits de saison et aux productions locales.

Les rituels alimentaires ne bougent guère. Le petit-déjeuner se compose en général de pain ou de croissants frais, d'un bol de café fumant avec du lait, du thé ou d'une tasse de chocolat chaud. Le pain, souvent un tiers de

Ci-dessus : Les boutiques, bistrots et pâtisseries du Marais, au cœur du vieux Paris, attirent touristes, gourmands et flâneurs branchés.

baguette coupée dans le sens de la longueur, est soigneusement tartiné de beurre et de confiture, parfois de miel. C'est un cérémonial qui demande un certain temps ! Avec les croissants, on ne se presse pas non plus, on les trempe ou on les déchiquette nonchalamment. On sirote lentement son café très chaud. Si les céréales en boîte et les cocktails de jus de fruits se sont invités dans de nombreux foyers français, les bistrots de quartier, les hôtels et les relais d'autoroute continuent de proposer un petit-déjeuner traditionnel à base de pain et d'une boisson chaude.

À l'heure du déjeuner, presque tous les Français s'attablent en même temps, entre 12 h-12 h 30 et 13 h 30-14 h. La pause déjeuner est sacrée, elle entraîne souvent la fermeture des boutiques et des bureaux. Il arrive même que toutes les activités d'un parc d'attractions cessent entre 12 h et 14 h 30, comme j'ai pu un jour le constater à mes dépens ! Dans les petites localités où les familles peuvent se retrouver à table ensemble, on va chercher les enfants à l'école et l'on déjeune à la maison. Quand cela n'est pas possible, ceux-ci prennent tranquillement un repas complet et équilibré à la cantine. Lors de

la pause, les restaurants, les brasseries, les bistrots et les cafétérias doivent souvent renouveler leurs tables. Certains habitués sacrifient à leur "apéritif" favori. Il ne s'agit pas forcément d'une boisson alcoolisée, cela peut être un Perrier avec une rondelle de citron ou un jus de fruits. Le repas commence généralement par une entrée, une salade composée, une part de quiche ou un assortiment de charcuteries. Viennent ensuite le plat principal – accompagné de légumes –, le fromage et enfin le dessert. Un pichet de vin arrose généralement le repas. Le déjeuner est un rituel apaisant qui ménage une pause au milieu d'une longue journée de travail. En témoigne l'ambiance détendue et bon enfant qui règne à cette heure-là dans la plupart des restaurants de campagne où maçons, électriciens, routiers et autres cols blancs ou notables viennent reprendre des forces et céder à la gourmandise autour d'un menu généreux comprenant entrée, plat du jour, fromage et (ou) dessert, suivi d'un café express.

À l'heure du goûter, vers 16 h ou 17 h, les enfants croquent des biscuits ou une tartine de pain beurré avec quelques carrés de chocolat et avalent une boisson. Les adultes apprécient aussi de faire une courte pause autour d'un café ou d'un thé, que les plus gourmands accompagnent d'une douceur. À la campagne, c'est l'heure des visites entre voisins autour d'un café et d'un gâteau maison.

Quand la journée de travail tire à sa fin, que les gens quittent leur bureau, leur champ, leur usine ou

Ci-contre : Les radis fraîchement cueillis sont délicieux à la croque-au-sel avec une pointe de beurre doux.
En haut : Le Pont-Neuf, le plus vieux pont de Paris, construit entre 1578 et 1607, avec en arrière-plan, la Conciergerie.

leur magasin, ils se rendent souvent au café du coin pour prendre un apéritif entre amis. Ils mettent ainsi une touche finale à leur journée active et commencent en douceur une soirée de détente en famille ou entre amis. Le dîner qui suit ressemble au déjeuner, en plus léger si ce dernier était substantiel.

Je trouve ce traditionnel rythme de repas éminemment apaisant et civilisé car il permet des rencontres quotidiennes et privilégiées avec ceux que l'on aime.

Cette passion française pour la nourriture et le bien-manger repose en grande partie sur l'amour et la connaissance que les Français ont de leur terroir et de ses productions saisonnières. Les produits régionaux, dits « du terroir », font l'objet d'une grande fierté qui semble impérissable. Il n'est pas rare, alors qu'on est invité à déjeuner chez des amis, que nos hôtes, avant le repas, nous emmènent cueillir des cerises dans le jardin, chercher des champignons ou ramasser des escargots. Cela m'est arrivé plus d'une fois ! En ville, cette habitude peut se traduire par une visite chez un fromager possédant sa propre cave à affinage ou par un saut chez un pâtissier ou un charcutier particulièrement réputé.

Les restaurants offrent des menus « du terroir » à la fois simples et savoureux. Un ancien relais de poste peut se transformer en un délicieux hôtel de charme. En pays de Forcalquier, sur la liste des apéritifs traditionnels, les restaurateurs proposent un vin de noix distillé à partir de la récolte des célèbres noyeraies de la vallée du Jabron, toute proche. Au choix parmi les hors-d'œuvre proposés : un ou plusieurs légumes de saison ou une soupe du jour concoctée avec l'un d'eux. En plat principal : un "broutard" ou agneau élevé en plein air et non plus sous la mère.

Un propriétaire possède même sa propre cave où il affine ses fromages. C'est là que pour la première fois j'ai goûté un fromage de chèvre de Banon, c'était assez étonnant ! Comme je lui demandais comment

À gauche : L'esthétique des jardins en France se manifeste jusque dans la composition de ce coin campagnard qui mêle harmonieusement légumes et fleurs des champs.
En haut à droite : Des rangées de tables et de chaises attendent les clients au Café de Flore, haut lieu du monde littéraire parisien qui vit jadis défiler, entre autres couples célèbres, Jean-Paul Sartre et Simone de Beauvoir.
Ci-contre : Dans la vitrine d'une pâtisserie d'Auxerre, un assortiment de viennoiseries à dévorer des yeux !

En haut : Une rivière peu profonde serpente nonchalamment entre les collines couvertes de vignes, près de Banyuls-sur-Mer. Sous ce climat ensoleillé, les raisins donnent un vin doux très apprécié. **Ci-dessus** : Plusieurs variétés de melons sont cultivées en pleine terre aux alentours d'Aix-en-Provence, d'Avignon et de Cavaillon. Juteux et sucrés à souhait, ils sont réputés bien au-delà des limites de leur région d'origine ! **À droite :** Peu importe le brouhaha de la place Saint-Sulpice... À Paris, les amoureux sont rois !

il obtenait ce goût extraordinaire, il est allé me chercher un assortiment de "chèvres" à différents stades de maturité, les uns à la sarriette et d'autres enveloppés de feuilles de châtaigners, les fameux Banon qui lentement mûrissent dans cette gangue végétale qui les transforme en purs joyaux.

Partout en France, on aime la bonne chère et on se soucie de la provenance des produits. Et bien que, à l'instar des autres pays industrialisés, les Français soient désormais soumis à des règles d'approvisionnement complexes pour les fruits, les légumes, les poissons, les fromages et les viandes, ils demeurent profondément attachés aux produits de leur terroir dont ils apprécient la qualité et auxquels ils vouent un grand respect.

Au fil des saisons les étals des marchés regorgent au printemps de montagnes de griottes, d'asperges ou d'artichauts qui cèdent leur place en été à des pyramides de tomates, de poivrons, d'aubergines, de pêches, de prunes et de melons. En automne, c'est au tour des choux, des champignons, des courges, des pommes et des coings d'occuper le devant de la scène avant d'être remplacés, au cœur de l'hiver, par une avalanche de choux, de pommes de terre, de scaroles et de frisées.

Naturellement, les produits saisonniers varient d'une région à l'autre. Une petite injustice dont

doivent s'accommoder les Savoyards qui attendent avec impatience la saison des fraises quand leurs compatriotes du Sud-Ouest s'en régalent déjà !

Une balade dans les provinces françaises vous en apprendra beaucoup sur les coutumes alimentaires régionales en observant simplement les vitrines des charcutiers, des pâtissiers, des fromagers et des cavistes ou en étudiant les menus affichés par les restaurateurs. L'on découvre ainsi des produits typiques de telle ou telle région, comme les pormoniers – ces saucisses savoyardes –, le gâteau basque ou le far breton. Et chaque région affiche avec fierté son petit « vin de pays ».

La considération dont jouissent les artisans français n'est pas usurpée. Les aliments de grande qualité que les Français exigent souvent n'existeraient pas sans ces corporations de fromagers, charcutiers, pâtissiers, maraîchers, éleveurs, poissonniers et vignerons au savoir-faire ancestral et qui travaillent encore souvent seuls ou assistés de quelques employés.

Prenons pour exemple le fromage, sans lequel un repas français est inconcevable. Servi sur un plateau avant le dessert ou utilisé comme ingrédient d'un plat, il ne compte pas moins de trois cent soixante-dix variétés, souvent fabriquées par des éleveurs ou des artisans locaux. Dans les pâturages alpins, en été, les bergers fabriquent encore leurs fromages avec le lait de leurs troupeaux qu'ensuite ils descendent vendre dans la vallée, une fois leur maturation atteinte. Les fromages de chèvre enveloppés dans des feuilles de châtaigniers de couleur marron après avoir été ébouillantées sont une tradition fromagère de Banon, où les fromagers savent que les feuilles vertes, trop riches en tanin, laissent un goût amer au fromage, alors que les feuilles marron lui confèrent un léger goût de noisette.

C'est grâce à de tels artisans que les Français peuvent composer superbement un repas, en étant assurés de la qualité des produits. Chez le boulanger, on achète des baguettes au levain, du pain complet contenant plusieurs céréales ou éventuellement un pain spécial aux olives ou aux noix. Le charcutier-traiteur fournit l'entrée et le plat principal. Pourquoi ne pas commencer par quelques tranches de jambon cru, une terrine de lapin ou quelques rondelles de saucisson accompagnées de petits cornichons ? Et pourquoi ces tomates aussi

rouges et joufflues seraient-elles à dédaigner, enno-
blies d'un filet d'huile d'olive et de quelques brins
de basilic ? Un poulet rôti aux herbes, à la peau dorée
et croustillante à souhait, fera office de plat de résistance, à moins que l'on ait craqué pour un ragoût
avec une sauce au vin. Vient enfin le temps des
fromages choisis, bien entendu, chez le fromager du
coin. Il ne reste plus désormais qu'à faire un sort aux
desserts. Les vins, eux, ont été soigneusement sélec-
tionnés pour accompagner le repas. Le traiteur et le
pâtissier, en libérant la cuisinière d'une partie du
repas, lui permettent de se concentrer sur la préparation d'un ou deux plats, coutume que je trouve
ma foi fort pratique !

   J'espère réussir à vous communiquer au travers
de ce livre toute la tendresse que je porte à la France,
à sa gastronomie, à son art de vivre mais aussi à cette
longue tradition attachée aux produits du marché et
à leur fraîcheur. C'est finalement cette lumineuse
simplicité qui fait tout le charme de la cuisine française : une cuisine dépouillée de toute prétention
qui s'efface pour mieux restituer les franches saveurs
du terroir.

En haut à gauche : Au loin, le manteau neigeux des Alpes
qui abritent quelques-unes des stations de ski les plus
réputées. **Au milieu à gauche :** Les côtes déchiquetées
de Bretagne font la joie des touristes et des pêcheurs.
En bas à gauche : Ici on ne résiste pas à une huître fraîchement
ouverte… et vite gobée ! **Ci-dessus, en haut :** Ville natale de
Paul Cézanne, Aix-en-Provence, et sa célèbre Sainte-Victoire,
conjugue l'art de l'opéra et de la cuisine, sinon de la
peinture provençale. **Ci-dessus, en bas :** Les marchés aux
puces offrent aux chineurs l'éclat des souvenirs d'antan.

LES ENTRÉES

*L'entrée donne
le "la", elle prépare
le palais à ce qui
va suivre…*

EN FRANCE, on apporte la même attention, sinon plus, à l'entrée qu'au plat principal. Car après tout, c'est bien elle qui, au début d'un repas, donne le ton de ce qui va suivre, c'est elle qui prépare le palais et nous met en bouche.

Dans les restaurants, je passe souvent bien trop de temps devant la carte ou le menu, incapable de me décider pour telle ou telle entrée ! Tant de possibilités comme autant de perplexité… Comment choisir entre l'assiette de charcuterie, la salade composée, le plateau de fruits de mer, le chèvre chaud, l'omelette, l'assortiment de crudités, la tarte salée, la quiche ou le potage ? Quand il s'agit de préparer un repas chez soi, le choix est encore plus cornélien car il faut alors jongler avec le temps de préparation nécessaire à chaque plat. Opter pour une salade composée, un chèvre chaud ou de la charcuterie vous simplifiera la vie car en un tour de main c'est prêt ! Une belle assiette, deux brins de persil et le tour est joué ! Un potage, une tarte salée, une quiche lorraine ou une terrine faits maison exigent en revanche plus de temps et un minimum de savoir culinaire.

Au restaurant, l'idéal pour se familiariser rapidement avec les produits locaux est de commander un assortiment de charcuteries – à condition qu'elles soient faites maison ! C'est généralement le cas dans les petits restaurants familiaux où pâtés et terrines sont confectionnés selon des recettes transmises de génération en génération. Agréable façon de découvrir le terroir mais aussi l'histoire locale ! Je me suis ainsi laissé tenter par un pâté de canard à l'armagnac à Rouen, par un pâté maison aux baies de genièvre dans le Sud, par un jambon de pays frotté au piment d'Espelette au Pays basque et, dans la vallée de la Tarentaise, par des pormoniers, ces saucisses savoyardes élaborées avec du cœur de porc, des poireaux, des épinards et des bettes.

La variété de la charcuterie française est ahurissante. Les terrines, pâtés, rillettes, saucisses et jambons (conditionnés de mille manières, en croûte, en feuilletage, en gelée…) sont élaborés à base de canard, de porc, de gibier, de lapin, de poisson, de légumes ou de fruits de mer. De nombreuses préparations traditionnelles utilisent des abats, comme le pâté de tête, le foie de veau, la langue de bœuf, les rognons de porc ou les tripes au cidre.

En bord de mer, ne résistez pas à un bon plateau de fruits de mer, c'est là une excellente façon

Page précédente : La célèbre boulangerie Poilâne, rue du Cherche-Midi à Paris, fascine les parisiennes. À gauche : Avec sa mer bleu saphir, ses hivers ouatés et sa somptueuse baie des Anges, Nice demeure un mythe. Ci-dessous, en haut : Cette vieille enseigne de la rue Montorgueil, à Paris, invite à une dégustation d'escargots dits « à la bourguignonne ». Servis brûlants, relèvent d'une savante recette, que les Grecs auraient importée en Provence il y a de cela 2 500 ans. Ci-dessous, en bas : L'olive est l'un des plus anciens fruits cultivés. Leur culture aurait commencé de 5 000 à 3 000 avant notre ère en Crète. Tout laisse à penser que ce sont les Grecs qui ont apporté l'olivier en Provence, il y a de cela 2 500 ans.

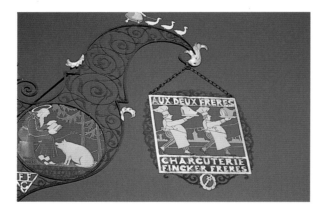

d'aborder un repas, sinon de le conclure. De nombreux restaurateurs allèchent les passants par leurs étals de coquillages et de crustacés frais exposés près de l'entrée sur des lits de glace pilée, joliment décorés d'algues toutes luisantes de marée. Huîtres, crevettes, crabes, bulots, bigorneaux, oursins ou palourdes seront du menu, selon la saison.

En entrée, il est ô combien difficile de résister à des spécialités telles que la fameuse soupe d'huîtres de la côte bretonne, l'omelette périgourdine aux champignons sauvages, les anchois grillés des bords de la Méditerranée ou la salade auvergnate aux lentilles et au magret de canard.

Les légumes ou parfois les fruits qui s'invitent dans les assiettes de hors-d'œuvre varient au rythme des saisons. Ainsi, au printemps, choisissez plutôt des asperges, des artichauts ou des betteraves ; en été, préférez les tomates, les aubergines, les courgettes, les poivrons et les melons ; en automne, succombez aux champignons, aux figues et aux pommes ; en hiver, optez pour les poireaux, les endives, le potiron et les truffes. Ils se dégustent en salade, dans une tarte salée ou une omelette mais bien souvent, la façon la plus savoureuse d'accommoder des légumes de saison est encore la plus simple et la plus naturelle ! C'est ainsi qu'ils révèlent le mieux la plénitude de leurs saveurs.

Ci-dessus, en haut : Dans le village basque d'Espelette, les poivrons sèchent dehors, suspendus aux façades des maisons. Ils sont ensuite mélangés avec de l'ail, de la chapelure, de l'huile d'olive, des tomates et du poisson afin de confectionner la rouille, une sauce épicée rouge orangé que l'on sert habituellement avec la soupe de poissons et la bouillabaisse. **Ci-dessus, au milieu** : Pas de foie gras sans gavage, cette pratique qui consiste à ingurgiter de force des aliments dans l'estomac d'une oie ou d'un canard pour faire grossir son foie.
Ci-dessus, en bas : Une belle enseigne rétro de charcuterie à la gloire du porc, l'animal fétiche des charcutiers ! Ces derniers ne disent-ils pas que « Dans le cochon, tout est bon ! » ? **Ci-contre** : Pâtés et terrines se déclinent sous une multitude de formes, du pâté de campagne, très courant, au pâté de grive, plus rare. Ici, un pâté en croûte truffé de pistaches. **Page de droite** : Après avoir arpenté les allées d'un marché lyonnais, une pause apéritif est bien méritée ! Et rien de tel qu'un petit verre de saint-verand avant de passer à des choses plus solides !

Des asperges accompagnées d'une vinaigrette à l'estragon, des artichauts relevés d'un filet d'huile d'olive et d'un peu d'ail ou des figues grillées sont des préparations à la fois simples et délicieuses qui se suffisent à elles-mêmes grâce à leur fraîcheur.

Les salades composées, qu'elles soient inventives ou traditionnelles, jouent aussi à merveille les ambassadrices de la cuisine du terroir. Une salade niçoise évoquera le littoral provençal avec ses miettes de thon, ses anchois, ses pommes de terre, ses tomates et ses haricots verts assaisonnés d'herbes aromatiques et d'huile d'olive. Une salade normande s'agrémentera de pommes, de noix, de crème fraîche et de vinaigre de cidre. Une salade savoyarde inclura des dés de beaufort ou d'emmental, des noix, des lardons et s'arrosera d'huile de noix locale. Près de la frontière espagnole, du côté de Perpignan et de Biarritz, goûtez aux salades à base de poissons, de safran et de poivrons. Sur les côtes bretonnes, d'autres salades de poisson seront encore plus riches en crustacés.

Tartes salées, crêpes et quiches, servies chaudes ou à température ambiante, figurent parmi les mets les plus alléchants. Dans le Sud, la simple vision d'une pissaladière suffit à vous mettre l'eau à la bouche avec sa pâte à pain dorée, nappée d'une épaisse couche d'oignons confits, parsemée de filets d'anchois et piquée de quelques olives noires. En Alsace, la flammekueche (une « tarte flambée » à base de crème fraîche, d'oignons, de lardons et de gruyère) est reine. Mais d'un bout à l'autre de la France, les principes restent les mêmes : une pâte à pain abaissée garnie de légumes assez riches en sucres lents pour fondre et se caraméliser légèrement, le tout parsemé de fromage, d'olives, d'anchois ou d'herbes aromatiques. D'autres tartes s'apparentent plus à des tourtes avec leur pâte garnie de légumes (poireaux ou champignons par exemple) ou d'un fromage local (du cantal en Auvergne, du beaufort en Savoie, du fromage de chèvre dans l'Indre). Les quiches sont constituées d'une pâte partiellement cuite garnie d'un savoureux mélange de crème, de lait et d'œufs. On peut y ajouter des lardons, du jambon, du fromage, des fruits de mer ou des légumes. Les déclinaisons sont quasi infinies.

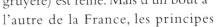

De toutes ces entrées possibles, cependant, les potages décrochent la palme de la diversité. Même rustiques et modestes, ils font toujours leur petit effet. Prenez par exemple une soupe à l'oignon. Servie dans des bols individuels, avec une noisette de beurre, un filet d'huile d'olive, beaucoup de gruyère râpé et couronnée d'une épaisse tranche de pain de campagne soigneusement dorée au four, elle devient un plat de roi ! Une simple soupe de légumes à base de haricots, de pommes de terre et de quelques pâtes sera également sublimée par l'ajout de pistou, cette sauce au basilic et à l'ail, que l'on incorpore en fin de cuisson. De même la bourride provençale, sorte de bouillabaisse, se compose d'ingrédients fort modestes : des têtes, des arêtes et des chairs de poissons, quelques légumes et un peu de vin, le tout poché. Il suffit d'ajouter dans ce bouillon de l'aïoli, cette sorte de mayonnaise régionale à base d'ail, et quelques jaunes d'œufs pour obtenir un velouté à l'ail raffiné dont on tartine des tranches de pain disposées au creux d'assiettes à soupe. Un bol d'aïoli posé au centre de la table permet à chacun de doser l'assaisonnement selon son goût. Tout simplement divin !

L'entrée, qu'elle soit chaude ou froide, simple ou sophistiquée, achetée chez le traiteur ou faite maison, est incontournable sur les tables des restaurants comme dans les foyers. Où que je sois allée en France, j'ai presque toujours vu une entrée au repas. Pascal, l'un de mes meilleurs amis, conjugue dans son village les activités de maçon et de garde champêtre. Deux jours par semaine, le lundi et le mardi, il remplit ses fonctions de garde champêtre, une charge qui comprend, entre autres, de rétablir la circulation en cas d'accident, de vérifier le bon fonctionnement de la pompe à incendie, de remonter l'horloge de l'église et d'officier lors des élections et des cérémonies. Ces jours-là, il rentre toujours chez lui pour déjeuner et prend très à cœur son rôle de « chef de famille », entendez par là qu'il fait la cuisine car selon lui, cuisiner est une activité reposante, thérapeutique et apai-

sante. Les deux premiers jours de la semaine, son camion, blanchi sous le harnais et tout cabossé, remonte la rue à midi et, après un pastis, Pascal tient table ouverte pour ceux qui sont là. Je me sens toujours très veinarde quand je suis de la partie.

Je garde notamment un souvenir ému d'un déjeuner à la bonne franquette, quelques tranches de jambon cru avec des olives, suivies d'un steak de saumon poêlé relevé au safran, de vin et de raisins. Venaient ensuite une petite salade de scarole et un fromage. Le repas s'est achevé sur un café express avant que Pascal ne reparte travailler. Cette tablée chaleureuse autour de mets simples et savoureux me laisse encore le goût intense d'un moment privilégié entre tous.

Ci-dessus, en haut : Le clocher de l'église de Bonnieux (XIIe siècle) et la douceur du soir sur le Lubéron.
Ci-dessus, en bas : Merci le chef !...
Dans le texte : Les Bordelais affectionnent le Lillet.
Page de droite : Vendanges en Bourgogne.

Nulle part ailleurs qu'en France on ne retrouve cette atmosphère particulière et indéfinissable qui règne tout au long d'un repas. L'apéritif en est le prélude. Il invite à la détente au milieu ou à l'issue d'une journée de travail. Au cours du repas, on déguste, on savoure, en prenant son temps et on se livre aux échanges, à la convivialité. Si les affaires et le travail sont souvent mis entre parenthèses, c'est parfois pour mieux s'enflammer sur des sujets plus ou moins polémiques : la politique, l'actualité ou un fait divers. Je ne sais si c'est excellent pour la digestion mais cela fait aussi partie, comme chacun sait, des traditions chères à l'art de la table !

Pour être dans le ton d'un repas bien français – même si l'on est à l'autre bout du monde ! – il faut toujours garder à l'esprit une règle d'or : miser sur la fraîcheur et la simplicité. Vos plats n'ont pas besoin d'être ultrasophistiqués : tout repose sur la qualité et la saveur des ingrédients. Et le meilleur des repas peut fort bien commencer par de simples légumes cuits à la vapeur assaisonnés d'herbes aromatiques, ou par des rondelles de tomates relevées d'un filet d'huile d'olive.

Provence

Pissaladière

C'est la pizza provençale, une pâte à pain nappée d'une généreuse couche d'oignons confits dans du beurre et de l'huile d'olive, et saupoudrée d'herbes aromatiques.

CONFIT D'OIGNONS

60 g de beurre doux

1,75 kg d'oignons jaunes émincés en rondelles de 6 mm d'épaisseur

2 feuilles de laurier fraîches ou 1 feuille de laurier séchée

4 belles branches de thym

4 brins de sarriette

1 cuillerée à café de poivre fraîchement moulu

½ cuillerée à café de sel

4 cuillerées à soupe d'huile d'olive vierge extra

PÂTE À PAIN

2 sachets de levure sèche active

25 cl d'eau chaude (41 °C)

1 cuillerée à café de sucre

1 cuillerée à café de sel

2 cuillerées à soupe d'huile d'olive vierge extra

550 g de farine sans levure

GARNITURE

20 filets d'anchois

20 olives noires conservées dans de l'huile d'olive

2 cuillerées à café d'huile d'olive

2 cuillerées à soupe de marjolaine fraîche ciselée

❦ Préchauffez le four à 150 °C/th. 5.

❦ Pour préparer le confit d'oignons, détaillez le beurre en morceaux que vous disposerez dans un plat de cuisson peu profond, assez grand pour contenir les oignons sur une épaisseur de 3 cm. (Si vous étalez les oignons en couche trop mince, ils friront au lieu de fondre pour former un confit.) Enfournez et laissez fondre le beurre 5 minutes. Retirez le plat et placez-y la moitié des oignons émincés. Coupez les feuilles de laurier en 2 ou 3 morceaux et répartissez-en la moitié sur les oignons. Puis ajoutez 2 brins de thym et autant de sarriette, ½ cuillerée à café de poivre et 1 pincée de sel. Arrosez

le tout de 2 cuillerées à soupe d'huile d'olive. Répétez l'opération avec le reste des ingrédients du confit, en empilant les oignons sur le dessus. Remettez le plat au four et laissez cuire de 1 heure à 1 heure 30, en remuant les oignons tous les quarts d'heure environ jusqu'à ce qu'ils aient réduit de moitié en ayant pris une belle couleur dorée. Retirez du four et jetez le thym, la sarriette et le laurier.

❦ Pendant la cuisson du confit, préparez la pâte. Dans un bol, laissez fondre la levure dans de l'eau chaude. Ajoutez le sucre et laissez reposer 5 minutes environ jusqu'à ce que le mélange soit mousseux.

❦ Dans un robot, versez la préparation de levure, le sel, 1 cuillerée à soupe d'huile d'olive et 470 g de farine. Mixez jusqu'à ce que les ingrédients forment une boule. Si la pâte est trop liquide, ajoutez autant de farine que nécessaire afin d'obtenir une boule lisse et ferme. Si la pâte est trop sèche, quelques gouttes d'eau chaude suffiront à lui redonner sa rondeur. Une fois la boule formée, continuez de mixer de 3 à 4 minutes jusqu'à ce que la pâte soit soyeuse mais ferme. Placez-la sur un plan de travail généreusement fariné et pétrissez-la pendant 4 à 5 minutes jusqu'à ce que la pâte soit lisse et élastique.

❦ Huilez un saladier avec la dernière cuillerée à soupe d'huile d'olive et déposez-y la boule de pâte en prenant soin de la tourner pour l'imprégner entièrement d'huile. Couvrez avec un torchon de cuisine propre et humide et laissez reposer de 1 heure à 1 heure 30 dans un endroit chaud jusqu'à ce que la pâte ait doublé de volume. Aplatissez-la, recouvrez à nouveau le saladier avec le torchon et laissez reposer 30 minutes de plus.

❦ Placez une grille au tiers supérieur du four que vous préchaufferez à 260 °C/th. 8.

❦ Aplatissez à nouveau la pâte et posez-la sur un plan de travail fariné. Abaissez la pâte en un rectangle d'environ 30 cm x 50 cm sur une plaque de four farinée de mêmes dimensions. Ourlez légèrement les bords qui formeront la croûte. Garnissez avec le confit d'oignons puis disposez à la surface anchois et olives de manière homogène.

❦ Remettez au four une quinzaine de minutes le temps que la pâte devienne croustillante et les bords dorés. Retirez votre pissaladière du four, arrosez-la alors qu'elle est encore chaude de 2 cuillerées à café d'huile d'olive puis parsemez de marjolaine.

❦ Servez votre pissaladière chaude ou à température ambiante, découpée en parts rectangulaires.

Pour 4 personnes

Pays de la Loire

Salade de melon et de figues à la crème de basilic

*L*es figues et les melons bien mûrs,
qui en été fleurissent et embaument
les étals des marchés,
sont ici légèrement assaisonnés
d'une sauce crémeuse au basilic.

13 cl de crème fraîche épaisse

3 cuillerées à soupe de jus de citron

4 cuillerées à soupe de basilic frais ciselé et quelques feuilles pour le décor

1 ½ cuillerée à café de sucre

600 g de melon bien sucré (de type cantaloup, melon de Cavaillon, de Charente ou d'Espagne), découpé en cubes de 3 cm

600 g de figues très mûres, coupées en quartiers

❦ Dans un bol, mélangez la crème, le jus de citron, le basilic ciselé et le sucre. Couvrez et gardez au réfrigérateur au minimum 1 heure.

❦ Au moment de servir, répartissez le melon et les figues sur quatre assiettes. Versez quelques cuillerées de la sauce à la crème sur chacune puis décorez de deux ou trois pointes de basilic.

Pour 4 personnes

Pour en préserver tous les parfums et les saveurs, l'idéal est encore de servir les fruits de saison tels quels, dans leur plus simple appareil !

Alsace et Lorraine

Quiche lorraine

Les quiches occupent une place privilégiée au sein du patrimoine gastronomique français. Mon fils, qui voue aux quiches une véritable passion, s'est livré à une enquête approfondie à leur sujet au cours de vacances d'été, alors qu'il avait à peine treize ans. À l'occasion d'un voyage qui, de l'arrière-pays provençal, nous mena jusqu'au nord de Lyon, il décida d'en acheter une dans chaque village où nous nous arrêtions et de la manger aussitôt, s'adonnant à chaque fois à des commentaires pertinents quant à la texture de la crème, la quantité de garniture et le croustillant de la pâte. Il décerna cet été-là la palme d'or des quiches au village de Villelaure, dans le Lubéron.

Les vendeurs de quiches qui font les marchés proposent des tourtes fraîches et savoureuses, de tailles et de garnitures variées. Cuites sur place, leurs quiches vous sont servies encore chaudes et il est bien difficile de résister à la tentation de les dévorer sur-le-champ ! La quiche lorraine, la plus célèbre de toutes, est aussi une des plus simples à réaliser.

PÂTE

315 g de farine sans levure

½ cuillerée à café de sel

125 g de beurre doux froid détaillé en petits dés (1 cm)

6 cuillerées à soupe d'eau froide

GARNITURE

3 œufs

25 cl de crème fraîche épaisse

25 cl de crème fraîche légère

½ cuillerée à café de sel

½ cuillerée à café de poivre fraîchement moulu

1 pincée de muscade moulue

8 fines tranches de lard fumé détaillé en dés

♨ Pour la pâte, mélangez dans un saladier la farine, le sel et le beurre détaillé en petits dés. Ajoutez peu à peu l'eau froide, 1 cuillerée à soupe à la fois, en tournant délicatement la pâte avec une fourchette, puis du bout des doigts. Un coup de main qui rend la pâte légère et croustillante. Ne la travaillez pas trop, elle deviendrait trop compacte. Rassemblez-la en boule (elle doit être un peu friable), enveloppez-la dans du film alimentaire et placez-la au réfrigérateur pendant 15 minutes.

♨ Préchauffez le four à 220 °C/th. 7.

♨ Sur un plan de travail fariné, abaissez la pâte en un disque d'environ 25 cm de diamètre sur 5 mm d'épaisseur. Enroulez la pâte autour du rouleau à pâtisserie et déposez-la délicatement sur un moule à tarte. Tapotez le fond et les côtés puis ourlez la pâte sur les bords en découpant éventuellement le surplus. Recouvrez-la d'une feuille d'aluminium ou de papier sulfurisé que vous tapisserez de pois ou de haricots secs.

♨ Laissez cuire la pâte à blanc environ 15 minutes sans qu'elle brunisse. Ôtez-la du four et débarrassez-la des légumes secs et du papier. Percez les éventuelles bulles avec une fourchette et enfournez à nouveau 5 minutes le temps qu'elle devienne plus ferme et bien dorée. Sortez-la du four et réservez.

♨ Baissez la température à 190 °C/th. 6.

♨ Pour la garniture, mélangez dans une jatte les œufs, la crème épaisse et la crème légère, le sel, le poivre et la muscade jusqu'à ce que vous obteniez une crème homogène. Répartissez les dés de lard fumé sur toute la surface de la pâte et versez par-dessus la garniture.

♨ Enfournez délicatement la quiche et laissez cuire de 25 à 30 minutes jusqu'à ce que le dessus soit gonflé et légèrement doré. Assurez-vous que la cuisson est bien achevée en enfonçant en son centre un couteau : s'il ressort sec, la quiche est cuite. Placez-la sur une grille et laissez reposer 15 minutes. Servez chaud ou à température ambiante.

Pour 6 personness

SAVEURS & TRADITIONS

Provence

Tellines à l'arlésienne

C'est sur les rives sableuses de la Méditerranée, en Camargue, non loin des Saintes-Maries-de-la-Mer et d'Arles, que l'on trouve les tellines, ces petits mollusques à peine plus gros que l'ongle du petit doigt. Sautées à l'huile d'olive avec de l'ail et du persil et servies dans leurs coquilles, elles sont souvent offertes à l'apéritif dans les restaurants de la région ou servies en entrée. En Camargue on considère les tellines comme un mets de choix particulièrement raffiné que l'on savoure avec délice en se léchant les doigts !

La recette suivante peut s'appliquer également aux palourdes ou aux moules qui abondent le long du littoral français. Ces coquillages se marient bien avec tous les apéritifs, mais je vous conseille de les accompagner d'un verre de rosé de Provence frais ou d'un blanc sec, avec lequel ils s'accordent divinement.

500 g de tellines ou de petites palourdes ou 1 kg de moules

4 cuillerées à soupe d'huile d'olive vierge extra

4 gousses d'ail émincées

4 cuillerées à soupe de persil plat frais ciselé

♛ Rincez soigneusement les coquillages sous l'eau courante, en les brossant éventuellement pour en éliminer le moindre grain de sable. Si vous avez opté pour des moules, ébarbez-les avec une paire de ciseaux. Jetez tout coquillage qui ne se referme pas dès qu'on le touche. Séchez-les grossièrement avec un torchon.

♛ Choisissez une poêle assez grande pour contenir tous les coquillages sur une ou deux épaisseurs maximum. À feu vif, versez l'huile d'olive. Quand elle est chaude, ajoutez l'ail et faites revenir 1 ou 2 minutes sans qu'il brunisse. Jetez enfin le persil et les coquillages dans la poêle en les brassant bien avec une cuillère pour les imbiber d'huile. Laissez cuire de 2 à 3 minutes jusqu'à ce que les coquilles s'ouvrent.

♛ Disposez les coquillages dans leur jus sur un plat ou dans des assiettes, en éliminant ceux qui ne se sont pas ouverts. Servez aussitôt.

Pour 3-4 personnes (s'il s'agit d'un apéritif) ou 2 (si c'est une entrée)

Bourgogne et Lyonnais

Escargots à la bourguignonne

Vous pouvez utiliser pour ce plat des gros escargots de Bourgogne ou des petits-gris de Provence. Prévoyez simplement une plus grande quantité si vous choisissez ces derniers, par définition plus petits ! Quatre belles douzaines feront parfaitement l'affaire. Selon moi, les escargots sont un excellent prétexte pour s'offrir un festin de beurre fondu à l'ail, à l'échalote et au persil...

Vous trouverez dans le commerce des escargots en conserve et des lots de grosses coquilles vides. L'idéal est de servir les escargots farcis dans une escargotière, un plat muni de petites alvéoles. Chaque escargot baigne ainsi dans une mare de beurre fondu. Une pince à coquille et une fourchette à deux dents permettront aux convives de ne pas se brûler les doigts en en retirant la chair.

250 g de beurre salé, à température ambiante

2 gousses d'ail émincées

20 g de persil plat frais ciselé

35 g d'échalotes finement hachées

1 cuillerée à café de poivre fraîchement moulu

4 douzaines d'escargots en conserve soigneusement égouttés

4 douzaines de coquilles d'escargots vides

♛ Préchauffez le four à 230 °C/th. 8.

♛ Dans un bol, mélangez bien le beurre, l'ail, l'échalote, le persil et le poivre avec une cuillère en bois.

♛ Introduisez un escargot au fond de chaque coquille à l'aide d'une petite cuillère. Comblez la cavité avec du beurre assaisonné (environ 2 cuillerées à café), en le tassant profondément, puis en l'égalisant à l'entrée de la coquille.

♛ Disposez les escargots farcis sur des escargotières, que vous enfournerez. Si vous n'en avez pas, vous pouvez les répartir dans un plat de cuisson peu profond.

♛ Laissez cuire de 10 à 12 minutes jusqu'à ce que le beurre commence à fondre. Si vous avez utilisé des escargotières, placez-les sur des assiettes de service individuelles. Si vous avez opté pour un seul plat de cuisson, disposez-les dans de petites assiettes ou des coupelles peu profondes, en veillant à ne pas perdre le beurre d'escargot. Servez immédiatement.

Pour 4 personnes

Sud-Ouest

Omelette aux champignons sauvages

Dans le Périgord, comme dans d'autres régions, on attend avec impatience l'automne pour courir bois et collines et aller aux champignons. En cette saison, les forêts se peuplent, qu'il vente ou qu'il pleuve, de silhouettes courbées vers le sol, un panier sous le bras et le cœur plein d'espoir à l'idée de ramener chez soi un fabuleux butin. Les plus chanceux reviennent avec un plein panier de cèpes ou de chanterelles, qu'ils apprêteront en simple omelette.

50 g de beurre doux

½ échalote émincée

250 g de cèpes frais ou d'un mélange de cèpes et de chanterelles, brossés et émincés

½ cuillerée à café de thym frais

¾ de cuillerée à café de sel

¾ de cuillerée à café de poivre fraîchement moulu

6 œufs

1 cuillerée à soupe de persil plat frais ciselé

❧ Dans une petite poêle, laissez fondre à feu moyen la moitié du beurre. Ajoutez l'échalote, que vous ferez blondir de 1 à 2 minutes, puis les champignons et le thym, que vous laisserez revenir de 2 à 3 minutes. Saupoudrez d'1 pincée de sel et de poivre et réservez. Dans une jatte, battez les œufs avec le reste de sel et de poivre jusqu'à ce qu'ils soient mousseux.

❧ Laissez fondre à feu moyen le reste de beurre dans une grande poêle. Versez les œufs battus et remuez quelques secondes, le temps qu'ils épaississent. Baissez le feu. À l'aide d'une spatule, imprimez de petits coups secs au manche de la poêle pour faire cuire l'omelette de façon homogène. Prolongez la cuisson de 30 à 40 secondes afin de dorer légèrement le fond.

❧ À l'aide d'une écumoire, disposez les champignons sur la moitié de l'omelette en vous arrêtant à 2 cm du bord. Parsemez ½ cuillerée à soupe de persil. Tout en agitant la poêle d'avant en arrière et en vous aidant d'une spatule, rabattez l'omelette en deux comme un chausson. Laissez cuire encore de 30 à 40 secondes jusqu'à ce que les bords soient un peu fermes. Faites glisser sur un plat préchauffé et parsemez du reste de persil. Partagez en 3 ou 4 et servez immédiatement.

Pour 3-4 personnes

Pour commencer, un peu de fromage

Le fromage n'est pas condamné à être relégué à la fin des repas ! Il peut être présent tout du long, de l'apéritif au plat de résistance. Lorsque je gardais mon troupeau de chèvres en Provence, et que je fabriquais mes propres fromages, je mettais parfois des « copeaux » d'une tomme dans un bocal rempli d'huile d'olive. Ensuite, je les proposais à l'apéritif, en toasts. De plus en plus, sont apparus sur les marchés des petits fromages conservés dans de l'huile d'olive et des herbes aromatiques. Les gougères, ces petits choux salés parfumés au fromage, sont une autre façon d'offrir le fromage en apéritif. On peut aussi détailler en cubes un bon fromage local.

Une de mes entrées préférées consiste en une simple rondelle de fromage de chèvre chaud sur une salade de frisée assaisonnée : un délicieux mariage de saveurs et de textures. Le fromage entre aussi dans la composition de quiches, de tartes salées, de salades composées et de nombreuses sauces dont on nappe les crêpes ou les quenelles.

Sud-Ouest

Tarte au roquefort et aux tomates

Une tarte originale qui allie la puissance du roquefort à la douceur de la tomate ; un mélange audacieux de saveurs qui peut tout aussi bien garnir une pâte à pizza.

PÂTE

155 g de farine sans levure

½ cuillerée à café de sel

90 g de beurre doux froid détaillé en petits dés (1 cm)

3 cuillerées à soupe d'eau froide

GARNITURE

185 g de roquefort à température ambiante

2 cuillerées à soupe de crème fraîche légère ou de lait

2 tomates coupées en rondelles de 5 mm d'épaisseur

½ cuillerée à café de poivre fraîchement moulu

½ cuillerée à café de thym frais

1 cuillerée à café d'huile d'olive vierge extra

♛ Pour la pâte, mélangez dans une jatte la farine, le sel et le beurre détaillé en petits morceaux. Ajoutez peu à peu l'eau froide, 1 cuillerée à soupe à la fois, en tournant délicatement la pâte avec une fourchette, puis du bout des doigts. (Ne la travaillez pas trop sinon elle deviendrait raide.) Rassemblez la pâte en boule (elle doit être un peu friable), enveloppez-la dans du film alimentaire et gardez-la au réfrigérateur 15 minutes environ.

♛ Préchauffez le four à 200 °C/th. 7. Sur un plan de travail fariné, abaissez la pâte en un disque d'environ 25 cm de diamètre sur 5 mm d'épaisseur. Tapissez-en soigneusement un moule à tarte. Piquez le fond et les côtés puis ourlez la pâte sur les bords en découpant éventuellement le surplus.

♛ Dans un bol, écrasez à l'aide d'une fourchette le roquefort et mélangez-le avec la crème fraîche ou le lait. Étalez cette garniture de façon homogène sur la pâte puis disposez par-dessus les rondelles de tomates. Parsemez de poivre, de thym et d'huile d'olive.

♛ Laissez cuire au four de 20 à 25 minutes jusqu'à ce que les tomates aient fondu et que la croûte soit légèrement dorée. Sortez la tarte et laissez-la reposer 30 minutes sur une grille avant de servir.

Pour 6-8 personnes

Provence

Sardines marinées aux tomates et à l'huile d'olive

Mets à la fois populaire et raffiné cher aux Méridionaux, les sardines sont souvent frites, relevées d'une sauce et servies à température ambiante. Les eaux de la Méditerranée sont encore riches de ces poissons qui vivent en bancs et entrent dans la composition d'un grand nombre de plats traditionnels. Les meilleures sardines du monde sont, selon moi, celles que l'on fait griller sur un feu de bois. Leur peau devient croustillante et leur chair prend une saveur fumée. Nous nous offrons parfois avec mon voisin de véritables festins en grillant des sardines dans la cheminée de sa salle à manger et en les dégustant au fur et à mesure.

Lorsque vous achetez vos sardines, veillez à ce qu'elles aient la peau bien lisse et les yeux clairs et brillants. Un poisson à l'œil vitreux et à la peau craquelée ne respire pas la fraîcheur. Prévoyez au moins quatre sardines par personne si vous les servez en friture ou simplement grillées.

4 cuillerées à soupe d'huile d'olive

75 g de farine sans levure

12 sardines fraîches nettoyées

½ cuillerée à café de sel

1 cuillerée à café de poivre fraîchement moulu

4 cuillerées à soupe de vinaigre

MARINADE

2 cuillerées à soupe d'huile d'olive

1 oignon blanc ou jaune émincé

1 bulbe de fenouil d'environ 15 cm de long

1 gousse d'ail

1 feuille de laurier frais ou ½ feuille de laurier séché

2 tomates mûres pelées, épépinées et très finement émincées

❦ Chauffez l'huile d'olive à feu moyen dans une poêle. Pendant ce temps, étalez la farine dans un plat et roulez-y les sardines pour les imprégner légèrement.

❦ Quand l'huile est chaude, déposez les sardines dans la poêle, sans qu'elles se touchent, et laissez frire pendant 2 à 3 minutes jusqu'à ce que leur peau devienne bien croustillante et dorée. Retournez-les environ 1 minute jusqu'à ce que la chair se détache facilement des arêtes. À l'aide d'une écumoire, déposez-les une à une sur du papier absorbant. Salez, poivrez et disposez-les sur un plat.

❦ Laissez l'équivalent de 2 cuillerées à soupe d'huile dans la poêle, à feu moyen. Ajoutez le vinaigre et déglacez la poêle en remuant avec une cuillère en bois pour récupérer les sucs caramélisés au fond. Retirez du feu et nappez-en les sardines.

❦ Pour la marinade, chauffez l'huile d'olive dans une autre poêle, à feu moyen. Lorsqu'elle est chaude, ajoutez l'oignon, le fenouil, l'ail et le laurier. Laissez rissoler de 1 à 2 minutes jusqu'à ce que l'oignon ait blondi. Ajoutez les tomates et à feu très vif cette fois, laissez réduire le tout pendant 2 à 3 minutes.

❦ Arrosez les sardines de cette marinade chaude. Laissez refroidir de 10 à 15 minutes, puis couvrez et placez au réfrigérateur de 12 à 24 heures avant de servir, frais ou à température ambiante.

Pour 4 personnes

SAVEURS & TRADITIONS

Centre

Velouté de potiron
au cerfeuil

*Le cerfeuil, l'un des aromates classiques
de la cuisine française, ajoute une saveur délicate
et un peu inattendue de réglisse à ce potage léger
et onctueux. On utilise traditionnellement du potiron,
mais celui-ci peut être remplacé par une courge
musquée ou un potimarron.*

1 potiron, 1 courge musquée ou 1 potimarron
d'environ 1 kg

1 cuillerée à café
plus 1 cuillerée à soupe de beurre doux

1 oignon blanc ou jaune émincé

25 cl de bouillon de poulet

15 cl d'eau

3 cuillerées à soupe de cerfeuil frais ciselé

½ cuillerée à café de sel

35 cl de lait

❦ Préchauffez le four à 180 °C/th. 6. Coupez le potiron
en deux dans le sens de la hauteur. Jetez les graines et
les filaments. Avec la cuillerée à café de beurre, enduisez
les cavités et les bords coupés du potiron, ces derniers
étant tournés vers le bas, sur la plaque du four.

❦ Laissez cuire au four de 45 à 50 minutes jusqu'à ce
que la chair soit bien tendre. Retirez du four et lorsque
le potiron a refroidi, grattez sa pulpe et réservez-la dans
un bol. Dans une casserole, laissez fondre la cuillerée à
soupe de beurre à feu moyen. Lorsqu'il est mousseux,
ajoutez l'oignon et laissez revenir de 4 à 5 minutes.
Incorporez le bouillon de poulet, l'eau, 2 cuillerées à
soupe de cerfeuil et 1 pincée de sel et de poivre. Laissez
mijoter à découvert pendant 15 minutes afin que les
saveurs se mélangent. Incorporez la chair du potiron,
remuez bien et laissez mijoter 5 minutes de plus.

❦ Retirez du feu, laissez refroidir puis mixez en
plusieurs fois dans un robot de cuisine. Entre-temps,
ajoutez le lait en un filet continu tout en mixant jusqu'à
ce que vous obteniez une pâte lisse. Replacez ce velouté
dans la casserole à feu moyen et ajoutez les dernières
pincées de sel et de poivre. Laissez cuire en remuant
constamment mais sans jamais atteindre l'ébullition.

❦ Servez votre crème de potiron dans des bols chauds
dans lesquels vous répartirez le reste de cerfeuil.

Pour 4 personnes

Champagne et Nord

Salade de champignons,
de céleri et de chèvre sec

*Cette salade rafraîchissante et facile à préparer est assurée
de son petit succès ! Elle associe des champignons
finement émincés avec du céleri, très courant dans le
Nord, ou du fenouil, plus répandu dans le Sud.
Le secret de sa réussite réside dans le choix des
champignons, dont les chapeaux doivent être bien denses,
sans la moindre lamelle apparente, mise à part la légère
ligne rosée d'où elles prennent naissance. Si les lamelles
sont visibles, cela signifie que les champignons ne sont pas
assez frais pour être mangés crus, en salade. Choisissez
un fromage de chèvre sec pour sa saveur forte légèrement
poivrée. Si vous préférez un goût plus doux, râpez-le
au lieu de le couper en fines tranches ou prenez un autre
fromage sec, comme par exemple du parmesan.*

4 cuillerées à soupe d'huile d'olive vierge extra

3 cuillerées à soupe de jus de citron
fraîchement pressé

½ cuillerée à café de sel

½ cuillerée à café de poivre fraîchement moulu

4 cuillerées à soupe de persil plat frais ciselé

375 g de champignons de Paris brossés

4 tiges de céleri

60 g de fromage de chèvre sec

❦ Dans un grand saladier, préparez la vinaigrette en
mélangeant l'huile d'olive, le jus de citron, le sel, le
poivre et 2 cuillerées à soupe de persil. Réservez.

❦ À l'aide d'une mandoline ou d'un couteau bien
affûté, émincez les champignons en tranches ultra-
fines. Procédez de même avec le céleri. Avec un
économe, « pelez » le fromage dur en fins copeaux.

❦ Ajoutez les champignons, le céleri et la moitié du
fromage dans le saladier contenant la vinaigrette et
remuez le tout.

❦ Répartissez la salade entre les assiettes. Garnissez
avec le reste du fromage et du persil. Servez aussitôt.

Pour 4 personnes

Provence

Ratatouille

Parfumée à l'huile d'olive, au thym et à l'ail, la ratatouille est une sorte de ragoût de légumes que l'on prépare en Provence quand les potagers et les marchés regorgent de poivrons, d'aubergines et de courgettes.

Les puristes vous diront qu'il faut faire cuire séparément les tomates des autres légumes qui composent la ratatouille. Mais dans la pratique, peu de gens respectent cette règle et leur ratatouille ne s'en porte pas plus mal ! Tout le monde fait mijoter pêle-mêle poivrons, aubergines, courgettes, tomates et basilic. Les proportions varient en fonction des légumes disponibles et du goût de chacun. L'assaisonnement, en revanche invariable, fait la part belle aux aromates locaux tels que le thym, le romarin, la sauge et la sarriette. Si l'association de ces herbes dépend de l'humeur du cuisinier, le thym tient toujours la vedette, car c'est lui qui donne à la ratatouille son parfum caractéristique.

La ratatouille peut être servie en entrée, en plat principal ou en garniture, avec une omelette par exemple.

2 belles cuillerées à soupe d'huile d'olive vierge extra

2 petits oignons blancs ou jaunes finement émincés

2 aubergines coupées en cubes de 3 cm

4 gousses d'ail émincées

2 courgettes coupées en cubes de 3 cm

2 gros poivrons verts, rouges ou jaunes épépinés et détaillés en cubes de 3 cm

8-10 tomates bien mûres, pelées, épépinées et grossièrement émincées

3 brins de thym frais

1 brin de romarin frais

1 feuille de laurier séchée

½ cuillerée à café de sel

½ cuillerée à café de poivre fraîchement moulu

4 cuillerées à soupe de basilic frais ciselé

❦ Dans une grande casserole à fond épais ou un faitout, chauffez l'huile d'olive à feu moyen. Quand elle est chaude, baissez le feu, ajoutez les oignons et laissez blondir 2 minutes environ à feu modéré. Ajoutez les aubergines et l'ail et laissez revenir de 3 à 4 minutes en remuant souvent, jusqu'à ce que les aubergines fondent un peu.

❦ Ajoutez ensuite les courgettes et les poivrons et laissez cuire encore 4 à 5 minutes en retournant régulièrement les légumes jusqu'à ce qu'ils soient tendres. Ajoutez enfin les tomates, le thym, le romarin, la feuille de laurier, le sel et le poivre en mélangeant bien le tout encore 2 à 3 minutes.

❦ Couvrez et laissez mijoter environ 40 minutes à feu doux en remuant de temps en temps.

❦ Une fois le mariage des saveurs accompli, ajoutez le basilic et retirez du feu. Transvasez dans un plat de service et servez chaud, froid ou à température ambiante.

Pour 10 personnes

Pyrénées et Gascogne

Brochettes de pruneaux au romarin

Dans le sud de la France, les tiges de romarin sont astucieusement détournées en brochettes. Après avoir dépouillé une brindille de ses feuilles sèches, il ne reste que la tige, raide et droite. Pour plus d'élégance, on laisse à son extrémité quelques feuilles. Ces brochettes improvisées piquent ici des pruneaux d'Agen et du lard fumé qui s'imprègnent ainsi de la saveur du romarin et de la fumée du feu de bois. Vous pouvez remplacer les pruneaux par des figues sèches.

16 pruneaux dénoyautés

8 fines tranches de lard fumé coupées en deux dans le sens de la longueur

4 solides tiges de romarin : ne gardez que les feuilles au sommet et taillez la base en pointe

❦ Préparez un feu dans un barbecue avec couvercle.

❦ Roulez chaque pruneau dans une lanière de lard fumé et maintenez le tout à l'aide d'un cure-dent. Embrochez une rangée de 4 pruneaux bardés sur chacune des 4 tiges de romarin en veillant à ne pas trop les serrer.

❦ Lorsque les charbons sont ardents, repoussez-les sur les côtés du barbecue et placez une lèchefrite sous le gril. Disposez les brochettes par-dessus et laissez griller de 2 à 3 minutes à découvert jusqu'à ce que le lard fumé soit doré sur le premier côté. Retournez les brochettes et répétez l'opération de l'autre côté.

❦ Couvrez le gril en bouchant tous les orifices. Laissez rôtir 2 à 3 minutes de plus. Soulevez le couvercle et retournez les brochettes pour vérifier l'état du lard, qui doit être très croustillant.

❦ Répartissez les brochettes sur des assiettes et servez très chaud.

Pour 4 personnes

Bretagne

Moules à la marinière

Les moules sont très présentes dans la gastronomie
française, tant sur les bords de la Méditerranée
que sur les côtes de l'Atlantique. Il existe des dizaines
de préparations différentes mais ma préférence
va sans aucun doute aux moules à la marinière
que j'ai goûtées pour la première fois dans un minuscule
restaurant niché au pied du Mont-Saint-Michel.
Après avoir visité le monastère millénaire,
mon compagnon et moi avions succombé au menu affiché.
Une fois assis, nous avons vu arriver devant nous
d'immenses bols de moules noyées dans un bouillon
fumant. Difficile de savoir ce qui était le meilleur :
ces moules tendres que l'on mangeait à même leurs
coquilles d'un noir bleuté ou ce bouillon au muscadet,
au beurre et à l'ail que nous avons saucé
jusqu'à la dernière goutte !

1 cuillerée à soupe de beurre doux

1 cuillerée à soupe d'huile d'olive vierge extra

½ oignon blanc ou jaune haché

1 gousse d'ail émincée

½ cuillerée à café de poivre
fraîchement moulu

2-2,5 kg de moules brossées et ébarbées

50 cl de muscadet ou tout autre vin blanc sec

1 ½ cuillerée à soupe de persil plat frais ciselé

♕ Dans un faitout assez grand pour contenir toutes les moules, laissez fondre à feu vif le beurre avec l'huile d'olive. Lorsque le mélange est mousseux, ajoutez l'oignon et laissez blondir de 2 à 3 minutes. Ajoutez l'ail, le poivre et les moules (jetez celles dont les valves sont ouvertes), arrosez de vin et parsemez de persil.

♕ Couvrez, laissez cuire de 10 à 12 minutes à feu doux jusqu'à ce que les moules s'ouvrent. Découvrez et mélangez bien les moules au bouillon.

♕ À l'aide d'une grande écumoire, déposez-les dans des bols individuels en éliminant celles qui ne se sont pas ouvertes. Répartissez le bouillon dans chaque bol et servez aussitôt.

Pour 4 personnes

La crêperie

En France, la moindre petite ville a sa crêperie. Il peut s'agir d'un restaurant à part entière ou d'une minuscule échoppe à peine assez grande pour contenir une plaque chauffante et les indispensables garnitures. À défaut de pouvoir goûter aux succulentes crêpes fines comme de la dentelle des maîtres crêpiers, vous pouvez acheter des crêpes toutes faites ou des préparations pour crêpes minute, salées ou sucrées, dans un supermarché.

Je ne peux m'empêcher d'associer les crêpes à Chartres. Non que la dentelle de pierre de sa splendide cathédrale me rappelle celle d'une crêpe bretonne ! Tout simplement parce qu'elle fut le lien d'un mémorable festin de crêpes, pris en tête-à-tête avec mon mari. Nous étions arrivés là un soir de décembre, après un long vol en provenance de Californie, pris la route depuis Orly. Affamés mais trop épuisés pour envisager un dîner dans un restaurant, nous avons poussé la porte d'une crêperie au pied de la cathédrale. Nous avons dégusté trois crêpes différentes, le tout accompagné d'un pichet de vin blanc. Un vrai festin !

Bourgogne et Lyonnais

Salade de foies de volailles

Je doute qu'il s'agisse d'un plat typique de la Bourgogne mais je garde un tel souvenir de celle que j'ai mangée à Mâcon que je l'associe toujours à cette région. Partis de Paris, mon mari et moi nous rendions en voiture dans le sud de la France et nous avions prévu de faire une halte à Mâcon pour rendre visite à des amis. Nous sommes arrivés chez eux très tard, fatigués et affamés. Nos amis nous ont alors invités dans un très beau bistrot où nous avons commandé une bouteille de mâcon blanc et cette fameuse salade de foies de volailles. À la vue de ces assiettes généreusement garnies de trois foies cuits à point sur un lit de scarole et arrosés d'une vinaigrette chaude, toute la fatigue du voyage s'est envolée !

185 g de cœur de scarole

4 cuillerées à soupe de persil plat frais grossièrement ciselé

30 g de jeunes pousses de roquette, entières ou coupées en deux

12 foies de poulets dénervés et coupés en deux

½ cuillerée à café de sel

½ cuillerée à café de poivre fraîchement moulu

2 cuillerées à soupe de beurre doux

2 ½ cuillerées à soupe de vinaigre

½ cuillerée à café de moutarde de Dijon

15 cl d'huile d'olive vierge extra

♛ Dans un saladier, mélangez les cœurs de scarole découpés en morceaux, le persil et la roquette. Répartissez entre les assiettes.

♛ Salez et poivrez les foies. Dans une sauteuse, laissez fondre le beurre à feu vif. Lorsqu'il est mousseux, ajoutez les foies et laissez revenir de 2 à 3 minutes en les retournant une fois. Ils doivent être bruns à l'extérieur mais encore roses et fondants à l'intérieur. Arrosez de vinaigre et déglacez la sauteuse en remuant avec une cuillère en bois pour récupérer les sucs caramélisés. Ajoutez, en remuant, la moutarde et l'huile d'olive.

♛ Répartissez les foies de volaille sur les lits de salade. Versez un filet de vinaigrette chaude et servez.

Pour 4 personnes

Ile-de-France
Soupe à l'oignon gratinée

J'ai eu la chance de dîner aux Halles, l'ancien marché situé au cœur de Paris, avant qu'elles ne soient transférées à Rungis, dans la banlieue sud. À l'époque, ce quartier que Zola surnommait « le Ventre de Paris » regorgeait de petits restaurants populaires qui, dès potron-minet, se remplissaient de forts des Halles et de marchandes des quatre-saisons. Au petit matin, débardeurs, camionneurs, ouvriers et fêtards invétérés au seuil d'une nuit blanche jouaient du coude sur le zinc pour s'avaler une robuste soupe à l'oignon. Fumante, odorante et riche en calories grâce à son « couvercle » de pain gratiné de fromage, elle vous réchauffe et vous retape un gaillard en moins de deux !

Le secret de cette soupe réside dans l'épaisseur des rondelles d'oignons, qui doit être extrêmement fine. Des rondelles trop épaisses ou des oignons hachés trop menus vous apporteront un résultat décevant.

6 cuillerées à soupe de beurre doux

1 cuillerée à soupe d'huile d'olive vierge extra

1 kg d'oignons jaunes très finement émincés

½ cuillerée à café de sucre

½ cuillerée à café de sel

1 ½ cuillerée à soupe de farine sans levure

2 l de bouillon de bœuf

50 cl d'eau

25 cl de vin blanc sec

1 cuillerée à café de poivre fraîchement moulu

GARNITURE

12-16 tranches de pain de campagne d'environ 1 cm d'épaisseur

2 gousses d'ail coupées en deux

3 cuillerées à soupe d'huile d'olive vierge extra

250 g de gruyère ou d'emmental râpé

2 cuillerées à soupe de beurre doux détaillé en petits dés

♔ Dans une casserole à fond épais, faites fondre le beurre à feu moyen dans l'huile d'olive. Lorsqu'il commence à mousser, ajoutez les oignons et laissez-les blondir en remuant pendant 4 à 5 minutes. Baissez le feu, couvrez et laissez-les dorer légèrement environ 15 minutes en les remuant de temps à autre. Découvrez, saupoudrez de sucre et de sel, puis poursuivez la cuisson de 30 à 40 minutes à découvert, à feu moyen, jusqu'à ce qu'ils prennent une belle teinte caramel.

♔ Saupoudrez-les ensuite de farine et remuez 2 à 3 minutes afin qu'elle dore. Versez progressivement le bouillon de bœuf et l'eau, sans cesser de tourner. Augmentez le feu et poivrez. Baissez à nouveau le feu, couvrez et laissez cuire 45 minutes environ jusqu'à ce que les oignons commencent à fondre.

♔ Pendant que la soupe mijote, préparez la garniture. Posez les tranches de pain sur une plaque de cuisson et glissez celle-ci à 10 cm du gril préchauffé. Laissez-les dorer de 3 à 4 minutes de chaque côté (en les retournant une fois) pour les rendre croustillantes à souhait. Ôtez-les du four, puis frottez d'ail et badigeonnez chaque côté d'huile d'olive. Replacez sous le gril pendant 5 à 6 minutes en les retournant à mi-temps pour que chaque face prenne une jolie teinte dorée. Réservez.

♔ Préchauffez le four à 230 °C/th. 8.

♔ Disposez sur un plaque de cuisson 6-8 bols résistant au four, dans lesquels vous aurez réparti la soupe chaude. Chapeautez chaque bol de 2 tranches de pain grillé, parsemez de fromage râpé et ponctuez le tout de petits morceaux de beurre. Enfournez et laissez gratiner environ 15 minutes jusqu'à ce que se forme une belle croûte dorée et que la soupe déborde généreusement sur les bords.

Pour 6-8 personnes

Bourgogne et Lyonnais

Jambon persillé

Cette recette d'origine bourguignonne a désormais conquis tout l'Hexagone. Elle constitue une entrée fort appétissante grâce au mélange coloré de persil vert et de jambon rosé enrobé dans une odorante gelée au vin. Vous l'accompagnerez de moutarde, de cornichons croquants et d'un vin blanc frais.

Le jambon cru, conservé au sel, est un aliment très apprécié partout en France, chaque région ayant sa spécialité et sa propre technique de salaison. Le jambon de Bayonne est le plus célèbre, mais ceux d'Auvergne, du Tarn, du Morvan ou de Corse sont tout aussi fameux.

1 jambon cru d'environ 1 kg

3 clous de girofle

5 oignons jaunes ou blancs

1 jarret de veau d'environ 250 g

1 pied de veau d'environ 850 g

2 brins de cerfeuil frais

2 brins d'estragon frais

2 brins de thym frais

1 gousse d'ail

2 échalotes

1 l d'eau

1 bouteille (75 cl) de vin blanc sec

9 cuillerées à soupe de cognac

2 cuillerées à soupe de pectine en poudre

2 cuillerées à soupe de vinaigre de vin blanc

1 cuillerée à café de poivre fraîchement moulu

20-30 g de persil plat frais ciselé

❦ Placez le jambon dans un grand faitout, mouillez à hauteur avec de l'eau et laissez tremper toute une nuit pour le dessaler un peu.

❦ Le lendemain, jetez l'eau de dessalage, remplacez-la par de l'eau fraîche puis amenez celle-ci à ébullition, à feu vif. Ensuite, baissez le feu et laissez doucement mijoter pendant 1 heure.

❦ Videz de nouveau l'eau de cuisson et rincez le jambon à l'eau froide. Lavez le faitout et replacez le jambon dedans. Plantez les clous de girofle dans un oignon puis ajoutez l'ensemble des oignons, le jarret,

le pied de veau, le cerfeuil, l'estragon, le thym, l'ail, l'échalote, l'eau, le vin et 4 cuillerées à soupe de cognac.

❦ Placez à feu vif et amenez à ébullition en écumant la mousse qui se forme en surface. Baissez le feu, couvrez et laissez mijoter environ 1 heure à feu doux en ôtant l'écume de temps en temps jusqu'à ce que le jambon s'émiette facilement avec une fourchette.

❦ Retirez les pièces de viande du bouillon de cuisson et réservez. Filtrez le bouillon à travers une passoire et jetez oignons et aromates. Tapissez la passoire de plusieurs couches de mousseline et posez-la sur une casserole propre pour filtrer de nouveau le liquide. Réservez.

❦ À l'aide d'une fourchette, émiettez grossièrement le jambon, y compris le gras. Raclez l'os du jarret et coupez sa viande en petits morceaux en ôtant le gras. Placez la moitié du jambon et du veau dans un récipient en verre ou en céramique d'une contenance de 2 l.

❦ Remettez le bouillon à chauffer à feu moyen. Quand il commence à frémir, versez-en un quart dans une jatte. Ajoutez-y la pectine et délayez jusqu'à ce qu'elle soit parfaitement dissoute. Joignez cette solution de pectine au reste du bouillon et retirez la casserole du feu.

❦ Arrosez le mélange de viandes d'1 cuillerée à soupe de vinaigre, de 2 cuillerées à soupe de cognac et saupoudrez de ½ cuillerée à café de poivre. Versez ensuite la moitié du bouillon et la moitié du persil. Ajoutez le reliquat de viande, arrosez du vinaigre restant et des 3 dernières cuillerées à soupe de cognac, puis saupoudrez de ½ cuillerée à café de poivre et de persil. Arrosez le tout du restant de bouillon. Ne vous inquiétez pas si le jambon flotte à la surface, il finira par se déposer au fond.

❦ Couvrez et laissez au réfrigérateur toute une nuit pour que la gelée prenne. Ce plat peut se conserver environ 2 semaines au froid. Pour servir, découpez avec un couteau bien affûté des tranches de 1 cm d'épaisseur, que vous extrairez avec précaution du récipient.

Pour 15 personnes

De simples légumes cuits à la vapeur et servis en vinaigrette, une salade de tomates ou une tranche ou deux de jambon suffisent à constituer une délicieuse entrée.

Sud-Ouest

Salade verte
aux gésiers confits

*Cette salade est un grand classique des rives
de la Dordogne. Elle se compose de gésiers de canard,
de dinde ou de poulet délicatement confits,
puis découpés en fines tranches.*

*On a utilisé ici les gésiers exceptionnellement
gros et tendres de canards gavés, spécialement
élevés pour produire du foie gras.*

CONFIT

1 kg de gésiers de poulet, de canard ou de dinde

60 g de beurre doux

2 échalotes émincées

2 baies de genièvre pilées

1 cuillerée à café de thym frais

1 cuillerée à café de sarriette fraîche

1 cuillerée à café de sel

½ cuillerée à café de poivre fraîchement moulu

SALADE

4 cuillerées à soupe d'huile de noix

3 cuillerées à soupe de vinaigre

½ cuillerée à café de sel

½ cuillerée à café de poivre fraîchement moulu

1 cœur de laitue

30 g de cerneaux de noix et grillés

♛ À l'aide d'un couteau pointu, débarrassez les gésiers
de leur peau. Dans une sauteuse, laissez fondre le beurre
à feu moyen. Dès qu'il commence à mousser, ajoutez
les échalotes et les gésiers, puis baissez le feu et laissez
cuire 15 minutes en remuant de temps en temps jusqu'à
ce qu'ils aient entièrement bruni. Ajoutez les baies de
genièvre, le thym, la sarriette, le sel, le poivre et assez
d'eau pour couvrir jusqu'aux deux tiers les gésiers.
Couvrez et laissez cuire à feu très doux pendant 2 à
3 heures, jusqu'à ce que les gésiers soient très tendres
et se coupent facilement au couteau.

♛ Retirez du feu, laissez refroidir puis versez les gésiers avec leur graisse et leurs sucs dans un récipient muni d'un couvercle. Fermez-le hermétiquement et placez-le au réfrigérateur. Si les gésiers sont entièrement recouverts de leur graisse, ils se conserveront plusieurs semaines. Si ce n'est pas le cas, mieux vaut les consommer dans les 3 à 4 jours.

♛ Au moment de préparer la salade, retirez les gésiers du récipient et coupez-les en fines tranches. Dans une petite casserole, réchauffez-les à feu modéré dans leur propre graisse. Dans un saladier, mélangez avec une fourchette le vinaigre, le sel, le poivre et l'huile de noix. Ajoutez ensuite les feuilles de laitue dans la vinaigrette et mélangez bien.

♛ Remplissez généreusement les assiettes de laitue, répartissez les gésiers dessus, ajoutez quelques cerneaux de noix grillés et servez immédiatement.

Pour 4 personnes

Provence

Bourride

Merveille du littoral provençal, ce simple ragoût du pêcheur doit sa saveur incomparable à l'aïoli, cette fameuse mayonnaise à l'ail. La bourride se compose traditionnellement de rascasse ou de lotte, mais on peut aussi utiliser d'autres poissons à chair blanche et ferme.
Cette soupe est très simple à préparer, à condition de respecter une règle d'or : ne jamais la faire bouillir après l'ajout des œufs, sans quoi ceux-ci se désagrégeraient et il serait impossible d'obtenir une consistance homogène.

750 g de têtes, de queues et d'arêtes centrales de poisson

2 carottes coupées en quatre

1 oignon jaune coupé en quatre

3 tiges de fenouil (ou 1 bulbe) coupées en quatre

3 gousses d'ail

1 branche de céleri coupée en quatre

4 branches de persil plat frais

3 branches de thym frais

1 cuillerée à café de sel

1 feuille de laurier

1 zeste d'orange séché

2 l d'eau

50 cl de vin blanc sec

1 kg de poissons frais de Méditerranée à chair blanche et ferme (lotte, loup, rascasse, merlan, dorade, congre…), détaillés en cubes de 3 cm

6 tranches de pain de campagne rassis (que vous aurez tranché la veille) d'environ 2 cm d'épaisseur

25 cl d'aïoli (voir recette page 111)

4 jaunes d'œufs

♛ Dans un grand faitout, mélangez les têtes, les queues et les arêtes de poisson avec les oignons, le fenouil, l'ail, le céleri, le persil, le thym, le sel, le laurier, le zeste d'orange et l'eau. Placez à feu vif et amenez à ébullition en écumant la surface. Baissez le feu et laissez mijoter à découvert 15 minutes environ à feu doux. Écumez encore la surface. Ajoutez le vin, augmentez le feu et amenez de nouveau à ébullition. Puis réduisez le feu et laissez mijoter 15 minutes de plus à découvert, afin que le bouillon s'imprègne des saveurs. À l'aide d'une écumoire, retirez les aromates ainsi que les têtes, les queues et les arêtes de poisson. Tapissez une passoire de plusieurs couches de mousseline et placez-la au-dessus d'une casserole pour filtrer soigneusement le bouillon.

♛ Laissez frémir à feu moyen le bouillon obtenu (environ 1,5 l) puis ajoutez les poissons et laissez encore mijoter 5 minutes à découvert. À l'aide de l'écumoire, retirez les poissons et posez-les sur un plat que vous couvrirez d'une feuille d'aluminium pour les tenir au chaud.

♛ Placez dans chacun des bols de service une tranche de pain rassis et versez dessus quelques cuillerées de bouillon, juste assez pour imbiber la mie.

♛ Transférez la moitié de l'aïoli dans une casserole et mélangez-le avec les jaunes d'œufs battus en omelette. Ajoutez-y le bouillon en un filet continu, sans cesser de remuer. Replacez le mélange sur un feu très doux et laissez-le cuire de 6 à 7 minutes en remuant doucement jusqu'à ce qu'il ait la consistance d'une crème légère. Prenez surtout bien garde de ne pas le laisser bouillir !

♛ Répartissez les morceaux de poisson entre les bols et arrosez-les du bouillon onctueux. Chacun assaisonnera sa bourride à son gré en piochant dans la saucière d'aïoli placée au centre de la table.

Pour 6 personnes

Franche-Comté et Alpes

Escargots au bleu de Bresse

Les escargots sont fort appréciés en France et ce, depuis très longtemps : ils figuraient déjà au menu à l'époque de la colonisation romaine ! Ramassés dans la nature, ils sont soumis à un jeûne draconien de dix jours pour leur faire éliminer les substances toxiques pour l'homme. Une fois purgés, les escargots sont lavés, mis à dégorger et soigneusement rincés avant de passer à la casserole. Un programme si compliqué que certains cordons-bleus, découragés d'avance, préfèrent acheter leurs escargots déjà purgés sur le marché, ou même en conserve. Dans cette recette, les escargots baignent dans une sauce riche et onctueuse à base de fromages bleus, tendres et crémeux. Un côtes-du-rhône léger et du bon pain de campagne les accompagneront à merveille.

2 cuillerées à soupe de beurre doux

48 escargots en boîte égouttés

4 cuillerées à soupe de crème fraîche

180 g de bleu de Bresse ou de tout autre fromage bleu émietté (bleu d'Auvergne ou fourme d'Ambert)

1 ½ cuillerée à café de poivre fraîchement moulu

2 cuillerées à soupe de fine chapelure

⚜ Préchauffez le gril de votre four. Dans une poêle, laissez fondre le beurre à feu moyen. Dès qu'il commence à mousser, ajoutez les escargots que vous laisserez revenir 2 minutes jusqu'à ce qu'ils deviennent brillants. Ajoutez la crème fraîche, la moitié du fromage et le poivre. Laissez cuire 1 minute environ en remuant, le temps que le fromage fonde.

⚜ Répartissez les escargots entre les ramequins. Parsemez chacun de ½ cuillerée à café de chapelure et d'un quart du fromage restant.

⚜ Disposez les ramequins sur une plaque de cuisson et glissez celle-ci 2 à 3 minutes sous le gril pour faire fondre le fromage et dorer la chapelure. Servez aussitôt.

Pour 4 personnes

Languedoc

Salade de pissenlit aux œufs pochés

Dans les campagnes françaises, des bocages normands aux garrigues provençales en passant par les pâturages alpins, les légumes sauvages s'invitent au menu à chaque printemps.

Le pissenlit qui envahit régulièrement nos prés s'apprête ainsi en soupe ou en salade. On cueille ses feuilles avant l'apparition des fleurs (ou à la rigueur quand celles-ci forment un bouton), alors qu'elles sont encore tendres et savoureuses. Les feuilles matures prennent un goût extrêmement rude et une amertume bien plus prononcée. Point d'orgue de cette salade rustique, l'œuf poché relevé d'une vinaigrette, qui tempère agréablement l'amertume des feuilles. N'hésitez pas à y associer d'autres légumes printaniers !

4 cuillerées à soupe d'huile d'olive vierge extra

3 cuillerées à soupe de vinaigre (de préférence de Banyuls ou balsamique)

½ échalote émincée

½ cuillerée à café de sel

½ cuillerée à café de poivre fraîchement moulu

60 g de jeunes feuilles de pissenlit de 7 à 10 cm de long, les plus longues coupées en deux

90 g de cœur de chicorée frisée, coupé en morceaux

4 œufs

⚜ Dans un grand saladier, préparez une vinaigrette en mélangeant vinaigre, sel, poivre, échalote et huile d'olive. Ajoutez le pissenlit, panachez de chicorée frisée, tournez puis répartissez entre les assiettes.

⚜ Versez dans une poêle de 2 à 3 cm d'eau additionnée d'un filet de vinaigre et faites chauffer à feu moyen sans atteindre le degré d'ébullition. Un à un, cassez délicatement les œufs dans la poêle et pochez-les en les arrosant à la cuillère d'un filet d'eau frémissante pendant 2 à 3 minutes. Une fois les blancs coagulés, retirez les œufs à l'aide d'une écumoire en les égouttant un instant et en les tamponnant sur du papier absorbant. Déposez un œuf sur chaque assiette garnie de salade et servez immédiatement.

Pour 4 personnes

Apéritifs

En France, l'apéritif est une boisson élevée au rang d'une véritable institution. Certains y sacrifient au quotidien, voire plusieurs fois par jour ! Cafés, restaurants, terrasses ou salons, sont les lieux propices à ce sacro-saint rituel. À un alcool fort qui couperait l'appétit, on préfère souvent aujourd'hui un vin cuit ou liquoreux, comme un vermouth doux ou un Campari allongé d'eau.

Chaque région a ses spécialités. Le pastis, boisson emblématique de la Provence, a colonisé une grande partie de la France. Le kir, qui mêle vin blanc aligoté et crème de cassis, doit son nom au chanoine Kir, maire de Dijon, qui l'a popularisé après la Seconde Guerre mondiale. Il est populaire dans tout le pays, décliné en de multiples variantes comme le kir breton, à base de cidre, ou le « communard » cévenol (également appelé « kir cardinal »), dans lequel la liqueur de cassis s'accompagne de vin rouge. Dans le Sud-Ouest, on préférera un vin doux comme le banyuls ou le muscat de Rivesaltes. Mais pour les grandes occasions, le champagne demeure l'apéritif-roi !

Certains hôtes sont fiers d'offrir à leurs invités un apéritif régional à base de fruits, de fleurs, d'herbes ou de racines locales. Personnellement, j'ai un petit faible pour le vin d'orange pétillant à base de vin blanc et d'oranges amères, ainsi que pour le vin de noix qui tire sa couleur foncée et ses arômes épicés du brou des noix (leur enveloppe verte en est le principal ingrédient).

Languedoc

Moules farcies

*Dans les régions voisines de l'Espagne,
des côtes catalanes au Pays basque,
les moules cuites dans leur coquille
sont généralement fourrées d'une savoureuse farce
aux herbes aromatiques.*

48 moules brossées et ébarbées

180 g de fine chapelure bien sèche

3 cuillerées à soupe de persil plat frais ciselé

2 cuillerées à soupe de thym frais

½ cuillerée à café de sel

*½ cuillerée à café de poivre
fraîchement moulu*

4 gousses d'ail émincées

*2 petites tomates pelées, épépinées, émincées
et égouttées*

2 cuillerées à soupe d'huile d'olive vierge extra

♛ Préchauffez le four à 260 °C/th. 9. Disposez les moules côte à côte dans un plat à four, en éliminant celles qui ne réagissent pas au toucher. Laissez-les cuire de 8 à 10 minutes jusqu'à ce qu'elles s'ouvrent.

♛ Retirez du four et laissez refroidir 15 minutes. Éliminez à nouveau les moules qui ne se sont pas entrebâillées et ouvrez les coquilles restantes au-dessus du plat pour recueillir leurs sucs. Il suffit pour cela de trancher le muscle qui relie la chair à la coquille, puis de séparer et de jeter la valve supérieure vide. Abaissez la chaleur du four à 230 °C/th. 8.

♛ Dans un saladier, mélangez la chapelure, le jus des moules recueilli, le persil, le thym, le sel, le poivre et l'ail. Incorporez ensuite les tomates en ajoutant suffisamment d'huile pour lier la farce. Garnissez chaque moule d'1 petite cuillerée à soupe de farce soigneusement tassée. Placez les coquilles farcies sur une plaque de cuisson et laissez cuire de 12 à 14 minutes jusqu'à ce que la farce affiche un beau brun doré. Un bref passage sous le gril l'aidera à prendre des couleurs appétissantes. Disposez sur un plateau et servez chaud.

*Pour 8 personnes (s'il s'agit d'un apéritif)
ou 4 (si c'est une entrée)*

Salade de tomme de Savoie aux noisettes

En automne, les taillis savoyards regorgent de noisettes, pour le plus grand bonheur de leurs hôtes qui, comme les écureuils, les stockent en prévision de l'hiver. La Savoie, très attachée à ses produits de terroir, a su en préserver le goût et ses modes de fabrication traditionnels. C'est le cas notamment de ces fameuses tommes rondes, douces et fermes, au bon lait de vache. À défaut, vous pouvez les remplacer par un autre fromage à pâte pressée souple, comme le morbier.

75 g de noisettes

4 cuillerées à soupe d'huile de noisette ou d'huile d'olive vierge extra

1 cuillerée à café de moutarde de Dijon

3 cuillerées à soupe de vinaigre

1 pincée de sel

1 pincée de poivre fraîchement moulu

185 g de feuilles de laitue coupées en morceaux

75 g de farine sans levure

160 g de tomme de Savoie débarrassée de sa croûte et coupée en 4 tranches de 5 mm d'épaisseur

3 cuillerées à soupe d'huile de tournesol ou d'une autre huile végétale légère pour friture

❧ Préchauffez le four à 180 °C/th. 6. Étalez les noisettes sur un plat et laissez-les cuire 15 minutes. Remuez-les et prolongez la cuisson de 10 minutes jusqu'à ce qu'elles soient légèrement dorées. Réservez.

❧ Dans un grand saladier, préparez la vinaigrette en mélangeant le vinaigre, le sel et le poivre, puis l'huile de noisette (ou l'huile d'olive) et la moutarde.

❧ Ajoutez-y la laitue puis la moitié des noisettes et mélangez le tout. Répartissez sur les assiettes.

❧ Farinez les deux côtés des tranches de fromage en les retournant plusieurs fois. Versez dans une poêle une mince couche d'huile végétale, à feu vif. Lorsqu'elle est bien chaude, déposez-y les tranches de fromage en les espaçant de 3 cm. Laissez-les fondre de 2 à 4 minutes en les retournant une fois, afin qu'elles soient bien dorées.

❧ Posez une tranche de fromage sur chaque assiette de salade, saupoudrez le reste de noisettes et servez aussitôt.

Pour 4 personnes

Normandie

Pâté de campagne à l'armagnac

*J'ai découvert ce pâté à Rouen, un jour de marché.
Il était midi passé et les marchands commençaient
à remballer lorsque j'ai repéré un important pâté,
de près de 40 cm de long sur 20 cm de large.
Joliment baptisé « pâté de grand-mère », il dégageait
un étonnant parfum d'armagnac. J'en ai acheté
une belle tranche que j'ai dégustée sans plus tarder
avec une demi-baguette, puis, par cette recette alléchée,
j'ai essayé de la reproduire moi-même !*

*Pour obtenir un hachis un peu grossier,
mieux vaut couper en menus morceaux
les ingrédients à la main, plutôt que d'utiliser
un robot qui vous donnerait un pâté de texture
trop lisse ou homogène. Si vous commandez du lard
maigre ou une crépine à votre boucher,
profitez-en pour lui demander aussi un foie de porc,
qui apportera à votre pâté encore plus d'onctuosité.*

1 kg de foie de porc

1 kg de jarret de porc

250 g de lard maigre

4 cuillerées à soupe d'armagnac

1 petite tête d'ail émincée

60 g de sel

2 cuillerées à soupe de poivre grossièrement moulu

2 cuillerées à soupe de baies de genièvre moulues
dans un moulin à épices

1 morceau de crépine de porc d'environ 25-30 cm
ou l'équivalent de lard maigre en tranches de 5 mm
d'épaisseur

2 cuillerées à soupe de farine sans levure

1 cuillerée à soupe d'eau

❦ Préchauffez le four à 160 °C/th. 5.

❦ Hachez à la main et séparément le foie, le jarret et
le lard maigre. Si vous préférez une consistance plus fine
et plus homogène, passez la viande et le gras en
morceaux dans un hachoir à viande muni d'une grille
à trous d'1 cm de diamètre. Réservez.

❦ Dans une petite casserole, laissez à feu moyen frémir
l'armagnac au seuil de l'ébullition. Flambez aussitôt avec
une allumette pour brûler l'alcool et laissez la flamme
s'éteindre d'elle-même. Retirez la casserole du feu.

❦ Dans un grand saladier, mélangez à pleines mains les
viandes hachées, l'ail, le sel, le poivre, les baies de genièvre
et l'armagnac jusqu'à ce que la préparation soit
homogène. Placez à frire une noix de ce mélange dans
une petite poêle, puis goûtez et rectifiez l'assaisonnement
en gardant à l'esprit que les saveurs se renforcent avec
le temps.

❦ Tapissez une terrine allongée de crépine de porc en
laissant retomber celle-ci à l'extérieur du moule. Si vous
utilisez du lard maigre, tapissez-en l'intérieur du
récipient en chevauchant les morceaux et en en
réservant quelques-uns, qui serviront plus tard à couvrir
le dessus. Tassez le pâté dans le récipient et, selon le cas,
rabattez sur le dessus les bords de la crépine ou disposez
au sommet les tranches de lard maigres réservées à cet
effet. Dans une petite tasse, délayez l'eau et la farine
pour former une pâte adhésive qui vous servira à luter
votre récipient. Scellez votre couvercle en le pressant
contre la pâte. Placez la terrine dans un plat de cuisson
de taille supérieure dans lequel vous verserez de l'eau
très chaude jusqu'à mi-hauteur.

❦ Laissez cuire environ 2 heures 30 puis retirez la
terrine du four et du bain-marie. Décollez le couvercle.
Découpez une feuille d'aluminium un peu plus grande
que la surface de la terrine et posez-la dessus en pressant
pour bien l'ajuster. Enveloppez une brique ou un poids
dans du papier aluminium et posez-la par-dessus. Le
poids doit bien couvrir le pâté pour le compresser en
entier. Une fois cette étape franchie, laissez refroidir à
température ambiante.

❦ Laissez s'écouler les jus qui se seraient accumulés
puis placez le pâté toujours lesté de son poids au réfrigérateur pendant 12 heures minimum, et dans l'idéal
24 heures. Remplacez alors le poids par un couvercle
ou du film alimentaire, et consommez votre pâté dans
les 10 jours.

❦ Servez en tranches d'1 cm d'épaisseur, que vous
accompagnerez de quelques cornichons croquants et
de petits oignons blancs.

Pour un pâté de 1,5-2 kg

Bretagne

Soupe aux huîtres et aux trois aromates

Ce potage élégant est digne de figurer sur la carte des restaurants les plus raffinés de Bretagne, et son élaboration est très simple ! En fonction du vin que vous choisirez, il aura une saveur légèrement différente. Pour une bonne harmonie, choisissez de préférence un bourgogne, un meursault, dont l'alliance avec les huîtres est parfaite. Ce potage peut être servi en entrée, mais il peut tout aussi bien faire office de plat principal.

12 huîtres

2 cuillerées à soupe de beurre doux

1 échalote émincée

20 cl de vin blanc sec de bonne qualité, tel qu'un bourgogne, un riesling ou un muscadet

1 cuillerée à café de sel délayé dans 10 cl d'eau

20 cl de crème fraîche

1 cuillerée à café de ciboulette fraîche hachée

1 cuillerée à café de cerfeuil frais ciselé

1 cuillerée à café d'estragon frais ciselé

½ cuillerée à café de poivre fraîchement moulu

☣ Commencez par ouvrir les huîtres en prenant garde de ne pas vous blesser : prenez une huître, valve plate vers le haut, enfoncez la pointe d'un couteau à huîtres entre les deux valves (du côté opposé au bord arrondi de la coquille), imprimez un mouvement de torsion pour sectionner le muscle et soulevez pour ouvrir la coquille. Passez la lame du couteau sur la valve supérieure puis sur la valve inférieure pour en détacher la chair de l'huître, faites glisser celle-ci avec son eau dans un récipient et jetez la coquille vide.

☣ Laissez fondre le beurre dans une casserole à feu moyen. Dès qu'il commence à mousser, laissez blondir l'échalote de 1 à 2 minutes. Ajoutez le vin et les huîtres avec leur eau puis arrosez d'eau salée. Lorsque de petites bulles se forment sur les bords, incorporez la crème fraîche, la ciboulette, le cerfeuil, l'estragon et le poivre. Laissez cuire encore 1 minute avant de répartir votre potage dans des bols chauds. Servez immédiatement.

Pour 4 personnes

Franche-Comté et Alpes

Salade de Savoie

En Savoie, les menus font la part belle aux fromages et aux noix. Ces deux produits phares du terroir entrent notamment dans la composition des salades.

Le beaufort, fleuron de la région, est l'un des fromages français les plus raffinés. Sa pâte à base de lait cru est pressée, cuite et affinée en cave de 6 mois à 2 ans. Sa texture ferme et dense révèle en bouche un léger goût de noisette. En salade, il peut se combiner avec une scarole, une romaine, une chicorée frisée ou encore avec des pommes de terre pour constituer un plat complet.

125 g de lardons

3 cuillerées à soupe d'huile de noix

2 cuillerées à soupe de vinaigre de framboise

½ cuillerée à café de poivre fraîchement moulu

1 pincée de sel

2 cœurs de scarole (uniquement les feuilles jaune pâle), coupés en morceaux

120 g de beaufort ou de comté détaillé en dés

30 g de noix grossièrement hachées

☣ Faites revenir les lardons 7 à 8 minutes à feu moyen, jusqu'à ce qu'ils dorent et qu'ils rendent l'essentiel de leur gras. Retirez-les à l'aide d'une écumoire et disposez-les dans un plat sur fond de papier absorbant.

☣ Prélevez ½ cuillerée à café de la graisse récoltée dans la poêle et versez-la dans un saladier. Complétez avec le vinaigre, le poivre, le sel et l'huile de noix. Mélangez soigneusement votre vinaigrette à l'aide d'une fourchette et ajoutez-y la scarole en la fatiguant bien, puis le fromage, les noix et les lardons en réservant une petite quantité de chaque pour le décor. Remuez à nouveau.

☣ Garnissez la salade avec le fromage, les noix et les lardons restants. Servez immédiatement.

Pour 4 personnes

Languedoc

Anchois grillés au vinaigre de Banyuls

Si des peintres prestigieux comme Matisse, Braque ou Picasso ont largement contribué à sa célébrité, Collioure doit aussi sa renommée à ses conserves de poissons. À une époque, ce délicieux port de pêche abritait vingt-sept ateliers de salaison d'anchois. Aujourd'hui, bien que l'essentiel de l'industrie de la pêche et du salage soit concentré dans le village voisin de Port-Vendres, plus moderne, la renommée des anchois de Collioure demeure intacte.

Durant la saison de pêche – de mai à octobre –, les chalutiers rentrent à l'aube pour livrer leur butin aux dernières entreprises de salaison et au marché aux poissons. Les restaurants de la Côte vermeille proposent toutes sortes de spécialités à base d'anchois frais, grillés ou frits, souvent rehaussés d'un filet de vinaigre de Banyuls.

6 cuillerées à soupe d'huile

1,5 kg d'anchois frais entiers, nettoyés et vidés

1 cuillerée à soupe de thym frais

2 cuillerées à café de poivre fraîchement moulu

1 cuillerée à café de sel

10 cl de vinaigre de Banyuls (ou de xérès) ou 4 citrons coupés en quartiers

☙ Préparez un feu dans un barbecue ou préchauffez un gril électrique. Enduisez généreusement d'huile végétale les quatre faces d'une double grille de cuisson. Disposez dessus les anchois sur une seule épaisseur, en les espaçant de 1 cm. Assaisonnez d'un peu de thym, de poivre et de sel.

☙ Laissez griller de 2 à 3 minutes de chaque côté en les retournant une fois, jusqu'à ce que la chair se détache facilement des arêtes. Disposez-les sur un plat et répétez l'opération avec les anchois crus restants.

☙ Servez vos anchois arrosés d'un filet de vinaigre ou de citron.

Pour 4 personnes.

Languedoc

Salade de calmars et de riz safrané

L'idée de cette recette m'est venue un jour de marché, à Perpignan, après m'être attardée devant une immense poêle à paella garnie de palourdes, de moules, de crevettes et de jeunes encornets. Il faisait très chaud et j'ai aussitôt associé les calmars à la perspective d'une salade rafraîchissante. Je ne m'y suis pas lancée le jour même mais l'idée a fait son chemin… Couleurs, saveurs et textures se marient à merveille dans cette salade haute en couleur qui peut constituer aussi bien une entrée que le plat principal d'un repas léger.

1 kg de calmars vidés et nettoyés

2,75 l d'eau

2 ½ cuillerées à café de sel

1 pincée de safran

330 g de riz blanc longs grains

3 tomates finement émincées

1 poivron vert épépiné et émincé

2 piments rouges épépinés et émincés (facultatifs)

½ oignon rouge finement émincé

4 cuillerées à soupe de persil plat frais ciselé

3 cuillerées à soupe de coriandre fraîche ciselée

3-4 cuillerées à soupe de jus de citron fraîchement pressé

2-3 cuillerées à soupe d'huile d'olive

½ cuillerée à café de poivre fraîchement moulu

♛ Demandez à votre poissonnier de bien vouloir vider pour vous les calmars. S'il refuse, apprêtez-les vous-même en procédant de la façon suivante : sectionnez les tentacules juste au-dessus des yeux puis pressez à leur base pour faire sortir le bec, que vous jetterez. Enlevez soigneusement avec un couteau les longues

muqueuses qui pendent au milieu et jetez-les. Fendez la chair dans le sens de la longueur et, à l'aide d'un couteau ou du bord d'une cuillère, grattez les entrailles et éliminez-les. Avec le doigt, retirez la plume (la coquille interne cornée) et jetez-la. Rincez corps et tentacules, coupez-les en deux dans le sens de la longueur puis débitez le corps du mollusque en morceaux d'1 cm.

♛ Dans une grande marmite, portez à ébullition 2 l d'eau additionnée d'1 cuillerée à café de sel. Plongez-y les encornets pendant 45 secondes, le temps que les morceaux deviennent opaques et qu'ils se contractent. Retirez-les très vite avant qu'ils ne durcissent, égouttez, rincez à l'eau froide et réservez.

♛ Pour préparer le riz, versez 75 cl d'eau et 1 cuillerée à café de sel dans une casserole. Portez à ébullition à feu vif, jetez la pincée de safran en remuant bien, puis ajoutez le riz et portez de nouveau à ébullition. Baissez le feu, couvrez et laissez cuire à feu doux 20 minutes environ, jusqu'à ce que le riz soit tendre et qu'il ait absorbé toute l'eau. Retirez du feu, transvasez le riz dans un saladier et laissez-le refroidir 30 minutes à température ambiante.

♛ Joignez ensuite au riz tomates, poivron, piments (si vous en utilisez), oignon, persil et coriandre, et mélangez le tout avec une fourchette. Couvrez et laissez votre salade au réfrigérateur entre 3 et 12 heures avant de la servir, bien fraîche.

Pour 8 personnes

Bretagne

Huîtres chaudes à la vinaigrette « pomme d'amour »

La plupart des huîtres que nous consommons proviennent soit du littoral breton (les belons et les fines de claire), soit du bassin de Marennes-Oléron (les marennes), soit du bassin d'Arcachon (les gravettes), soit enfin de l'étang de Thau, en Languedoc (les bouzigues).

Si vous passez par là, guettez les panneaux signalant les parcs ostréicoles ; vous pourrez y acheter en direct des huîtres fraîchement récoltées. Pour cette recette, mieux vaut choisir des huîtres creuses, de type fines de claire car des belons ou des gravettes, plus plates, auront du mal à contenir la sauce.

1 bol de gros sel

4 tomates pelées, épépinées et émincées

50 cl de vinaigre de champagne

2 échalotes émincées

1 cuillerée à soupe de ciboulette fraîche ciselée

1 cuillerée à café de poivre fraîchement moulu

½ cuillerée à café de sel

4 douzaines d'huîtres dans leurs coquilles

♛ Préchauffez le four à 260 °C/th. 9.

♛ Tapissez le fond d'un grand plat de cuisson d'un lit de gros sel d'environ 2 cm d'épaisseur et enfournez-le. Laissez chauffez pendant 15 minutes.

♛ Dans un saladier, préparez la garniture en mélangeant tomates, vinaigre, échalotes, ciboulette, sel et poivre. Réservez.

♛ Retirez le plat du four et dressez les huîtres sur le lit de sel chaud, valve creuse en dessous. Enfournez à nouveau 7 à 8 minutes jusqu'à ce qu'elles s'ouvrent. Sortez-les alors du four et laissez refroidir 3 à 4 minutes pour pouvoir manipuler les coquilles sans vous brûler.

♛ Éliminez les huîtres qui ne se sont pas entrebâillées. À l'aide d'un petit couteau pointu, tranchez le muscle constricteur situé à la charnière des deux valves et séparez les coquilles en veillant à ne pas perdre trop de leur eau. Jetez les valves supérieures plates et dressez les autres sur un plat de service ou sur quatre assiettes.

♛ Versez 1 cuillerée à soupe de vinaigrette aux tomates dans chaque huître et servez immédiatement.

Pour 4 personnes

Huîtres

On adore ou on déteste... Plus exactement, on apprend à les aimer. Les enfants sont horrifiés de voir les adultes gober avidement ces morceaux de chair crus et frémissants, avant d'avaler goulûment l'eau salée des coquilles. Mais peu à peu, leur goût évoluant, ils finissent par apprécier ce mets qui fait le délice des gourmets. Les vrais amateurs ne se contentent pas d'en gober le soir de la Saint-Sylvestre. Et parfois ils n'hésitent pas à acheter carrément une bourriche de 50 ou même 100 huîtres, qu'ils partageront en plus ou moins grand nombre... Chaque amateur a ses préférences : portugaise, sauvage, huître plate de pleine mer au goût iodé, de Bretagne ou de Normandie, gravette naturelle, chacune porte les couleurs de son environnement. Riche en azote, l'huître compte parmi les aliments les plus légers et les plus reconstituants.

Sud-Ouest

Terrine de foie gras

Le foie gras fait incontestablement partie de l'aristocratie des mets, notamment quand il est truffé. La difficulté réside moins dans sa cuisson que dans l'élaboration du foie gras lui-même. Pour l'obtenir, les canards (dans le Gers) et les oies (dans les Landes) sont gavés à l'entonnoir de bouillie de maïs, afin que leur foie devienne volumineux et très gras. En raison de sa haute teneur en graisse, le foie, de couleur beige rosé à ocre, durcit quand il est réfrigéré. Pour le travailler plus facilement, on le laisse mariner puis on le place dans un bain-marie à feu très doux, le temps qu'il cuise en profondeur et qu'il rende une partie de sa graisse. S'il est trop gros (500 g et au-delà) ou trop gras (teinté de jaune), le foie de canard risque de fondre trop rapidement.

La subtilité de son goût et le fondant délicat de sa texture en font la star des menus de fête. Servez-le sur des toasts, accompagné d'un sauternes, d'un monbazillac, d'un barsac ou d'un porto blanc.

1 foie gras de canard frais et réfrigéré d'environ 500 g

50 cl d'eau ou de lait à température ambiante

10 cl de cognac

1 cuillerée à café de sel

1 cuillerée à café de poivre fraîchement moulu

½ cuillerée à café de sucre

♛ Placez le foie réfrigéré dans un récipient avec l'eau ou le lait et laissez-le ramollir pendant 5 minutes environ. Il doit être souple mais ne pas fondre.

♛ Sortez le foie et placez-le sur un plan de travail. Séparez avec vos doigts le grand lobe du petit. Vous verrez alors apparaître à l'intérieur des petits nerfs, qu'il va vous falloir ôter. Tirez avec précaution sur chaque nerf visible et extrayez-le. Puis, à l'aide d'un petit couteau bien aiguisé, incisez partiellement le petit et le grand lobe afin de retirer les nerfs qui courent en leur cœur. Placez le foie dans un récipient et arrosez-le de cognac. Salez, poivrez et saupoudrez de sucre puis retournez-le pour l'assaisonner de l'autre côté. Couvrez le récipient hermétiquement et entreposez-le au réfrigérateur toute la nuit.

♛ Préchauffez le four à 130 °C/th. 4.

♛ Le lendemain, retirez le foie du réfrigérateur. Vous constaterez que le cognac aura été presque entièrement

absorbé. Placez le foie sur un moule à terrine bien adapté à sa taille et muni d'un couvercle (que vous pouvez remplacer, à défaut, par une double épaisseur de papier aluminium). Déposez ce moule dans un plat de cuisson de diamètre supérieur et versez de l'eau très chaude jusqu'à mi-hauteur de la terrine.

♛ Laissez cuire le foie environ 35 minutes, afin qu'il rende une bonne partie de sa graisse jaune vif. Préparez une saucière pour recueillir la graisse et une passoire dans laquelle vous laisserez s'égoutter le foie une dizaine de minutes.

♛ Sortez-le ensuite de la passoire et tassez-le dans le moule à terrine en préservant autant que possible sa forme d'origine. Nappez-le de la graisse recueillie. Disposez délicatement par-dessus une feuille d'aluminium. Découpez un morceau de carton de la surface de la terrine, placez-le sur la feuille d'aluminium puis lestez-le d'un poids de 500 g, en veillant à ce que la masse soit répartie de manière uniforme. Vous pouvez utiliser une brique ou un paquet de sucre de 500 g glissé dans un sac plastique.

♛ Laissez au réfrigérateur la terrine lestée de son poids pendant au moins 24 heures. Passé ce délai, vous pouvez retirez le poids si vous le souhaitez, mais il est important de laisser la terrine reposer encore au réfrigérateur pendant 4 jours avant de la déguster. Une fois votre terrine entamée, mieux vaut la consommer dans les 2 ou 3 jours.

♛ Au moment de servir, enlevez la couche de graisse qui scelle le foie gras et découpez des tranches de 1 cm d'épaisseur.

Pour 8 personnes

La variété de la charcuterie française est d'une richesse inouïe. Terrines, pâtés, rillettes, saucisses et jambons sont élaborés à partir de volailles, de porcs, de gibier, de lapins, de poissons, de légumes ou de fruits de mer.

Centre

Salade de lentilles au magret

Quand de fines tranches de magret de canard donnent une touche raffinée à une simple salade de lentilles persillées…

330 g de petites lentilles vertes

1,25 l d'eau

2 feuilles fraîches de laurier ou 1 feuille séchée

1 ½ cuillerée à café de sel

1 magret de canard d'environ 380 g

½ cuillerée à café de thym séché

½ cuillerée à café de baies de genièvre moulues

½ cuillerée à café de poivre fraîchement moulu

3 cuillerées à soupe d'huile d'olive vierge extra

1 cuillerée à soupe de jus de citron fraîchement pressé

5 cuillerées à soupe de persil plat frais ciselé

180 g de feuilles jaune pâle de chicorée frisée, coupées en morceaux

♛ Triez les lentilles en éliminant les éventuels cailloux et les lentilles mal formées. Portez-les à ébullition dans une casserole avec l'eau, les feuilles de laurier et 1 cuillerée à café de sel, puis baissez le feu et laissez mijoter à feu doux de 20 à 30 minutes à découvert, jusqu'à ce qu'elles soient tendres. Égouttez et laissez refroidir.

♛ Préchauffez le four à 230 °C/th. 8. Frottez le magret de canard avec le thym, le genièvre, 1 pincée de sel et de poivre. Placez-le, côté peau sur le dessus, dans un plat de cuisson et laissez rôtir de 20 à 25 minutes jusqu'à ce que la peau soit croustillante et la chair rosée à cœur. Laissez tiédir, ôtez la peau et coupez les magrets en très fines tranches. Réservez.

♛ Dans un saladier, préparez la vinaigrette en mélangeant l'huile d'olive, le jus de citron et le reste de sel et de poivre. Incorporez enfin les lentilles accompagnées de 4 cuillerées à soupe de persil.

♛ Garnissez chaque assiette de frisée et dressez au milieu une petite pyramide de lentilles contre laquelle vous disposerez les tranches de magret. Parsemez dessus le persil restant et servez sans attendre.

Pour 4 personnes

Sud-Ouest

Brouillade de truffes

Les cuisinières périgourdines excellent à réaliser cette divine brouillade. Creuser soi-même ses truffes étant un luxe réservé à quelques-uns, contentons-nous du marché pour dénicher les 30 g de truffes que nécessite cette recette !

8 œufs

30 g de truffes noires fraîches, brossées et tranchées en fines rondelles

125 g de beurre doux détaillé en dés

1 cuillerée à café de sel

2 cuillerées à café de poivre blanc fraîchement moulu

✤ Cassez les œufs dans un récipient résistant à la chaleur et ajoutez les truffes. Battez en omelette à l'aide d'un fouet puis placez le récipient dans une casserole d'eau frémissante. Ajoutez le beurre en fouettant constamment pour que la masse prenne une consistance à la fois légère et granuleuse. Une fois ce résultat obtenu (au bout de 15 minutes environ), incorporez le sel et le poivre sans cesser de remuer.

✤ Servez aussitôt sur des assiettes chaudes.

Pour 3-4 personnes

Truffes

La truffe, si bien nommée le « diamant noir », est un champignon aussi rare que recherché qui naît, croît et fructifie dans la terre sans jamais en sortir. Elle exige un climat et un terrain bien particuliers où poussent certaines espèces d'arbres. Son principal partenaire est le chêne, mais elle peut aussi s'épanouir autour de racines de noisetiers, de pins et de genévriers. Des filaments émergent des spores et s'allongent pour s'accrocher aux racines de l'arbre hôte, brûlant toute végétation autour. Les plus réputées proviennent du Périgord. Au bout de dix ans de vie symbiotique souterraine naît un bouquet de mycorhizes (embryons de truffes). Pendant la saison des truffes, de novembre à mars, les animaux truffiers – chiens et cochons spécialement dressés – s'activent. La finesse de leur odorat et leurs performances de chasse sont stupéfiantes. Je suis allée un jour aux truffes avec un ami flanqué de deux chiens si petits qu'ils disparaissaient au milieu des herbes du sousbois. Cela ne les a pas empêchés de débusquer ce jour-là l'invisible diamant noir !

Provence

Pan bagnat

Spécialité de Nice, ce sandwich est en quelque sorte une salade niçoise fourrée dans un petit pain rond imbibé d'huile d'olive, d'où son nom "pain mouillé". Selon les goûts et les habitudes de chacun, les garnitures varient mais le thon est de rigueur, ainsi que les tomates et les olives. À Nice, on en trouve à tous les coins de rue : sur les marchés, dans les snacks, les boulangeries, les bistrots populaires du centre-ville et même au bar des hôtels chic de la Promenade des Anglais. Toutes les occasions sont bonnes pour en croquer un sur le pouce ! Un petit creux, une pause-déjeuner lèche-vitrines ou un pique-nique improvisé sur la plage, face à la baie des Anges…

4 petits pains ronds et moelleux

4 cuillerées à soupe d'huile d'olive vierge extra

2 cuillerées à soupe de vinaigre

125 g de thon à l'eau ou à l'huile

1 poivron vert épépiné et finement émincé

2 tomates coupées en fines rondelles

2 œufs durs écaillés et coupés en rondelles

12 filets d'anchois

4-6 feuilles de laitue

quelques olives noires

1 oignon coupé en fines rondelles

♨ Fendez en deux les petits pains et imbibez leur cœur d'huile d'olive et de vinaigre.

♨ Égouttez le thon et émiettez-le dans un bol à l'aide d'une fourchette. Garnissez-en les moitiés inférieures des petits pains. Répartissez ensuite par-dessus les olives, les poivrons, l'oignon, les tomates, les œufs et les filets d'anchois. Couronnez cette garniture de feuilles de laitue, chapeautez le tout de la moitié supérieure des petits pains et servez.

Pour 4 personnes

La seule vue d'une salade niçoise, véritable mosaïque colorée, évoque aussitôt la chaleur, la lumière et l'art de vivre du littoral provençal.

Provence

Salade de fèves printanières

Les Niçois sont très attachés à la cuisine de leur enfance, aux saveurs de Provence. C'est le cas de mon voisin Maurice, Niçois de cœur et de sang, dont le potager est un véritable hommage au cycle des saisons. Vers la fin du printemps, il y cueille quelques jeunes fèves tendres, un ou deux artichauts violets et un oignon blanc tout frais. Après un crochet par la serre d'où il ramène la plus rouge des tomates, il étale ses trésors potagers sur la table de la cuisine et confectionne la salade croquante que voici.

4 cuillerées à soupe d'huile d'olive vierge extra

½ cuillerée à café de sel

½ cuillerée à café de poivre fraîchement moulu

2 artichauts « violets de Provence »
(la seule variété à pouvoir être consommée crue)

1 citron coupé en deux

500 g de petites fèves tendres épluchées

1 petit oignon blanc ou 6 ciboules (uniquement les parties blanches), détaillé en petits dés

2 tomates coupées en petits dés

2 cuillerées à soupe de vinaigre

♨ Dans un saladier, mélangez à la fourchette l'huile d'olive, le sel et le poivre. Réservez.

♨ Tranchez à la base les tiges des artichauts. Ôtez les grosses feuilles extérieures fibreuses, puis coupez le tiers supérieur de l'artichaut, que vous jetterez. Frottez la partie dénudée avec un demi-citron et continuez l'effeuillage des bractées jusqu'à ce que vous ayez atteint le cône central, de couleur jaune clair. Coupez à nouveau la partie supérieure en retirant les bases restantes des feuilles. Frictionnez avec le cœur de citron. À l'aide d'une cuillère, raclez le foin, détaillez les cœurs en cubes de 0,5 cm et ajoutez-les à votre sauce.

♨ Si les fèves sont très jeunes et tendres à souhait, il ne sera pas nécessaire de les peler. En revanche, si leurs peaux sont un peu coriaces, il vous sera plus facile de les peler après les avoir plongées 20 secondes dans de l'eau bouillante. Laissez complètement refroidir les fèves et ajoutez-les aux artichauts, en compagnie de l'oignon et des tomates. Mélangez soigneusement, arrosez de vinaigre, puis servez.

Pour 4 personnes

Foie gras

Foie gras d'oie ou foie gras de canard ? La question divise les connaisseurs. Certains ne jurent que par le foie de canard, fin et très savoureux, alors que d'autres sont partisans du foie d'oie, au goût plus subtil et plus doux. Il n'empêche qu'aujourd'hui les canards ont supplanté les oies dans la production du foie gras. Quelle que soit la volaille, c'est en la gavant de bouillie de maïs que l'on obtient le foie si recherché.

Dans la région du Périgord noir où le foie gras est une spécialité, les étés sont chauds, c'est pourquoi de nombreux éleveurs ont préféré se spécialiser dans les canards plutôt que dans les oies ; les premiers tolérant mieux la chaleur que les secondes. Mais le foie gras de canard est plus petit que celui de l'oie (il ne pèse que 500 g en moyenne quand un foie d'oie peut atteindre 850 g), un argument de poids pour certains ! Le débat est loin d'être clos...

Sud-Ouest

Foie gras aux raisins

Le foie gras frais partagé en fines tranches et saisi à la poêle a ses inconditionnels. Légèrement caramélisé en surface et fondant à cœur, on le sert nappé d'une sauce à base de jus de raisin frais, d'armagnac (ou de cognac) et des sucs recueillis dans la poêle. C'est une recette à base de verjus où traditionnellement on utilise de gros grains de muscat gorgés de sucre.

1 foie gras de canard frais et froid d'environ 500 g

1 cuillerée à café de sel

1 cuillerée à café de poivre fraîchement moulu

3 cuillerées à soupe de jus de raisins frais

2 cuillerées à soupe d'armagnac ou de cognac

185 g de raisins muscat (ou autre variété sucrée), de préférence pelés et épépinés

♛ À l'aide d'un couteau bien affûté, séparez les deux lobes du foie et coupez-les dans le sens de la longueur en tranches d'1 cm d'épaisseur. Ôtez les nerfs visibles avec vos doigts ou la pointe du couteau. Étalez les tranches sans les superposer entre deux feuilles de papier sulfurisé et placez-les au réfrigérateur 1 bonne heure pour les raffermir.

♛ Placez une grande poêle à feu vif. Salez et poivrez les tranches de foie gras sur les deux faces. Lorsque la poêle est bien chaude, disposez-y les tranches et laissez-les cuire 30 à 40 secondes jusqu'à ce qu'une fine croûte se forme sur la première face. Retournez et laissez cuire l'autre face encore 30 à 40 secondes. À ce stade, il est indispensable que la poêle soit très chaude afin que la croûte se forme rapidement. Si vous laissez cuire trop longtemps, le foie fondra au lieu d'être saisi. Placez ensuite les tranches sur un plat que vous recouvrirez d'une feuille d'aluminium pour conserver la chaleur.

♛ Éliminez la graisse liquide qui stagne au fond de la poêle et replacez celle-ci à feu vif. Versez le jus de raisin et l'eau-de-vie et déglacez à l'aide d'une cuillère en bois afin de décoller tous les sucs caramélisés. Continuez de délayer à feu vif jusqu'à ce que le jus ait réduit de moitié. Incorporez les raisins et laissez-les s'imprégner des saveurs de ce jus environ 1 minute sans cesser de remuer.

♛ Disposez sur le plat les raisins autour du foie gras et nappez de la sauce à l'eau-de-vie caramélisée.

Pour 3-4 personnes

Bretagne

Rillettes de poisson

*En Bretagne, les rillettes de poisson sont les rivales
naturelles des rillettes de porc. Leur préparation
est sensiblement la même.
Ici, le poisson est finement haché puis assaisonné
de moutarde et de ciboulette, avant d'être généreusement
étalé sur des toasts, à l'heure de l'apéritif.*

*Ces rillettes de la mer se marient parfaitement
avec un verre de cidre brut ou de vin blanc sec,
tel un petit muscadet.*

1 cuillerée à café de sel

4 cuillerées à soupe de vinaigre de cidre

500 g de filets de maquereaux

500 g de merlan ou de cabillaud

50 cl de crème fraîche

10 cl de vin blanc sec

1 cuillerée à soupe de moutarde

1 échalote émincée

½ cuillerée à café de poivre fraîchement moulu

1 citron fraîchement pressé

8 cuillerées à soupe de ciboulette fraîche ciselée

24 tranches de pain

❦ Versez dans une grande casserole 10 cm d'eau,
additionnée de ½ cuillerée à café de sel et de 2 cuillerées
à soupe de vinaigre. Réchauffez à feu moyen puis une
fois l'eau frémissante, plongez-y les filets de poisson.
Laissez-les pocher 3 minutes jusqu'à ce qu'ils deviennent
opaques. À l'aide d'une écumoire, disposez-les sur une
assiette et réservez. Jetez l'eau de cuisson.

❦ Dans la même casserole, réchauffez à feu modéré la
crème fraîche, le vinaigre restant, la moutarde, l'échalote
et les dernières pincées de sel et de poivre. Laissez mijoter
6 à 7 minutes en remuant afin que le mélange réduise
de moitié. Ajoutez les filets de poisson, baissez le feu et
prolongez la cuisson de 5 minutes à feu doux jusqu'à
ce qu'ils s'émiettent facilement. Incorporez le jus de
citron et retirez du feu. À l'aide d'une fourchette,
émiettez le poisson et travaillez-le pour former une pâte

épaisse. Ajoutez la ciboulette en en réservant 1 cuillerée à soupe et mélangez bien. Tassez la pâte dans une terrine, couvrez puis placez au réfrigérateur 24 heures.

♨ Avant de servir, préchauffez le gril de votre four. Disposez les tranches de pain sur une plaque de cuisson et laissez-les griller 3 minutes en les retournant une fois jusqu'à ce qu'elle soient dorées et croustillantes.

♨ Parsemez les rillettes de la ciboulette restante et servez-les froides, accompagnées de toasts tièdes.

Pour 6-8 personnes

Provence

Soupe au pistou

Témoin de l'influence de l'Italie sur la cuisine provençale, le pistou est une pâte onctueuse à base d'huile d'olive, d'ail, de basilic, à laquelle on ajoute pour l'épaissir de la chapelure, du parmesan râpé, des pignons de pin ou des amandes. Le pistou frais possède une saveur intense qui sublime tous les autres ingrédients auxquels il se mêle.
Mais il est aussi très capricieux !
Préparé un peu trop longtemps à l'avance, il est capable de s'affadir ou de prendre de l'amertume. La soupe qui l'accompagne varie souvent en fonction des légumes que l'on a sous la main mais elle compte toujours, pour les puristes, quelques haricots coco.

4 cuillerées à soupe d'huile d'olive

2 oignons jaunes ou blancs finement émincés

6 gousses d'ail émincées

8 pommes de terre de variété roseval,
belle de Fontenay ou bintje (1,5 kg environ)

250 g de haricots verts équeutés et détaillés
en morceaux de 3 cm de long

500 g de flageolets frais ou de haricots coco
(soit un volume de 1 kg, non écossés)

3 tomates pelées et émincées, dans leur jus

3 l de bouillon de légumes

2 cuillerées à soupe de thym frais

2 cuillerées à café de sel

2 cuillerées à café de poivre fraîchement moulu

1 cuillerée à café de marjolaine fraîche ciselée

90 g de spaghettis sectionnés en petits morceaux

60 g de parmesan râpé

PISTOU

20 gousses d'ail entières pelées

125 g de feuilles de basilic fraîches
grossièrement ciselées

185 g de parmesan râpé

75 g de pignons de pin

30 cl d'huile d'olive vierge extra

1 cuillerée à café de sel

60 g de parmesan râpé

♨ Versez l'huile d'olive dans un grand faitout, à feu moyen, puis ajoutez les oignons et l'ail. Laissez blondir 2 minutes avant d'y joindre les pommes de terre, les haricots verts et les flageolets. Prolongez la cuisson 5 à 6 minutes sans cesser de remuer avec une cuillère en bois. Incorporez les tomates et leur jus, puis le bouillon de légumes, le thym, le sel, le poivre et la marjolaine. Baissez le feu, couvrez et laissez mijoter environ 40 minutes à feu doux en remuant de temps à autre, jusqu'à ce que les pommes de terre et les haricots soient bien tendres. Ajoutez les pâtes et prolongez la cuisson de 10 à 15 minutes.

♨ Pendant ce temps, préparez le pistou. Dans un robot, mixez l'ail, le basilic, le parmesan, les pignons de pin et 3 cuillerées à soupe d'huile d'olive pour former une purée onctueuse. Pendant que le robot fonctionne, incorporez progressivement l'huile sous la forme d'un mince filet pour épaissir le mélange. Salez et mixez de nouveau brièvement. Vous pouvez aussi travailler votre pistou à l'ancienne en pilant tous les ingrédients dans un mortier avant d'ajouter le filet d'huile d'olive. Au moment de servir, versez la soupe dans des bols chauds, corsez-la de 1 cuillerée à soupe de pistou et saupoudrez de parmesan. Disposez au centre de la table le pistou et le parmesan restant dans des coupelles séparées, afin que chacun assaisonne à son goût.

Pour 12-15 personnes

Appellation d'origine contrôlée

Les lettres A.O.C. qui figurent sur un grand nombre de produits français désignent une appellation d'origine contrôlée. C'est le cas des olives noires de Nice, des lentilles vertes du Puy, des noix de Grenoble, du poulet de Bresse et de plus de trente fromages tels que le camembert, le roquefort ou le saint-nectaire. Des vins et des liqueurs bénéficient également de cette appellation qui garantit au consommateur qualité, provenance et mode de fabrication traditionnel. Pour obtenir ce label si convoité, les producteurs doivent présenter à l'Institut national des appellations d'origine un dossier complet prouvant le caractère unique et la qualité de leur produit ainsi que son lien étroit avec son terroir d'origine. De fait, l'attribution de ce label ne se base pas seulement sur des critères très stricts de fabrication, de récolte, de manipulation et d'emballage, mais aussi sur la provenance même du produit, définie avec une rigoureuse précision. Le fromage de Banon et le canard à foie gras du Sud-Ouest ont obtenu tout récemment le précieux label, et les huîtres de Belon, encore sur liste d'attente, espèrent le décrocher bientôt.

Sud-Ouest

Terrine de lapin

Parmi la large gamme de terrines françaises, la terrine de lapin, dont l'intérieur révèle une mosaïque de viande blanche et de saucisses, est sans doute l'une des plus goûteuses. Dans cette variante personnelle, quelques pistaches vertes truffent joliment le cœur de la terrine et des fragments de foie en rehaussent la saveur.

Demandez à votre boucher de désosser vos lapins en veillant à ce qu'il vous remette les os et les foies, ainsi que les plus gros morceaux de râbles possibles.

Accompagnée d'un rosé bien frais de type bandol, cette terrine fera une entrée d'été parfaite.

MARINADE

4 cuillerées à soupe de cognac

6 baies de genièvre concassées

4 branches de thym frais

1 feuille de laurier séché

1 cuillerée à café de sel

1 cuillerée à café de poivre fraîchement moulu

2 lapins d'1 kg chacun, préalablement désossés (voir ci-dessus)

155 g de lard maigre, détaillé en 9 lanières d'environ 5 mm d'épaisseur sur 1 cm de largeur

500 g de saucisses de porc

1 œuf

6 baies de genièvre moulues

3 cuillerées à café de cognac

60 g de pistaches décortiquées

ψ Préparez la marinade en mélangeant dans une jatte le cognac, les baies de genièvre concassées, le thym, le laurier, le sel et le poivre.

ψ Plongez-y le lapin et les lanières de lard en les retournant plusieurs fois, puis couvrez et laissez macérer toute la nuit au réfrigérateur.

ψ Préchauffez le four à 180 °C/th. 6.

ψ Retirez la viande de la marinade et jetez cette dernière. Dans un saladier, mélangez l'œuf et les saucisses puis tassez un tiers de ce mélange dans un moule à terrine muni d'un couvercle (que vous

remplacerez, à défaut, par un poids quelconque de la taille du moule, enveloppé d'une feuille d'aluminium). Étalez dans le fond de la terrine un quart de la chair du lapin en couche homogène, puis trois rangées de lard. Parsemez d'1 pincée de genièvre moulu et arrosez d'1 cuillerée à café de cognac. Semez deux longues rangées de pistaches par-dessus et insérez entre elles les morceaux de foie. Répétez deux fois la même opération (excepté le foie) en terminant par une couche de lapin. Disposez quelques os en croisillons sur le dessus (ceux des jarrets conviennent à merveille). Cuire la terrine lestée d'une poignée d'os lui permet de mieux épaissir.

❦ Posez le couvercle (ou ce qui en tient lieu) sur la terrine en veillant à ce que l'ensemble soit bien hermétique. Placez le moule dans un récipient de taille supérieure dans lequel vous verserez de l'eau chaude jusqu'à mi-hauteur de la terrine.

❦ Laissez cuire ainsi au bain-marie de 1 heure 30 à 2 heures jusqu'à ce que la viande de lapin soit cuite.

❦ Retirez du four, ôtez le couvercle et jetez les os. Découpez une feuille d'aluminium d'une surface légèrement plus grande que la terrine et placez-la sur la viande cuite en pressant bien dans les coins. Enveloppez de papier aluminium une brique ou un poids similaire que vous placerez dessus. Conservez au réfrigérateur la terrine lestée de son poids pendant 24 heures.

❦ Au moment de servir, retirez le poids et la feuille d'aluminium. Réchauffez une lame de couteau sous un filet d'eau chaude, essuyez-la puis glissez-la entre le moule et la terrine pour les désolidariser. Servez-vous de préférence d'une spatule souple pour décoller le fond. (Vous pouvez également faire tremper la base du récipient dans de l'eau très chaude pendant 5 minutes.) Posez un plat à l'envers sur la terrine. Retournez le bloc d'un seul mouvement et séparez le moule de la terrine. Si l'opération ne réussit pas du premier coup, répétez les manipulations précédentes et essayez de nouveau.

❦ Découpez de belles tranches d'environ 3 cm d'épaisseur et servez.

Pour 8-10 personnes

Quand arrive le plat de résistance, je suis toujours éblouie par la richesse des traditions culinaires françaises. Alors que les ingrédients de base sont pratiquement identiques d'une région à l'autre (volaille, poisson, agneau, bœuf, porc, produits laitiers, légumes, aromates…), chaque région invente son propre talent dans l'art de les apprêter. Ainsi se transforment-ils en ragoût, sont braisés, rôtis, grillés ou sautés, mais avant tout associés à des produits du terroir bien spécifiques qui impriment de leur sceau chaque recette locale.

Un tour de France révèle bien des merveilles. Il suffit de parcourir les étals des marchés ou de découvrir les vitrines des petits commerces pour saisir la diversité et la créativité qui caractérisent la gastronomie française.

Une simple balade sur un marché est une invitation à se mettre aux fourneaux ! J'y ai été particulièrement sensible un beau jour de printemps, en compagnie de mon mari, sur le superbe marché de Dijon. Chaque producteur ou marchand rivalisait de raffinement et de séduction.

Des poulets de Bresse étaient alignés comme à la parade, leur long cou sagement rabattu sur la poitrine. Des pintades dodues côtoyaient un régiment de lapins portant foie, reins et cœur en bandoulière.

Des rôtis de porc et de bœuf arborant leurs blanches parures de lard, et soigneusement ligotés reposaient tranquillement aux côtés de généreuses rouelles et de jarrets de veau.

Double page précédente : Sur les rives de la Dordogne, à l'orée des champs de maïs et de tournesols, paissent des brebis élevées pour leur laine, leur viande ou encore leur lait.

Ci-dessous : Dans ce petit port breton de Cancale, une équipe d'ostréiculteurs se prepare à rejoindre les parcs à huîtres où ils élèvent les cancales, une des variétés les plus réputées de France.

LES PLATS

Du plat principal
se dégage toute
l'ingéniosité des
cuisines régionales
françaises.

Autant de victuailles de choix à vous faire tourner la tête en imaginant coqs au vin, poulets rôtis et lapins en civet accommodés de mille et une façons ! Je les voyais déjà accompagnés d'une botte de tendres asperges ou d'un onctueux gratin de pommes de terre. Je brûlais d'offrir une délicieuse salade à mon poulet rôti. J'imaginais déjà un mélange de scarole et de mâche assaisonné de vinaigre de framboise...

Oui, mais pour l'heure, nous étions à l'hôtel ! Adieu donc fumets et fourneaux ! Frustrée, je me jurai alors de louer un jour une maison en Bourgogne, afin d'en écumer les marchés et de cuisiner tout mon soûl !

En attendant, je me contentai ce matin-là d'acheter une bouteille de vinaigre de framboise, une autre de crème de cassis, une tranche de jambon persillé, du pain, quelques fromages de chèvre frais ainsi qu'un splendide bouquet... de narcisses sauvages que nous proposa une adorable fillette.

Nous déjeunâmes de pain, de jambon et de fromage et bûmes sans façon au goulot une bouteille de pinot noir, avant de reprendre la route vers le Sud. Et tout au long de notre voyage, le parfum délicat des narcisses nous rappela certaines fragances du marché de Dijon.

Une expérience plus poussée de la gastronomie française passe inévitablement par les multiples variétés de daubes et de ragoûts. Les étrangers sont toujours étonnés de constater que les Français utilisent autant de vin dans leurs recettes. C'est une vieille tradition de ce pays vinicole.

En haut, à droite : Grillés, sautés, au court-bouillon, dans une soupe, une salade ou servis frais sur un plateau, les crustacés revêtent un air de fête en toute circonstance.
Au centre : Les épices ont conquis l'Europe au Moyen Âge et depuis, nul ne saurait s'en passer !
En bas : Le long du littoral français, le poisson est roi. Mijoté en bouillabaisse, cuit au four à la bordelaise (avec tomates et oignons) ou flambé au Pernod, il en va du menu fretin comme des belles et nobles pièces, les recettes pour les apprêter sont sans limites...

Ci-dessus : Personnages affligés ornant la tombe de
Philippe le Hardi (XVe siècle) au musée des Beaux-Arts
de Dijon.

Ci-dessus, en haut : L'abbaye du Mont-Saint-Michel,
impavide au milieu de la baie. Ci-dessus : Brebis du
Dauphiné intriguées... Page de droite : Paysage bucolique
surpris à l'angle d'une fenêtre du château de Roumégouse,
dans le Lot.

Au fil de sa vinification, le vin se charge de
saveurs subtiles et complexes. Les dégustateurs le
savent bien, preuve en est leur vocabulaire, d'une
incroyable richesse !... On y parle de bouquet, de
parfum, de chair, de rondeur... On évoque des
arômes de cerise, de pin, de violette ou de truffe.
Par une savante alchimie, le vin transmet au ragoût
la complexité de ses saveurs. Un résultat impossible à atteindre avec un simple ragoût à l'eau ou
au bouillon de légumes. Cette saveur dépend beaucoup, bien sûr, du vin utilisé. À tel point que les
restaurateurs les plus exigeants indiquent sur leur
carte quel vin entre dans la composition de tel ou
tel plat. Ainsi, la choucroute alsacienne et les
saucisses de Savoie mijotent lentement dans du vin
blanc, tandis que le bœuf bourguignon, ou encore
le coq au vin tirent leur couleur et leur caractère
du vin rouge.

Selon les régions et les saisons, les ragoûts s'en-
richissent aussi d'innombrables spécialités locales.
En Provence, ils s'accompagnent d'olives, d'ail et
de tomates ; en Normandie, ils adorent la crème, le
cidre ou le calvados alors qu'en Alsace ils penchent
plutôt pour le chou, les pommes de terre et la bière.

Les régions riches en champignons sauvages (Provence, Languedoc, Périgord, Berry, Alpes…) n'hésitent pas en rajouter ici et là !

Les ragoûts de poisson chers aux cuisinières du littoral sont souvent relevés d'un bouillon au vin blanc ou rouge local.

Les grillades, faciles à préparer et fort conviviales, sont appréciées de tous. Au restaurant, à la maison, à l'occasion d'un pique-nique ou d'une « barbecue-party », elles réjouissent petits et grands. Grillades de poisson, merguez, brochettes ou côtelettes assaisonnées d'aromates locaux… Il n'y a rien de plus simple ! Lorsque j'improvise une grillade, j'ai le réflexe gourmand de déglacer la poêle avec quelques gouttes de vinaigre ou de vin (blanc pour le poisson et rouge pour le bœuf ou les côtelettes), afin de récolter le jus, riche en sucs caramélisés.

Un truc tout bête dont vous ne pourrez bientôt plus vous passer !

Le poisson occupe naturellement une place importante dans cette France sillonnée de cours d'eau et dont les côtes baignent à la fois dans l'Atlantique et la Méditerranée.

Il s'accommode de mille façons au gré des spécialités régionales. Le saumon se nappe de crème en Normandie et s'arrose de vin blanc dans la Loire, les truites de Savoie sont saupoudrées de noix et celles de Provence, d'amandes du pays. Aux quatre coins de la France, la lotte, qui n'est pas sans rappeler le homard par sa texture et sa saveur, est très appréciée. Sa queue peut être rôtie ou coupée en épais médaillons puis garnie d'aromates.

Ci-dessus : Les robustes charolais à robe crème sont la fierté des éleveurs bourguignons. Appartenant à la meilleure race de viande de boucherie, ils produisent une viande peu grasse, d'un goût remarquable.

Le poisson s'accommode aussi en ragoût, comme dans la bouillabaisse provençale ou la cotriade bretonne. Des noms gourmands et des préparations différentes selon les régions, les villes, les villages et… même les cuisinières ! Toutes conservent en effet jalousement leurs petits secrets et tours de main, ce qui rend chaque plat unique.

En matière de rôtis, les cordons-bleus font preuve d'une remarquable créativité en les mariant aux trésors de leur potager et de leur garde-manger : légumes de saison, herbes aromatiques, conserves maison…

Les Provençaux corsent d'ail, de thym, de sauge ou de romarin leur rôti de porc ou laquent leur canard rôti de miel de lavande.

En Auvergne, celui-ci sera plus simplement assaisonné de sel, de poivre et d'un oignon piqué d'un clou de girofle avant d'être cuit sur un lit de navets.

Enfin, en Alsace, les rôtis de porc ou de canard mijotent dans des feuilles de chou, avec des baies de genièvre.

Ci-dessous : Les terrasses ensoleillées du cours Mirabeau sont depuis des générations le rendez-vous préféré des habitants d'Aix-en-Provence et des touristes de passage.

Ci-dessous : Fermier traditionnel, au cœur de l'Argoat (mot celtique signifiant «pays des bois» et désignant la Bretagne intérieure, en opposition avec l'Armor, le «pays de la mer»). Les terres cultivées y ont remplacé les sombres forêts, parfois enchantées comme celle de Brocéliande qui vit les amours de la fée Viviane et l'enchanteur Merlin, selon la légende.

Ci-dessus : Sur la côte bretonne, des bateaux de pêche en attente de la marée haute sont provisoirement échoués sur la grève.

Ci-dessus : Une façon très originale d'afficher le menu : les plats sont inscrits à la craie sur des ardoises d'écolier.
Page de droite : Il fait bon flâner au pied des remparts de Saint-Malo, jadis résidence de corsaires célèbres dont Jean Bart, Duguay-Trouin et Surcouf, les plus emblématiques des Malouins.

Certains truffent leurs rôtis de noix, de noisettes, de marrons ou de châtaignes. D'autres laissent libre cours à leur imagination pour farcir volailles et gibiers : mélange de chapelure et de pruneaux en Gascogne, abricots secs dans le Sud, truffes dans le Périgord, figues en Provence…

Le plat principal reflète bien l'inventivité de la cuisine française et son goût ancré des produits locaux. Car c'est sans doute là le véritable secret de la bonne chère : il réside avant tout dans le choix des ingrédients, qui se doivent d'être d'une qualité irréprochable.

Provence

Canard au miel de lavande

Le miel de lavande évoque aussitôt les plateaux de la haute Provence et de la Drôme, où s'étalent à perte de vue des champs de lavande, en vagues ondoyantes. Ce miel-là n'a pas le goût de la lavande, mais il en a l'arôme délicat. Consommé tel quel en tartine ou utilisé dans la fabrication de confiseries, il sert aussi à laquer canards et poulets rôtis. Ajouté en fin de cuisson, il les colore rapidement d'une belle teinte acajou (canards) ou caramel (poulets). Dans cette recette, le foie du canard rôti est extrait lors de la découpe de la volaille, puis étalé sur des toasts et dégusté en même temps que la chair.

4 cuillerées à café de fleurs de lavande fraîches
ou 2 cuillerées à café de fleurs séchées

2 cuillerées à café de thym frais
ou ½ cuillerée à café de thym séché

2 cuillerées à café de sarriette fraîche
ou 1 cuillerée à café de sarriette séchée

12 grains de poivre

1 ½ cuillerée à café de sel

1 canard d'environ 3 kg, abats compris

4 cuillerées à soupe de miel de lavande,
d'acacia ou autre variété aussi parfumée

3 cuillerées à soupe de vin rouge

❧ Préchauffez le four à 180 °C/th. 6.

❧ Dans un mortier ou un moulin à épices, pilez la moitié des fleurs de lavande, le thym, la sarriette, les grains de poivre et le sel.

❧ Retirez de l'abdomen du canard toute la graisse intérieure et les abats. Rincez et séchez en tamponnant avec un torchon propre. À l'aide d'un couteau pointu, dessinez de petits croisillons dans la graisse qui tapisse encore les parois (mais sans entailler la viande), puis frictionnez l'intérieur et l'extérieur de la volaille avec le mélange aromatique. Replacez cœur, foie et gésier dans l'abdomen en éliminant le cou. Posez une grille sur un plat à rôtir et disposez dessus le canard, poitrine vers le haut.

❧ Laissez rôtir 2 heures. Retirez du four et versez dans un bol la graisse recueillie au fond du plat, sauf 1 cuillerée à soupe. Badigeonnez la poitrine du canard de 2 cuillerées à soupe de miel et enfournez de nouveau 10 minutes. À la sortie du four, à l'aide d'une grosse cuillère, arrosez la viande du miel et des sucs recueillis. Poursuivez la cuisson encore 10 minutes avant de badigeonner le canard des 2 dernières cuillerées à soupe de miel et de le saupoudrer de 1 cuillerée à café de lavande fraîche (ou de ½ de lavande séchée). Laissez rôtir encore 10 minutes puis arrosez de nouveau avec les sucs. Prolongez la cuisson de 5 minutes et retirez du four. Assurez-vous que votre canard est bien cuit en enfonçant la pointe d'un couteau à l'endroit le plus charnu de sa poitrine. Le liquide qui en sort doit être à peine rosé. Si vous piquez au même endroit un thermomètre de cuisine, il doit indiquer environ 75 °C.

❧ Posez le canard à la peau croustillante et dorée sur un plat de service, recouvrez-le d'une feuille d'aluminium et laissez reposer 10 minutes. Pendant ce temps-là, préparez la sauce. Éliminez la graisse recueillie dans le plat de cuisson en prenant soin de conserver les sucs (l'équivalent de 3 cuillerées à soupe). Placez le plat à feu moyen et ajoutez la dernière cuillerée à café de fleurs de lavande fraîche (ou la ½ de fleurs séchées) ainsi que le vin rouge. Déglacez à l'aide d'une cuillère en bois pour décoller tous les sucs. Laissez réduire 3 à 4 minutes et réservez au chaud.

❧ Retirez les abats de l'abdomen du canard. Découpez-le en séparant les ailes et les cuisses du reste du corps et en tranchant la poitrine en aiguillettes. Dressez les morceaux de canards et les abats sur un plat chaud. Nappez de la sauce et servez immédiatement.

Pour 2-4 personnes

« On devient cuisinier, mais on naît rôtisseur », disait Brillat-Savarin, et, en l'occurrence l'imagination du terroir n'est pas ici en reste. En Provence, un canard rôti se parfume de miel de lavande, en Auvergne, il s'entoure de navets, et en Alsace il se pique de genièvre...

Provence

Côtelettes d'agneau grillées

*L*es herbes aromatiques (thym, romarin, marjolaine, sarriette, sauge, laurier...) sont omniprésentes dans la cuisine provençale. Elles sont associées entre elles (bouquet garni) ou sont utilisées séparément. Au printemps, quand le thym sauvage tapisse la garrigue et que l'agneau est de saison, on prépare de savoureuses côtelettes grillées au thym. Pour les accompagner, pourquoi pas quelques belles asperges vertes en entrée, puis des pommes de terre nouvelles accompagnées d'un beurre d'estragon ou des morilles fraîchement cueillies ?

La réputation de l'agneau de Sisteron n'est plus à faire. Élevé en Haute-Provence, il broute à peine sevré au milieu du thym, du romarin et autres herbes sauvages des collines aux mille plantes odoriférantes. La saveur de sa chair mérite largement son label, car elle est incomparable.

4 belles côtelettes d'agneau

2 cuillerées à café de feuilles et de fleurs de thym fraîches, plus quelques pointes fleuries pour la garniture

½ cuillerée à café de sel

½ cuillerée à café de poivre fraîchement moulu

❧ Préparez un feu dans un barbecue.

❧ Tapissez une assiette de thym et roulez-y chaque côtelette en pressant fermement pour bien en imprégner la chair.

❧ Placez les côtelettes sur la grille du barbecue et laissez cuire 4 à 5 minutes sur chaque face jusqu'à ce que la viande brunisse. Prolongez au besoin la cuisson pour l'adapter au goût de chacun. Dressez la viande sur un plat de service chaud, salez, poivrez et garnissez de pointes ou de fleurs de thym.

Pour 4 personnes

Provence

Bœuf aux carottes

Grand classique des plats du jour
à l'ardoise des brasseries, des troquets
de quartier et des routiers, le « bœuf-carottes »
a de quoi revigorer le plus fourbu des travailleurs
tout en régalant les plus fins gourmets. Odorant,
haut en couleur et baignant dans une riche
sauce au vin, il fait vibrer la corde
de la nostalgie, car son fumet évoque
bien des souvenirs d'enfance, des images
de grand-mère aux fourneaux et de gueuletons
à la bonne franquette.

Dans les restaurants, le bœuf aux carottes
est en général servi seul mais dans les foyers,
il est traditionnellement accompagné
de pommes de terre bouillies ou de nouilles
arrosées de sauce et parsemées de gruyère râpé.
Ce ragoût se marie bien avec un côtes-du-rhône
ou un côtes-de-provence.

⚜ Dans un faitout à fond épais, réchauffez l'huile d'olive à feu moyen. Ajoutez l'ail et l'oignon puis laissez blondir 2 à 3 minutes. À l'aide d'une spatule, retirez l'oignon et l'ail et posez-les sur un grand plat. Augmentez la chaleur, ajoutez quelques dés de viande puis laissez cuire à feu vif 5 minutes en les retournant fréquemment pour qu'ils brunissent de tous côtés. Placez-les ensuite sur le plat en compagnie de l'ail et de l'oignon. Répétez l'opération avec le reste des dés de viande. Versez ensuite 25 cl de vin dans le faitout et déglacez en décollant les sucs du fond. Ajoutez le thym, la feuille de laurier, le sel, le poivre et le vin restant.

⚜ Transférez dans le faitout la viande, l'oignon et l'ail, baissez la flamme, couvrez hermétiquement et laissez mijoter 1 heure à feu doux en remuant de temps en temps. Incorporez les carottes, couvrez et prolongez la cuisson pendant 1 heure 30 à 2 heures en remuant occasionnellement, jusqu'à ce que la viande soit bien tendre et que la sauce ait épaissi. Goûtez et rectifiez l'assaisonnement si nécessaire.

⚜ Retirez les branches de thym et la feuille de laurier et jetez-les. Servez votre ragoût dans le faitout ou dressez-le sur un plat de service.

Pour 6 personnes

2 cuillerées à soupe d'huile d'olive vierge extra

1 gros oignon jaune émincé

3 gousses d'ail émincées

1,5 kg de paleron de bœuf désossé
ou un mélange de paleron
et de jarret de bœuf détaillés en gros dés

50 cl de vin rouge

4 branches de thym frais

1 feuille de laurier séchée

1 cuillerée à café de sel

½ cuillerée à café de poivre fraîchement moulu

1 kg de carottes pelées et coupées
en rondelles de 3 cm

Franche-Comté et Alpes

Fondue

Dans les Alpes et le Jura, régions frontalières de la Suisse, la fondue est une véritable institution. Été comme hiver, elle réunit autour de son caquelon les amateurs de fromages. Certains de mes amis qui vivent dans la Tarentaise admettent qu'ils ne sauraient vivre sans leur beaufort, leur reblochon ou leur tomme de Savoie. En connaisseurs, ils affirment qu'une fondue réussie repose sur le choix de fromages, de deux sortes différentes et complémentaires. Point trop jeunes (ils forment des grumeaux), point trop vieux (ils risquent de suinter), mais un mélange des deux qui doit devenir en fondant lisse et crémeux. Si les tours de main locaux varient, une tradition est néanmoins immuable : celui qui perd son bout de pain dans le caquelon doit offrir la prochaine bouteille de vin !

Lorsqu'il ne reste plus qu'un fond de fromage dans le caquelon, il est d'usage d'y ajouter deux œufs et une poignée de croûtons. Cette omelette improvisée est ensuite dégustée à la fourchette, avec une salade verte. Accompagnez votre fondue d'un vin blanc régional, tel qu'une roussette de Seyssel ou un apremont.

5 ou 6 gousses d'ail

50 cl de vin blanc sec tel qu'un apremont, un sauvignon, ou un chasselas

800 g de beaufort ou de (vrai !) gruyère suisse râpé

300 g de comté fruité ou d'emmental râpé

½ cuillerée à café de muscade moulue

2 cuillerées à soupe de kirsch

1 pincée de poivre fraîchement moulu

1 cuillerée à café de moutarde

1 ½ baguette de la veille (donc rassise), détaillée en gros dés

2 œufs

♛ Avec un presse-ail, écrasez les gousses au-dessus du caquelon et jetez la pulpe accrochée à la grille de l'appareil. Ajoutez le vin et placez le récipient à feu vif. Quand des bulles commencent à se former sur les bords, baissez la flamme et incorporez petit à petit les fromages tout en remuant à l'aide d'une cuillère en bois. Laissez fondre environ 10 minutes en dessinant sans cesse des « huit » avec la cuillère pour obtenir une crème épaisse d'une belle couleur jaune. En remuant toujours, ajoutez ensuite la muscade, le kirsch, puis le poivre et la moutarde (qui rendra votre fondue plus digeste).

♛ Sans attendre, allumez le brûleur (électrique ou à alcool) qui accompagne le service à fondue posé au centre de la table. Apportez le caquelon contenant la fondue bouillonnante et posez-le sur le brûleur. Les convives n'ont plus qu'à piocher dans les corbeilles à pain disposées çà et là, à en piquer un bout sur leur fourchette et à le tourner dans le caquelon sans le perdre ! Quand il ne reste plus qu'un fond de fromage, cassez les œufs dans le caquelon, remuez et laissez durcir un peu cette drôle d'omelette avant de la savourer.

♛ Vous êtes prévenu ! Si vous abandonnez votre croûton de pain dans le caquelon, vous offrez la prochaine tournée…

Pour 6 personnes

D'une région à l'autre, les traditions varient, mais celle-ci est immuable : celui qui laisse échapper son morceau de pain dans le caquelon doit offrir la prochaine bouteille.

Languedoc

Lotte de mer aux olives et aux artichauts

*U*n *plat braisé d'une grande simplicité*
aux parfums de Méditerranée,
à garnir d'artichauts en été,
ou bien de poivrons rouges,
de tomates et d'aubergines à l'automne.

2 citrons coupés en deux

16 petits artichauts

3 cuillerées à soupe d'huile d'olive vierge extra

1 gousse d'ail émincée

625 g de filets de lotte de mer (appelée aussi
« baudroie »), détaillée en darnes de 3 cm
d'épaisseur

1 cuillerée à café de thym frais

1 cuillerée à café de persil plat frais ciselé

½ cuillerée à café de poivre fraîchement moulu

4 cuillerées à soupe de bouillon de poulet

3 cuillerées à soupe de vin blanc sec

40 g d'olives noires

❦ Préchauffez un four à 200 °C/th. 7.

❦ Préparez un grand bol d'eau additionnée du jus d'un citron. Coupez la queue de chaque artichaut à sa base et enlevez les grosses feuilles extérieures. Ôtez le tiers supérieur de chaque artichaut et frottez les surfaces coupées avec un demi-citron. Continuez d'arracher les feuilles jusqu'à ce que vous ayez atteint les tendres feuilles jaune pâle du cœur. Sectionnez toutes les pointes de feuilles raides et citronnez. Si des artichauts ont déjà du foin, ôtez-le à l'aide d'une cuillère. Coupez chaque artichaut en quatre ou six morceaux dans le sens de la hauteur et plongez-les dans l'eau citronnée. Lorsqu'ils sont tous prêts, égouttez-les puis séchez-les dans un torchon propre.

❦ Dans un faitout, réchauffez l'huile d'olive à feu moyen avant d'y ajoutez l'ail et les artichauts. Laissez dorer 5 à 6 minutes puis incorporez délicatement les filets de poisson, le thym, le persil, le poivre, le bouillon, le vin et les olives. Couvrez et laissez mijoter de 15 à 20 minutes jusqu'à ce que les fonds d'artichauts soient tendres à cœur. À l'aide d'une écumoire, retirez le poisson et posez-le sur un plat chaud. Dressez tout autour les artichauts et les olives, arrosez d'un filet de bouillon et servez.

Pour 4 personnes

Huile d'olive

La présence d'oliviers au bord des routes marque symboliquement l'entrée dans la lumineuse Provence. De majestueuses oliveraies aux teintes gris argent dressent leurs troncs noueux comme autant d'arbres tutélaires veillant sur le Sud. Dans les régions de maturation précoce, près d'Arles et d'Avignon, les moulins commencent à presser les fruits en novembre, la saison se poursuivant jusqu'en février. Le dernier pressage a lieu à Entrevaux, dans les Alpes-de-Haute-Provence.

La saveur d'une huile d'olive dépend de la variété des olives, de leur maturité mais aussi de la façon dont elles ont été travaillées après récolte. Pour vous assurer une excellente qualité, misez sur une huile étiquetée « première pression à froid ».

L'huile d'olive de Nyons dans la Drôme est à juste titre réputée. D'un beau jaune doré, elle est très douce en bouche et s'emploie aussi bien pour les cuissons que pour assaisonner les légumes. Mais la meilleure huile qu'il m'ait été donné de goûter, je l'ai trouvée dans un moulin à Maussane-les-Alpilles, près des Baux-de-Provence. D'un vert profond, douce et fruitée, elle assaisonne à merveille les salades et produit un aïoli riche et délicat.

Normandie

Boudin noir aux pommes

*Bien que chaque région possède peu ou prou
sa propre recette de boudin, aucune ne peut rivaliser
avec celle de la Normandie. Et rien de tel
pour accompagner le boudin que quelques
belles pommes revenues à la poêle dans du beurre
et une rasade de calvados. Choisissez bien des pommes
sucrées et fermes, qui ne s'écraseront pas pendant
la cuisson. Des goldens, par exemple, assurent
une tenue parfaite et offrent, une fois frites,
une jolie peau croustillante et dorée.*

4 cuillerées à soupe de beurre doux

1 kg de pommes à chair ferme
(goldens, reines des reinettes ou royal gala),
pelées, évidées et coupées en quartiers
de 2 cm d'épaisseur

1 pincée de sel

1 pincée de poivre fraîchement moulu

1 pincée de cannelle moulue

1 pincée de muscade moulue

8 petits boudins noirs
(soit au total environ 750 g)

1 cuillerée à soupe de calvados

⚜ Dans une grande sauteuse, laissez fondre à feu moyen 3 cuillerées à soupe de beurre. Lorsqu'il commence à mousser, ajoutez les pommes et laissez cuire de 10 à 12 minutes à feu doux en remuant souvent, jusqu'à ce qu'elles commencent à caraméliser. Salez, poivrez, ajoutez cannelle et muscade puis retirez du feu et couvrez pour maintenir au chaud.

⚜ Piquez les boudins d'une fourchette sur toute leur surface. Dans une poêle, laissez fondre à feu moyen une autre cuillerée à soupe de beurre. Lorsqu'il commence à mousser, ajoutez les boudins puis arrosez-les de calvados. Flambez avec une allumette et laissez les flammes s'éteindre d'elles-mêmes. Servez aussitôt.

Pour 4 personnes

Franche-Comté et Alpes

Crozets au beurre noir

*Les crozets (qui tirent leur nom de croé qui signifie
petit en parler savoyard) sont typiques du Dauphiné
et de la Savoie. Bien entendu, chaque Savoyard
a une idée bien précise de la manière dont il faut
préparer ces drôles de petites pâtes carrées à base
de sarrasin ou de froment. Mais ne vous avisez
surtout pas de les confondre avec des pâtes italiennes,
vous vous feriez brûler vifs par les connaisseurs !
D'abord ils doivent être cuits plus longtemps et ensuite,
ils exigent un accompagnement autrement plus élaboré
que celui des nouilles. Après leur cuisson, il convient
de les faire revenir à la poêle avec du beurre et du gruyère.
Une autre recette fait intervenir des lardons et dans
une autre encore, le beurre est remplacé par de la crème
fraîche. Assortis d'une salade verte ou servis avec
un plat de viande (pourquoi pas de saucisses…),
ils peuvent bien sûr faire office de plat principal.*

500 g de crozets

1 ½ cuillerée à café de sel

125 g de beurre doux

½ cuillerée à café de poivre fraîchement moulu

250 g de gruyère ou de comté
grossièrement râpé

⚜ Remplissez aux trois quarts une grande casserole d'eau et amenez à ébullition à feu moyen. Ajoutez les pâtes et le sel et laissez cuire 30 minutes environ à découvert, en remuant de temps en temps jusqu'à ce qu'elles soient tendres et gonflées. Égouttez et réservez.

⚜ Dans une poêle, laissez fondre le beurre à feu vif et prolongez la cuisson d'environ 2 minutes pour qu'il prenne une belle teinte caramel. Poivrez et ajoutez les pâtes en remuant pour bien les imprégner de beurre. Incorporez le fromage petit à petit et remuez encore 2 minutes, le temps qu'il fonde.

⚜ Versez la préparation dans un plat creux et chaud et servez aussitôt.

Pour 4 personnes

Alsace et Lorraine

Choucroute garnie

À l'image de sa voisine allemande, l'Alsace nourrit une véritable passion pour la choucroute. Et quand on pense « choucroute », on pense aussitôt à la traditionnelle choucroute garnie alsacienne accommodée d'une montagne de lard fumé, de saucisses de Strasbourg, de petit salé et de pommes de terre. Mais il ne faut pas oublier qu'il existe de nombreuses variantes de choucroute, dont certaines sans viande comme la choucroute de la mer.

La choucroute n'est autre que du chou fermenté. Mais quels choux ! Ceux que l'on cultive en Alsace pour la choucroute sont énormes (leur poids pouvant aller jusqu'à 15 kg pièce) et particulièrement denses. Les choux sont découpés en fines lanières, salés puis trempés dans une saumure légère où ils vont fermenter de 3 à 7 semaines, le temps nécessaire pour produire de l'acide lactique, cette substance qui confère au plat sa saveur particulière. Une fois le processus de saumurage achevé, la choucroute est prête à cuire.

La recette de choucroute à l'ancienne préconise qu'on la fasse d'abord cuire seule, à l'étouffée, dans la graisse et le vin blanc avant d'y ajouter les morceaux de viande. Mieux vaut acheter votre choucroute crue et la faire cuire vous-même.

Toutes sortes de viande se prêtent à l'accompagnement d'une choucroute : jambon, canard, oie, jarrets de porc, palette fumée, saucisses de Strasbourg, de Francfort, de Morteau ou de Montbéliard... Servez avec un sylvaner, un riesling ou un muscadet frappé.

1,5 kg de choucroute (de préférence crue)

1 gousse d'ail émincée

10 baies de genièvre

1 feuille de laurier séchée

2 clous de girofle entiers

6 grains de poivre

60 g de saindoux ou de graisse d'oie fondue

1 gros oignon jaune émincé

4 jarrets de porc fumés (soit environ 1 kg)

50 cl de riesling, de sylvaner ou autre vin blanc sec

1 verre à moutarde d'eau

½ cuillerée à café de poivre fraîchement moulu

125 g de poitrine fumée

125 g de travers de porc frais (facultatif)

8 pommes de terre à chair ferme épluchées

6 saucisses de Francfort ou de Strasbourg

♛ Préchauffez le four à 170 °C/th. 6.

♛ Laissez dessaler la choucroute crue 15 minutes dans un grand bol d'eau froide puis goûtez-la. Prolongez le trempage si nécessaire. Égouttez-la et essorez-la vigoureusement dans un torchon de cuisine sec et propre aux pans rabattus. Placez la choucroute dans un saladier et démêlez les « nœuds » éventuels à l'aide d'une fourchette.

♛ Placez l'ail, les baies de genièvre, la feuille de laurier, les clous de girofle et les grains de poivre au centre d'un carré de mousseline, rabattez les coins pour former une aumônière et liez avec une ficelle.

♛ Dans une grande cocotte en fonte munie d'un couvercle, laissez fondre à feu moyen le saindoux ou la graisse d'oie puis ajoutez à blondir l'oignon 5 minutes, à feu réduit. Ajoutez la moitié de la choucroute, l'aumônière remplie d'aromates et les jarrets de porc, puis complétez avec le reste de choucroute. Arrosez de vin puis recouvrez presque entièrement d'eau. Poivrez et portez à ébullition, à découvert.

♛ Couvrez, enfournez et laissez cuire 1 heure. Passé ce délai, sortez la cocotte du four, creusez un puits au centre de la choucroute et comblez-le de poitrine fumée et de travers de porc (si vous en utilisez). Couvrez et enfournez de nouveau 1 heure. Ressortez la cocotte du four et ménagez cette fois-ci de la place pour les pommes de terre. Couvrez et enfournez encore 30 minutes, jusqu'à ce qu'elles soient tendres.

♛ Juste avant que la choucroute soit prête, placez une casserole aux trois quarts remplie d'eau à feu vif et portez à ébullition. Plongez les saucisses dans l'eau, baissez le feu et laissez cuire de 6 à 8 minutes à feu moyen. Égouttez-les puis incorporez-les à la choucroute.

♛ Tapissez de choucroute un plat de service creux et chaud, déposez dessus les jarrets et les saucisses, recouvrez de tranches de poitrine fumée et de travers de porc, puis disposez tout autour les pommes de terre. Servez aussitôt.

Pour 6-8 personnes

Centre

Anguille grillée

La France est sillonnée de milliers de kilomètres de cours d'eau peuplés d'une généreuse faune aquatique, pour le plus grand bonheur des amateurs de truites, d'anguilles et autres goujons. Sur les rives de la Loire, du Cher, de la Dordogne et de la Garonne comme dans tous les estuaires, les petites anguilles fraîchement pêchées s'invitent souvent au menu. Elles sont évidemment apprêtées de manière très diverse selon les régions : grillées, pochées, en sauce ou, comme dans le Berry par exemple, en vinaigrette.

125 g de gros sel

4 petites anguilles ou 1 grosse (soit 1 kg en tout), fraîches et parfaitement nettoyées

10 cl d'huile de noix

2 cuillerées à soupe de vinaigre

1 cuillerée à café de ciboulette fraîche ciselée

1 cuillerée à café d'estragon frais ciselé

1 cuillerée à café de cerfeuil frais ciselé

½ cuillerée à café de sel

½ cuillerée à café de poivre fraîchement moulu

❧ Allumez un feu dans un barbecue.

❧ Étalez un lit de gros sel sur un torchon de cuisine, posez les anguilles dessus, refermez les pans du torchon et frictionnez vigoureusement la peau des poissons pour bien les imprégner de sel. Rincez et séchez puis coupez-les en darnes de 5 cm de long en éliminant tête et queue.

❧ Placez les darnes d'anguille sur la grille du barbecue et laissez cuire de 8 à 10 minutes de chaque côté jusqu'à ce que la peau soit croustillante et la chair cuite.

❧ Pendant ce temps, mélangez dans un bol vinaigre, sel, poivre, huile de noix et fines herbes.

❧ Dressez les anguilles sur un plat chaud et servez aussitôt. Chacun piochera selon son goût dans le bol de vinaigrette posé au centre de la table.

Pour 4 personnes

Languedoc

Beignets de morue

*À Perpignan comme dans de nombreuses
villes du Sud-Ouest, les vitrines des traiteurs
présentent d'appétissantes pyramides de beignets
de morue tout frais, à l'image des acras créoles,
prêts à croquer. Il est très facile de
les préparer chez soi. Quelques morceaux
de morue, de la pâte à beignets,
un filet de citron et hop ! le tour est joué...*

250 g de morue salée

1 feuille de laurier

1 ½ cuillerée à soupe d'huile d'olive vierge extra

1 gousse d'ail hachée

1 petit piment rouge séché moulu
ou 1 pincée de poivre de Cayenne

155 g de farine

1 cuillerée à café de levure

20 cl d'eau

1 oignon jaune émincé

1 cuillerée à soupe de persil plat frais ciselé

1 cuillerée à café de jus de citron
fraîchement pressé

huile végétale pour friture

2 citrons coupés en quatre

♛ Dans un grand récipient, laissez dessaler la morue pendant 24 heures en renouvelant l'eau très souvent (toutes les 3 à 4 heures) ou en la laissant couler en filet. Une fois dessalée, remplissez une grande casserole d'eau à mi-hauteur, ajoutez la feuille de laurier et chauffez à feu moyen au seuil de l'ébullition. Baissez alors la flamme, ajoutez la morue et laissez cuire à feu doux environ 10 minutes, jusqu'à ce que le poisson s'émiette facilement à la fourchette.

♛ À l'aide d'une écumoire, transvasez le poisson de la casserole vers un plat et jetez l'eau de cuisson. Lorsque le poisson a légèrement refroidi, retirez les arêtes ou les morceaux de peau. Placez la chair dans un mortier et réduisez-la en purée avec le pilon (vous pouvez aussi utiliser un mixer) en la délayant avec 1 cuillerée à café d'huile d'olive.

♛ Ajoutez l'ail et le piment (ou le poivre de Cayenne) et mélangez bien le tout. Réservez.

♛ Dans un bol, versez la farine, la levure, l'eau et 1 cuillerée à soupe d'huile d'olive en mélangeant bien jusqu'à ce que vous obteniez une crème épaisse. Incorporez la purée de morue, l'oignon, le persil et le jus de citron et remuez bien.

♛ Préparez le bain de friture. Si vous n'avez pas de friteuse, remplissez à mi-hauteur une grande casserole à fond épais d'huile végétale. Chauffez l'huile à 190 °C. Vous vérifierez la température en jetant dans le bain une goutte de pâte. Si elle gonfle aussitôt au contact de l'huile, elle est prête à accueillir vos beignets. Jetez-y quelques cuillerées à soupe bombées du mélange de morue et laissez rissoler 3 à 4 minutes jusqu'à ce que les beignets soient gonflés et dorés. À l'aide d'une écumoire, sortez-les du bain de friture et égouttez-les sur du papier absorbant. Gardez-les au chaud le temps de venir à bout de la purée de morue.

♛ Dressez les beignets sur un plat chaud et servez aussitôt avec des quartiers de citron.

Pour 4 personnes (environ 24 beignets)

Rôti de veau à l'ail

*Il existe mille et une façons de cuisiner
la viande si tendre du veau.
Mais je ne vous conterai que celle-ci.*

1,5 kg de quasi ou de longe
de veau désossé

3 cuillerées à soupe d'huile
d'olive vierge extra

1 cuillerée à café de sel

1 cuillerée à café de poivre fraîchement moulu

2 feuilles de laurier

4 branches de thym frais

125 g de lard maigre coupé en fines tranches

6 têtes et 6 gousses d'ail

1 verre à moutarde de vin blanc sec

10 cl d'eau

❧ Préchauffez le four à 220 °C/th. 7.

❧ Badigeonnez le rôti d'1 cuillerée à soupe d'huile
d'olive et frottez-le de sel et de poivre (½ cuillerée à
café de chaque). Répartissez les feuilles de laurier et les
branches de thym sur le dessus, quadrillez sa surface de
tranches de lard et ficelez le tout. Décapitez chaque tête
d'ail (voir photo ci-contre), trempez-les dans l'huile
d'olive restante et saupoudrez des dernières pincées de
sel et de poivre. Placez le rôti dans un plat de cuisson
et disposez tout autour têtes et gousses d'ail.

❧ Laissez rôtir 1 heure environ en arrosant, toutes les
20 minutes, les têtes d'ail de sucs. Si vous avez un
thermomètre de cuisine, stoppez la cuisson quand la
partie la plus charnue du rôti atteint 63 °C. Transférez
l'ail et le rôti dans un autre plat, couvrez d'une feuille
d'aluminium et laissez reposer 10 minutes avant de
procéder à la découpe.

❧ Pendant ce temps, à feu modéré sur la cuisinière,
déglacez le plat avec du vin blanc. Décollez les sucs du
fond, délayez avec de l'eau et laissez réduire 1 à 2 minutes
en remuant.

❧ Découpez le rôti en tranches de 1 cm, retirez le lard
maigre et la ficelle puis dressez les tranches sur un plat
de service, entouré des têtes d'ail. Arrosez d'un filet de
sauce et présentez le reste des sucs caramélisés dans une
saucière, au centre de la table.

Pour 6 personnes

Champignons sauvages

Les Français sont profondément attachés aux champignons sauvages et j'avoue que je partage avec eux ce qui souvent est une véritable passion. L'automne est la meilleure saison et, de septembre jusqu'aux premières gelées, si vous voyez des files de voitures garées en désordre le long des chemins forestiers, vous pouvez être sûr que les propriétaires sont partis à la chasse aux champignons.

Dans mon village, j'ai observé une subtile compétition entre les habitants : c'est à qui découvrira les premiers spécimens. Quand la saison approche, ils sont de plus en plus nombreux à courir les bois en quête de cèpes, de morilles, ou d'oronges familièrement appelées amanites des Césars et considérées par les Romains comme un mets digne des dieux. Et quelle exquise politesse ne leur doit-on pas, eux qui soulèvent leur chapeau à la première ondée ! À l'exception notable, certes, de la truffe qui, elle, se cache pour mieux se faire désirer et aimer...

Sur les marchés, dans les épiceries et même les supermarchés, les pleurotes, grisets ou girolles, pieds de mouton et trompettes de la mort rivalisent. Au restaurant ou à la maison, on confectionne des plats qui célèbrent le terroir et la saison, tels qu'omelettes, gratins, sauces ou grillades aux champignons sauvages.

Centre

Pintade aux choux et aux marrons

Au pays des châtaignes (ou marrons) et du gibier, dans le Berry, à quelques kilomètres au sud de Paris, la pintade et le faisan sont souvent accompagnés de chou et de châtaignes. Les sangliers qui vivent dans les forêts se nourrissent volontiers des châtaignes tombées au sol et autrefois les paysans emmenaient leurs cochons paître dans ces châtaigneraies, coutume qui s'est aujourd'hui perdue. Faute de pintade, ce plat sera tout aussi délicieux avec du poulet ou du canard.

2 pintades ou faisans d'environ 1 kg chacun

1 ½ cuillerée à café de sel

1 ¼ cuillerée à café de poivre fraîchement moulu

4 tiges de céleri coupées en deux

2 carottes épluchées et coupées en deux

4 gousses d'ail émincées

6 branches de thym fraîches

8 tranches de poitrine fumée

75 cl de vin blanc sec

1 kg de marrons frais

90 g de beurre doux

500 g de chanterelles fraîches nettoyées à la brosse et coupées en deux ou en quatre selon leur taille

1 petit chou pommé évidé et coupé dans le sens de la longueur en tranches de 12 mm d'épaisseur

12 cl d'eau

♛ Préchauffez le four à 180 °C/th. 6.

♛ Frottez les pintades ou les faisans avec 1 cuillerée à café de sel et autant de poivre. Dans un plat à rôtir, mélangez le céleri, les carottes, l'ail et le thym. Placez vos volailles sur les légumes puis recouvrez avec les tranches de poitrine fumée. Arrosez avec 50 cl de vin et couvrez le plat.

♛ Laissez-les rôtir entre 1 heure 15 et 1 heure 30 jusqu'à ce qu'elles soient tendres et que, lorsque vous piquez la partie la plus épaisse avec la pointe d'un couteau, le jus qui en sort soit incolore. Le temps de cuisson dépend de l'âge des volailles et si elles ont été abattues sauvages ou proviennent d'un élevage. Les oiseaux sauvages ou plus ou moins âgés peuvent

avoir une chair un peu plus ferme et exiger plus de cuisson. Mais attention, une cuisson trop longue desséchera la viande.

♕ Pendant que les volailles rôtissent, préparez la garniture : à l'aide d'un couteau pointu, pratiquez une incision en X sur la face aplatie des marrons. Posez ceux-ci sur une plaque de cuisson et laissez-les rôtir 30 minutes environ avec les volailles jusqu'à ce que l'écorce incisée commence à se soulever un peu. Retirez du four, laissez tiédir puis enlevez les écorces. Avec le couteau, ôtez l'enveloppe douce et velue des marrons. Coupez la chair en dés de 12 mm de côté. Réservez.

♕ Dans une poêle à frire, laissez fondre 60 g de beurre à feu moyen. Dès qu'il commence à mousser, ajoutez les champignons et laissez revenir 6 à 7 minutes jusqu'à ce qu'ils rendent un peu d'eau. Ajoutez les dés de marrons et le reste de beurre. Baissez le feu et cuisez encore 3 à 4 minutes à feu doux en remuant fréquemment jusqu'à ce que les marrons s'attendrissent. Saupoudrez d'une pincée de sel et de la dernière pincée de poivre et réservez au chaud.

♕ Juste avant de servir, placez les tranches de chou dans un panier à vapeur au-dessus d'un récipient rempli d'eau bouillante, couvrez et laissez cuire 5 minutes environ à la vapeur jusqu'à ce que le chou devienne légèrement translucide. Hors du feu, saupoudrez avec la dernière pincée de sel et réservez au chaud.

♕ Sortez les volailles du plat à rôtir. Si vous souhaitez les découper avant de servir, jetez la poitrine fumée. Découpez le blanc et les cuisses et réservez au chaud. Débarrassez-vous des carcasses. Sinon, réservez les volailles au chaud.

♕ À l'aide d'une écumoire, retirez les légumes du plat à rôtir et jetez-les. Placez le plat à rôtir sur le dessus de la cuisinière à feu vif et mouillez avec l'eau et les 25 cl de vin restants. Portez à ébullition et déglacez le plat en remuant pour détacher les sucs du fond. Laissez réduire jusqu'à ce qu'il ne reste plus que 25 cl environ.

♕ Sur un plat de service chaud, étalez un lit de chou. Disposez dessus le mélange de champignons et de marrons et couvrez le tout avec les blancs et les cuisses si vous avez découpé les volailles, soit la ou les volailles entières. Nappez avec la sauce et servez immédiatement. Pour découper les volailles, posez-les sur un autre plat.

Pour 4 personnes

Provence

L'aïoli

En Provence, on prépare l'aïoli à l'occasion
d'une réunion familiale, d'une fête
ou d'un déjeuner entre amis, un dimanche
d'été, à l'ombre d'un grand mûrier…
Mais le prétexte peut aussi bien être
une fête de village, où tous, habitants,
commerçants, employés municipaux et enfants
se trouvent réunis, sur la place principale,
autour de longues tables joyeuses et colorées.
Dans tous les cas, vin rouge et rosé en sont les invités,
car soleil et morue donnent soif !

12-14 morceaux de morue salée (185 g chacun)

24 pommes de terre à bouillir variété bintje,
roseval ou belle de Fontenay

6 cuillerées à café de sel

36 carottes

2,5-3 kg de jeunes haricots verts tendres,
équeutés

36 betteraves crues

24 œufs

AÏOLI

6-10 gousses d'ail émincées

½ cuillerée à café de sel

6 jaunes d'œufs

60 cl d'huile d'olive vierge extra

½ cuillerée à café de poivre fraîchement moulu

꩜ La morue doit être dessalée avant d'être cuite. Cette opération prend entre 3 heures et 24 heures selon la quantité de sel contenu. Rincez la morue salée pendant 10 minutes sous l'eau courante froide puis placez-la dans un grand récipient creux et recouvrez d'eau. Laissez tremper 3 à 4 heures. Coupez un tout petit morceau de poisson, pochez-le de 3 à 4 minutes dans de l'eau frémissante et goûtez. S'il est encore salé, videz l'eau du récipient, couvrez de nouveau la morue d'eau froide, laissez-la tremper 3 à 4 heures de plus et goûtez. Le poisson doit être très légèrement salé. Lorsqu'il est suffisamment dessalé, jetez l'eau de trempage.

꩜ Placez le poisson dans une casserole peu profonde ou une poêle à frire et recouvrez avec de l'eau. Réchauffez à feu doux sans atteindre l'ébullition et pochez le poisson 3 à 4 minutes jusqu'à ce qu'il s'émiette facilement. À l'aide d'une écumoire, retirez-le de la casserole et posez-le sur un plat. Laissez refroidir.

꩜ Pour préparer l'aïoli, pilez les gousses d'ail et le sel dans un mortier ou un bol jusqu'à ce que vous obteniez une pâte. Réservez. Dans un saladier, battez les jaunes d'œufs en omelette. Versez petit à petit ½ cuillerée à café d'huile d'olive en battant délicatement avec un fouet. Répétez l'opération jusqu'à ce que l'émulsion soit épaisse, ce qui s'obtient en général avec 2 cuillerées à soupe d'huile d'olive environ. Puis incorporez le reste d'huile, 1 cuillerée à café à la fois, sans cesser de battre. Ajoutez délicatement le mélange d'ail et de sel pour faire une mayonnaise. Poivrez. Vous devriez avoir environ 60 cl de préparation. Couvrez et rangez au réfrigérateur.

꩜ Plongez les pommes de terre dans une grande casserole remplie d'eau avec 2 cuillerées à café de sel. Portez à ébullition à feu vif, baissez la chaleur et laissez cuire 25 minutes environ à feu moyen jusqu'à ce que les pommes de terre soient tendres quand on les pique de la pointe d'un couteau. Égouttez et réservez.

꩜ Épluchez ou grattez les carottes. Laissez-les cuire comme les pommes de terre, mais 20 minutes seulement, avec 2 cuillerées à café de sel. Égouttez et réservez. Laissez cuire les haricots de la même façon avec les 2 dernières cuillerées à café de sel à peine 10 à 15 minutes. Égouttez et réservez. Ôtez les feuilles des betteraves jusqu'à 12 mm en dessous du sommet. Cuisez-les de la même manière, mais sans sel. Le temps de cuisson sera d'environ 1 heure. Égouttez et réservez. Conservez les betteraves à l'écart des autres légumes. Elles peuvent être servies épluchées ou non.

꩜ Plongez les œufs dans une grande casserole remplie d'eau. Portez à ébullition et laissez cuire 12 minutes. Jetez l'eau chaude puis remplissez la casserole d'eau froide pour stopper la cuisson.

꩜ Dressez les légumes, les œufs et la morue salée sur des plats de service et disposez-les sur la table avec plusieurs bols remplis d'aïoli.

Pour 12-14 personnes

En été, l'aïoli est souvent
prétexte à de grandes fêtes
populaires. Mais sa
renommée a gagné tout
le pays et ce modeste repas,
à l'origine, figure aujourd'hui
dans le patrimoine national
ès festivités.

Bourgogne et Lyonnais

Coq au vin

Voici l'un des grands classiques de la cuisine régionale française. Autrefois, on réservait du coq pour enrichir la sauce. Plus âgé et de chair plus ferme que la plupart des poulets que nous consommons aujourd'hui, le coq mijotait sur les fourneaux durant plusieurs heures jusqu'à ce que la viande se détache presque toute seule des os. De nos jours, on trouve encore des restaurants et des foyers où l'on prépare ce plat avec un vrai coq ou un chapon, mais la plupart du temps on utilise un jeune poulet. On trouve trace de ce plat dès le XVIe siècle.

On le préparait alors à la commande, devant une belle flambée pétillante, en présence de ses hôtes.

90 g de poitrine fumée maigre détaillée en lanières de 6 mm d'épaisseur et de 2,5 cm de long

12 petits oignons nouveau

60 g de beurre doux

1 poulet de 1,75 kg détaillé en morceaux

1 cuillerée à soupe de farine sans levure

2 cuillerées à soupe de cognac

1 bouteille (75 cl) de bourgogne rouge ou autre vin rouge un peu capiteux

3 branches de thym frais

3 branches de persil plat frais

1 feuille de laurier séché

1 cuillerée à café de poivre fraîchement moulu

½ cuillerée à café de sel

25 g de champignons de Paris frais

❦ Placez les lanières de poitrine fumée dans une casserole, couvrez-les d'eau et portez à ébullition à feu vif puis laissez mijoter 10 minutes à feu doux et à découvert. Égouttez puis rincez la poitrine sous l'eau froide et séchez-la.

❦ Remplissez une casserole aux trois quarts d'eau et portez à ébullition. Ajoutez les oignons nouveaux et laissez bouillir 10 minutes. Égouttez, coupez les racines des oignons à l'extrémité et enlevez la peau.

❦ Dans un faitout à fond épais, laissez fondre 45 g de beurre. Dès qu'il commence à mousser, baissez le feu, ajoutez la poitrine et les oignons et laissez cuire 10 minutes environ à feu modéré en remuant jusqu'à ce qu'ils se colorent d'un brun léger. À l'aide d'une écumoire, prélevez la poitrine fumée et les oignons et disposez-les sur un plat. Ajoutez le poulet et augmentez le feu. La viande cuira 10 minutes environ à feu moyen, en la retournant, jusqu'à ce qu'elle commence à brunir. Saupoudrez-la de farine et prolongez encore la cuisson de 5 minutes environ en tournant de temps en temps jusqu'à ce que le tout soit bien doré. Arrosez le poulet de cognac, flambez pour éliminer l'alcool et laissez les flammes s'éteindre d'elles-mêmes. Replacez la poitrine fumée et les oignons dans le faitout. Versez un peu de vin et déglacez. Mouillez avec le reste de vin et ajoutez le thym, le persil, la feuille de laurier, le poivre et le sel. Couvrez et laissez mijoter de 45 à 60 minutes en remuant de temps à autre jusqu'à ce que le poulet soit bien cuit.

❦ Pendant ce temps, dans une poêle à frire laissez revenir à feu vif, dans le reste de beurre, les champignons, soit 3 à 4 minutes jusqu'à ce qu'ils soient légèrement dorés. Retirez du feu et réservez. Environ 15 minutes avant que le poulet ne soit cuit, ajoutez les champignons.

❦ Lorsque la cuisson est terminée, sortez les morceaux de poulet, les oignons, les champignons, les aromates et la poitrine fumée du faitout à l'aide d'une écumoire et placez-les dans un grand récipient creux. Écumez le jus de cuisson et jetez la graisse. Augmentez la chaleur et laissez bouillir 5 minutes environ à feu très vif jusqu'à ce que le liquide ait réduit de près de moitié. Replacez les morceaux de poulet, les oignons et les champignons dans le faitout (ainsi que la poitrine si vous le souhaitez). Baissez la flamme et laissez réchauffer à feu doux 3 à 4 minutes en remuant.

❦ Dressez sur un plat de service chaud ou servez.

Pour 4-5 personnes

Corse

Joue de bœuf

*La saveur et la tendreté des joues de bœuf
ne se révèlent qu'après une longue cuisson
à feu doux dans un vin rouge bien charpenté,
tel qu'un robuste rouge de Corse
ou un cru du Languedoc-Roussillon.*

1 pied de veau coupé en morceaux

*1 kg de joues de bœuf détaillé
en dés de 2,5 cm*

1 bouteille (75 cl) d'un vin rouge corsé

3 cuillerées à soupe d'huile d'olive vierge extra

2 oignons jaunes ou blancs hachés

3 échalotes hachées

2 tiges de céleri

10 g de persil plat frais ciselé

2 cuillerées à soupe de feuilles de thym fraîches

1 cuillerée à café d'origan

1 lanière de zeste d'orange

½ cuillerée à café de sel

½ cuillerée à café de poivre fraîchement moulu

50 cl d'eau

✾ Placez le pied de veau et les joues dans un grand récipient creux, mouillez avec le vin, couvrez et laissez au réfrigérateur 24 heures.

✾ Dans l'huile d'olive à feu moyen, ajoutez les oignons et les échalotes et laissez blondir 2 à 3 minutes. Égouttez la viande en réservant la marinade et séchez-la. Ajoutez quelques morceaux de viande à la fois et laissez-les cuire 3 à 4 minutes en les retournant, jusqu'à ce qu'ils aient légèrement bruni. Posez-les sur un plat au fur et à mesure.

✾ Ensuite, replacez-les dans la casserole. Ajoutez le céleri, le persil, le thym, l'origan, le zeste d'orange, le sel, le poivre ainsi que la marinade et l'eau. Remuez bien, couvrez, et laissez mijoter de 3 à 4 heures à feu doux jusqu'à ce que la viande se délite à la fourchette.

✾ Jetez le céleri puis le pied de veau si vous le souhaitez. Pour servir, transvasez dans un plat de service.

Pour 4 personnes

Pyrénées et Gascogne

Daube de sanglier

*L*es sangliers abondent dans les sous-bois de Provence
et des Alpes, du Centre comme du Sud-Ouest
où ils sont chassés par des inconditionnels de la chasse,
solitaires ou regroupés lors des battues. Dans ce dernier
cas, les chasseurs se postent autour d'un périmètre
déterminé et progressent lentement vers le centre en
rabattant les sangliers. Dans certaines régions, comme
le Var notamment, les sangliers sont si nombreux qu'ils
constituent un fléau, car ils s'enhardissent hors des fourrés
protecteurs pour aller chercher leur nourriture dans
les vignes, les champs de céréales et autres cultures.

En dehors des jambons ou des terrines, la viande
de sanglier est généralement apprêtée en daube
ou en ragoût. Elle est d'abord marinée puis mijotée
pendant plusieurs heures dans un vin de pays,
avec de la roulade (sorte de pancetta française).
Servez avec des tagiatelles fraîches et un bon pain
de campagne à tremper dans la sauce.

MARINADE

2 cuillerées à soupe d'huile d'olive vierge extra

1 oignon jaune ou blanc émincé

6 gousses d'ail écrasées et hachées

4 carottes épluchées et coupées en rondelles

1 l d'un vin rouge corsé

1 l d'eau

12,5 cl de vinaigre de vin rouge

*2 feuilles de laurier fraîches
ou 1 feuille de laurier séchée*

1 cuillerée à café de grains de poivre

6 baies de genièvre

1 cuillerée à café de sel

4 clous de girofle

1 belle lanière de zeste d'orange

6 branches de thym frais

3 branches de romarin frais

6 branches de sarriette fraîche

*1,75 kg de viande de sanglier désossée,
tirée de l'épaule par exemple, détaillée en cubes
de 5 cm de côté*

2 cuillerées à soupe d'huile d'olive vierge extra

*5 tranches de roulade ou de pancetta détaillée
en morceaux de 12 mm de large*

1 oignon jaune haché

4 gousses d'ail émincées

2 cuillerées à soupe de farine sans levure

2 feuilles de laurier frais ou 1 de laurier séché

1 beau zeste d'orange

1 cuillerée à café de sel

1 cuillerée à café de poivre fraîchement moulu

❦ Pour préparer la marinade, réchauffez l'huile d'olive
à feu moyen dans une grande casserole. Ajoutez l'oignon
et l'ail et laissez blondir 2 à 3 minutes. Ajoutez les carottes
et laissez revenir 1 à 2 minutes jusqu'à ce qu'elles changent
un peu de couleur. Mouillez avec le vin, l'eau et le vinaigre
et assaisonnez avec les feuilles de laurier, les grains de
poivre, les baies de genièvre, le sel, les clous de girofle, le
zeste d'orange, le thym, le romarin et la sarriette. Portez
à ébullition, baissez la chaleur et laissez mijoter 30 minutes
à feu doux et à découvert pour que les saveurs se mélangent. Laissez refroidir. Placez la viande dans un récipient
ou un faitout sans aluminium et mouillez avec la
marinade. Couvrez et gardez 24 heures au réfrigérateur.

❦ Retirez la viande de la marinade et essuyez-la
soigneusement. Réservez. Filtrez la marinade au chinois.
Dans une sauteuse, préchauffez l'huile d'olive à feu
moyen. Ajoutez la roulade ou la pancetta et laissez revenir
5 à 6 minutes jusqu'à ce qu'elle rende un peu de graisse
sans prendre couleur. Retirez-la et jetez-la.

❦ Ajoutez l'oignon et l'ail à la graisse qui reste dans la
casserole et laissez blondir 3 à 4 minutes à feu moyen.
Augmentez la chaleur et ajoutez la viande. Saisissez-la
8 à 10 minutes à feu vif en la retournant souvent jusqu'à
ce que sa couleur se modifie. Saupoudrez de farine et
prolongez la cuisson de 3 à 4 minutes jusqu'à ce que
celle-ci brunisse et qu'une partie du liquide soit absorbée.
Versez environ 12,5 cl de la marinade et déglacez en
remuant pour détacher les sucs. Ajoutez le reste de la
marinade ainsi que les feuilles de laurier, le zeste d'orange,
le sel et le poivre. Portez à ébullition, baissez la chaleur,
couvrez et laissez mijoter à feu très doux pendant 2 à
4 heures (suivant l'âge de l'animal) en remuant de temps
en temps jusqu'à ce que la viande soit très tendre.

❦ Déposez-la sur un plat. Réservez au chaud. Laissez
réduire le liquide 5 à 6 minutes jusqu'à ce qu'il ne
représente plus que 50 cl. Replacez la viande dans la
casserole et réchauffez-la dans le jus réduit. Servez-la avec
un peu de son jus dans un plat de service assez profond.

Pour 6 personnes

Provence

Poissons aux olives et aux herbes de Provence

C'est une façon simple et délicieuse d'accommoder ces produits qui fleurent bon le Midi. Je préfère utiliser des olives non dénoyautées mais vous pouvez aussi bien les dénoyauter.

8 calmars, soit environ 750 g en tout

655 g de filets de bar d'environ 2,5 cm d'épaisseur détaillés en quatre morceaux égaux, sans la peau

1 cuillerée à soupe d'huile d'olive vierge extra

1 pincée de sarriette séchée

1 pointe de romarin séché

1 pincée de thym séché

½ cuillerée à café de poivre fraîchement moulu

75 g d'olives noires à l'huile

1 tomate pelée, épépinée et grossièrement hachée

4 branches de thym frais

☙ Préchauffez le four à 180 °C/th. 6. Coupez les tentacules juste au ras des yeux. Saisissez-les à la base et pressez pour faire sortir le bec corné. Coupez les deux longues bandes qui pendent entre les tentacules et jetez-les. Fendez le corps dans le sens de la longueur. Avec le doigt, retirez les viscères et jetez-les, puis la coquille interne transparente (ou plume) et jetez-la également. Rincez le corps et les tentacules sous l'eau froide. Coupez les tentacules en deux dans le sens de la longueur puis partagez le corps en anneaux de 12 mm de large.

☙ Découpez 4 carrés de papier d'aluminium de 30 cm de côté. Posez un morceau de bar au milieu de chaque carré et badigeonnez-le d'huile d'olive. Ajoutez deux jeux complets de tentacules et un quart des anneaux de calmars sur chaque feuille. Dans un bol, mélangez la sarriette, le romarin, le thym et le poivre. Saupoudrez chaque portion. Répartissez les olives entre les quatre papillotes et déposez ¼ de tomate et 1 branche de thym sur chacune. Relevez les coins de la feuille d'aluminium, rapprochez-les puis tortillez-les pour sceller chaque papillote. Disposez sur une plaque de cuisson.

☙ Laissez cuire au four de 20 à 25 minutes jusqu'à ce que le poisson soit opaque. Pour tester le degré de cuisson, ouvrez une paillote et percez avec une fourchette (on dit aussi que le poisson est cuit quand l'aluminium commence à brunir). Au moment de servir, laissez les convives ouvrir leur papillote.

Pour 4 personnes

Herbes de Provence

Les herbes aromatiques qui poussent à l'état sauvage sur les versants et les plateaux rocailleux de la Provence sont l'un des traits caractéristiques de la cuisine de cette région, qu'elle soit simple ou raffinée. Elles servent à parfumer les légumes, les viandes, les œufs et même les fruits et les desserts, conférant une saveur bien particulière aux mets, qu'il s'agisse d'une grillade, d'un ragoût ou d'une omelette. Les plantes sauvages ont généralement un goût plus intense que les plantes cultivées car leurs essences volatiles, qui leur confèrent leur arôme et leur saveur, n'ont pas été diluées par l'arrosage.

Les principaux aromates de la région sont le persil, le thym, le romarin, le basilic, la menthe, la sarriette, la sauge, l'estragon, le cerfeuil, le laurier, la marjolaine (l'origan). Les mélanges de ces herbes, souvent séchées, sont présentés sous le nom d'« herbes de Provence ». Ils peuvent contenir toutes ou seulement quelques-unes de ces plantes. Parfois, les feuilles séchées sont réduites en poudre ; d'autres fois, les feuilles sont intactes ou presque. Les chefs cuisiniers gardent toujours à portée de main ces herbes de Provence dont ils assaisonnent leurs pizzas, légumes, ragoûts et viandes (avant de les griller), ultime touche pour que la cuisine chante...

Champagne et Nord

Sole meunière

En réalité, d'autres poissons plats à chair délicate (type limande, turbot ou flétan) conviennent très bien à cette préparation classique au beurre et au jus de citron. Mes légumes d'accompagnement favoris sont des pommes de terre bouillies saupoudrées de persil.

75 g de farine sans levure

4 petites soles ou 2 limandes parées et sans peau, ou des filets de sole sans la peau, soit 750 g-1 kg en tout

75 g de beurre doux

1 cuillerée à café de sel

1 cuillerée à café de poivre fraîchement moulu

le jus d'1 citron

2 cuillerées à soupe de persil plat frais ciselé

♛ Saupoudrez de farine une assiette et farinez le poisson sur les deux faces en le secouant pour en enlever l'excès.

♛ Dans une grande poêle à frire, laissez fondre 45 g de beurre à feu moyen. Dès qu'il commence à mousser, ajoutez la moitié des poissons, saupoudrez de ½ cuillerée à café de sel et d'autant de poivre et laissez cuire 4 minutes environ afin que le premier côté soit légèrement doré et que la chair se détache facilement des arrêtes à l'aide d'une fourchette. Retournez le poisson et laissez cuire l'autre côté 4 minutes également jusqu'à ce qu'il soit doré. Retirez de la poêle, posez sur un plat bien chaud et couvrez d'une feuille d'aluminium. Cuisez le reste des poissons de la même manière en rajoutant 15 g de beurre dans la poêle. Si vous avez choisi des filets, procédez de même mais réduisez le temps de cuisson à 2 minutes de chaque côté.

♛ Jetez tout le beurre de la poêle sauf 15 g (environ 1 cuillerée à soupe) et ajoutez les 15 g de beurre restants ainsi que le jus de citron. Dès que le beurre commence à fondre, nappez-en le poisson et parsemez de persil.

♛ Servez immédiatement tant que c'est brûlant.

Pour 4 personnes

Franche-Comté et Alpes

Salade de poulet rôti aux noix

La région de Grenoble est l'un des principaux centres de production de noix en France. C'est pourquoi les fruits du noyer et leur huile entrent dans la composition de nombreux plats locaux, des entrées aux desserts, et se retrouvent souvent dans des associations aux saveurs très complexes. Ici, par exemple, l'ail glissé sous la peau du poulet parfume délicatement la viande et le mariage des noix et de l'ail donne un résultat savoureux. Précédée d'une assiette de charcuterie ou de crudités, cette salade chaude constitue un délicieux plat principal pour le déjeuner ou le dîner.

1 poulet d'environ 1,5 kg

1 ½ cuillerée à café de sel

1 ½ cuillerée à café de poivre fraîchement moulu

4 gousses d'ail coupées en lamelles très fines dans le sens de la longueur

12,5 cl de bouillon de poulet

SALADE AUX NOIX

90 g de noix grossièrement hachées

3 cuillerées à soupe d'huile d'olive vierge extra

1 ½ cuillerée à café de vinaigre de champagne ou de vin blanc

1 échalote émincée

1 pincée de sel

1 pincée de poivre fraîchement moulu

150 g de feuille de chêne rouge ou verte

♕ Préchauffez le four à 180 °C/th. 6.

♕ Rincez le poulet et essuyez-le en tamponnant. Frottez l'intérieur et l'extérieur avec le sel et le poivre. Séparez délicatement avec vos doigts la peau de la chair en commençant par l'abdomen et en essayant d'aller aussi loin que possible vers le cou et près des cuisses pour former une poche. Veillez à ne pas déchirer la peau. Glissez les lamelles d'ail entre la peau et la chair du poulet en les répartissant uniformément sur la poitrine. Placez le poulet, poitrine vers le haut, sur une grille dans un plat à rôtir. Versez le bouillon dans le plat.

♕ Laissez rôtir 1 heure 15 environ en arrosant de temps en temps jusqu'à ce qu'en enfonçant la pointe d'un couteau au niveau de la cuisse, le jus en sorte clair. Vous pouvez aussi piquer un thermomètre à lecture instantanée dans la partie la plus épaisse de la cuisse, loin de l'os. S'il affiche 80 °C environ, la volaille est cuite. Posez celle-ci sur une planche à découper et laissez-la reposer 10 minutes avant de la découper.

♕ Pendant la cuisson du poulet, commencez à préparer la salade. Laissez griller les noix 10 minutes environ à feu doux dans une petite poêle en l'agitant souvent jusqu'à ce qu'un petit morceau coupé en deux devienne doré. Transvasez dans un plat et réservez.

♕ Dans un grand saladier, mélangez l'huile de noix, le vinaigre, l'échalote, le sel et le poivre. Placez vos feuilles de salade plus ou moins en chiffonnade dans le saladier, fatiguez-les pour bien les imprégner de vinaigrette.

♕ Dressez la salade sur un plat et parsemez-la de la moitié des noix grillées.

♕ Découpez le poulet en détaillant les blancs en aiguillettes et en séparant les cuisses des pattes Dressez les cuisses, les pattes, les ailerons et les aiguillettes sur la salade sans oublier les petites lamelles d'ail qui se seraient échappées du dessous de la peau. Ajoutez le reste de noix et servez chaud.

Pour 4 personnes

Île-de-France

Couscous aux légumes

La France a hérité du couscous de sa période coloniale et aujourd'hui elle l'a parfaitement intégré dans son patrimoine culinaire. Les restaurants de couscous sont particulièrement nombreux à Paris mais on en trouve aussi dans d'autres villes. Beaucoup de traiteurs en vendent et, sur certains marchés il n'est pas rare de voir des étals qui proposent du couscous cuisiné sur place. Le nom désigne à la fois le plat et la semoule de blé dur qui en est la base. Après avoir cuit dans un liquide chaud ou à la vapeur, le couscous est garni de légumes puis arrosé d'une partie du bouillon aromatisé dans lequel ils ont cuit. On le sert habituellement avec la harissa (une sauce aux piments) et l'on ajoute souvent de la viande. Dans le couscous royal, par exemple, les légumes et le bouillon sont enrichis d'agneau grillé ou de côtelettes de mouton, de poulet, de merguez (saucisse pimentée à base de bœuf, de mouton), mais les couscous qui n'offrent qu'une seule sorte de viande sont également courants.

HARISSA

185 g de petits piments rouges (piments oiseaux) séchés

4 gousses d'ail

2 cuillerées à soupe de cumin en poudre

1 cuillerée à café de sel

37 cl d'huile d'olive vierge extra

LÉGUMES

2 cuillerées à soupe de beurre doux

2 cuillerées à soupe d'huile d'olive vierge extra

2 oignons jaunes hachés

2 gousses d'ail haché

2 petits piments rouges séchés (piments oiseaux) épépinés et écrasés

2 cuillerées à soupe de curcuma en poudre

1 cuillerée à café de cumin en poudre

1 cuillerée à café de feuilles de thym fraîches

½ cuillerée à café de sel

½ cuillerée à café de poivre fraîchement moulu

1 pointe de safran

8 petites pommes de terre non épluchées, coupées en deux

1 petit chou-fleur coupé en bouquets

2 grosses carottes épluchées et détaillées en bâtonnets de 5 cm de long

50 cl de bouillon de légumes ou de poulet

155 g de petits pois écossés

COUSCOUS

75 cl d'eau bouillante

375 g de couscous

1 cuillerée à soupe de beurre

½ cuillerée à café de sel

10 g de menthe et de ciboulette fraîche ciselée

10 g d'estragon frais ciselé

❧ Pour préparer la harissa, pilez les piments et leurs graines. Incorporez l'ail, le cumin, le sel et 2 cuillerées à soupe d'huile d'olive afin d'obtenir une pommade. Incorporez progressivement le reste d'huile d'olive pour former une sauce assez épaisse. Réservez.

❧ Pour les légumes, mélangez à feu moyen le beurre et l'huile d'olive dans une poêle à fond épais. Dès que le beurre commence à mousser, ajoutez les oignons et l'ail et laissez blondir 2 à 3 minutes. Incorporez les piments, le curcuma, le cumin, le thym, le sel, le poivre et le safran. Ajoutez les pommes de terre, le chou-fleur et les carottes et mélangez-les délicatement 1 à 2 minutes. Versez le bouillon et remuez encore 1 à 2 minutes. Couvrez, baissez la chaleur et laissez mijoter de 15 à 20 minutes à feu doux jusqu'à ce que les pommes de terre soient presque tendres quand on les pique. Ajoutez les petits pois, couvrez de nouveau et prolongez la cuisson de 5 à 7 minutes jusqu'à ce que les légumes soient bien tendres. Retirez du feu et couvrez.

❧ Pour le couscous, mélangez dans un récipient l'eau bouillante, la semoule, le beurre et le sel. Laissez reposer 10 minutes jusqu'à ce que le couscous ait absorbé l'eau. Versez dans une passoire à mailles fines et pressez délicatement à l'aide du dos d'une cuillère en bois pour enlever l'eau en excès. Transvasez dans un récipient et, du bout des doigts, aérez la semoule pour séparer les grains.

❧ Avant de servir, prélevez 2 cuillerées à soupe du bouillon, versez-les dans la harissa et mélangez bien. Transvasez dans un bol de service.

❧ Dressez le couscous sur un plat, mouillez de quelques cuillerées de bouillon, garnissez d'une partie des légumes puis parsemez d'un peu de menthe, de ciboulette et d'estragon. Servez le reste des herbes fraîches, des légumes et le bouillon à part, afin que les convives se servent à leur gré.

Pour 4-6 personnes

Provence

Bouillabaisse

Comme tous les plats traditionnels, la bouillabaisse (soupe de poissons de mer et de crustacés préparée à l'origine près du littoral méditerranéen) connaît de nombreuses variantes. À l'origine, il s'agissait d'un ragoût de poissons modeste que les pêcheurs se mitonnaient sur la plage une fois vendus les meilleurs produits de leur pêche. À Hyères, près de Toulon, j'ai eu la chance d'être invitée à un tel repas par une amie. Elle avait acheté les poissons le matin même au marché à la criée mais, pour le reste, elle était fidèle à ce que ses parents et grands-parents lui avaient enseigné. On avait descendu une grande marmite sur les rochers, au bord de la mer, où l'on avait préparé un feu de bois flotté. Nous avons laissé cuire la bouillabaisse dans la marmite puis nous l'avons dégustée accompagnée de vins de la région, blanc et rouge pour contenter tout le monde.

ROUILLE

2 piments rouges séchés et épépinés de Cayenne

4 gousses d'ail

1 cuillerée à soupe de chapelure

2 jaunes d'œufs

½ cuillerée à café de sel

8 cuillerées à soupe d'huile d'olive vierge extra

SOUPE

4 cuillerées à soupe d'huile d'olive vierge extra

1 oignon jaune haché

blancs de 2 poireaux hachés

2 tomates pelées et grossièrement hachées

2 gousses d'ail écrasées

1 feuille de laurier fraîche ou ½ séchée

2 branches de thym fraîches

1 tige de fenouil

1 lanière de zeste d'orange fraîche ou séchée

½ cuillerée à café de sel

½ cuillerée à café de poivre fraîchement moulu

50 cl de vin blanc sec

25 cl d'eau

5 pommes de terre, soit environ 750 g, épluchées et coupées en lamelles assez épaisses

1 pincée de safran

1 kg de darnes de poisson à chair ferme ou de filets de lotte, flétan ou morue détaillés en gros morceaux.

eau bouillante à discrétion

1 kg de poissons à chair tendre tels que dorade, perche ou rascasse, nettoyés et entiers s'ils sont petits ou détaillés en morceaux ou en filets s'ils sont gros

500 g de moules bien brossées et ébarbées

500 g d'étrilles ou de petits crabes

1 cuillerée à soupe de persil plat frais ciselé

8 belles tranches de pain de campagne grillées et frottées à l'ail

☙ Pour préparer la rouille, pilez dans un mortier les piments et l'ail pour former une pommade. Ajoutez la chapelure et continuez de piler. Incorporez les jaunes d'œufs et le sel pour faire une pâte lisse. Ajoutez l'huile en petit filet en fouettant constamment le mélange pour obtenir une sorte de mayonnaise. (Vous pouvez aussi préparer la rouille dans un mixer.) Réservez.

☙ Pour la soupe, réchauffez l'huile d'olive à feu vif dans une marmite à fond épais. Ajoutez l'oignon et les poireaux et laissez blondir de 2 à 3 minutes. Incorporez les tomates, l'ail, la feuille de laurier, le thym, le fenouil, le zeste d'orange, le sel et le poivre. Remuez bien et mouillez avec le vin et l'eau. Ajoutez les pommes de terre. Portez à ébullition, réglez la flamme à feu doux, couvrez et laissez mijoter 25 minutes environ jusqu'à ce que les pommes de terre soient presque tendres.

☙ Amenez la préparation à forte ébullition. Ajoutez le safran. Plongez le poisson à chair ferme dans la soupe, recouvrez d'eau bouillante et laissez bouillir 7 minutes environ jusqu'à ce que le poisson soit à moitié cuit. Ajoutez le poisson à chair tendre, les moules (jetez celles qui ne se referment pas au toucher) et les étrilles en rajoutant de l'eau bouillante si nécessaire pour recouvrir le tout. Laissez bouillir 3 à 4 minutes juste le temps que le poisson à chair tendre s'émiette facilement à la fourchette et que les moules s'ouvrent. Prélevez le poisson et les crustacés et déposez-les sur un plat chaud en plaçant le poisson à chair tendre d'un côté et celui à chair ferme de l'autre. Jetez les moules qui ne se sont pas ouvertes. À l'aide d'une écumoire, disposez les pommes de terre sur le même plat. Arrosez-les de quelques cuillerées de bouillon et garnissez avec le persil. Incorporez 2 à 3 cuillerées à soupe de bouillon dans la rouille et transvasez le reste dans un bol.

☙ Disposez une tranche de pain au fond de chaque assiette creuse et arrosez de quelques gouttes de bouillon. Présentez le poisson, les pommes de terre et la rouille aux convives qui se serviront eux-mêmes.

Pour 8 personnes

Franche-Comté et Alpes

Raclette

La raclette est à la fois le nom d'un fromage savoyard et celui d'un plat traditionnel.
Autrefois, avant l'invention des appareils à raclette électriques, on plaçait une grosse tomme dans la cheminée, près d'un feu de braises. Les convives se rassemblaient autour avec leur assiette, couteau et fourchette à la main, et un bol pour les pommes de terre bouillies. Le fromage fondait lentement et l'on grattait la partie ramollie pour l'étaler sur les pommes de terre et la déguster en avalant une rasade de vin de Savoie après.
Aujourd'hui, la raclette est appréciée dans toute la France et les appareils à raclette sont courants dans les cuisines. Chaque convive reçoit sa part de raclette, souvent en tranches, qu'il place une à une sur sa plaque avant de l'étaler sur les pommes de terre.

12 pommes de terre à bouillir de type roseval, belle de Fontenay ou bintje

1 cuillerée à café de sel, et plus

500-750 g de fromage de raclette coupée en quatre portions égales

poivre fraîchement moulu

♕ Placez les pommes de terre et le sel dans une grande casserole et recouvrez d'eau. Portez à ébullition à feu vif puis baissez la chaleur et laissez cuire de 20 à 25 minutes à feu moyen et à découvert jusqu'à ce que les pommes de terre soient faciles à percer de la pointe d'un couteau. Égouttez, couvrez pour maintenir au chaud et réservez.

♕ Pour servir, placez un morceau de raclette pour chaque personne sur une assiette résistant à la chaleur et disposez les assiettes près d'un feu, côté coupé du fromage face à la source de chaleur. Prévoyez d'autres assiettes pour les pommes de terre. Pendant que le fromage fond, chaque convive écrase légèrement ses pommes de terre et les assaisonne à son goût de sel et de poivre. Quand le fromage est prêt, chacun gratte la portion de son morceau qui a fondu et l'étale sur ses pommes de terre. Laissée intacte, la croûte du fromage empêche celui-ci de s'étaler complètement. Après avoir gratté le fromage ramolli, on replace son morceau près du feu pour qu'il continue de fondre.

Pour 4 personnes

Normandie

Rouelle de veau au cidre

Le jarret et la rouelle (située juste au-dessus du jarret) de veau sont des morceaux assez bon marché et, grâce à la moelle et au tendon qui en fondant permettent d'épaissir les sauces, ils sont excellents pour les cuissons braisées. Après une longue cuisson à feu doux, la viande devient assez tendre pour se détacher d'elle-même des os.
Ces morceaux se marient bien avec tomates, oignons et navets, ou s'accommodent simplement avec du vin rouge et des aromates. Dans la préparation ci-dessous, on utilise les ingrédients de base de la cuisine normande que sont le cidre et la crème fraîche. Servez avec des pâtes et une salade verte pour un repas simple qui sera arrosé d'un cidre brut ou d'un rosé d'Anjou.

7 g de beurre doux

1,25-1,5 kg de jarret ou de rouelle de veau coupé en dés de 4-5 cm d'épaisseur

1 petite cuillerée à café de sel

1 cuillerée à café de poivre fraîchement moulu

2 oignons jaunes émincés

35 cl de cidre brut ou plus si nécessaire

1 cuillerée à café de feuilles de thym fraîches

250 g de champignons de Paris frais émincés

10 cl de crème fraîche

1 jaune d'œuf légèrement battu

10 g de persil plat frais ciselé

⚜ Dans un grand faitout laissez fondre 45 g de beurre à feu moyen. Pendant ce temps, frottez la viande de veau avec le sel et le poivre. Dès que le beurre commence à fondre, ajoutez le veau et laissez revenir de 4 à 6 minutes en le retournant une fois jusqu'à ce qu'il prenne une belle couleur dorée. Tournez-le pour saisir également les bords et laissez cuire 1 à 2 minutes de plus. À l'aide d'une écumoire, sortez la viande du faitout et posez-la sur un plat.

⚜ Ajoutez les oignons dans le faitout et laissez-les blondir 2 à 3 minutes en remuant. Mouillez les oignons avec le cidre et, à l'aide d'une cuillère, déglacez. Baissez la chaleur et replacez le veau et les sucs recueillis à feu très doux dans le faitout. Incorporez le thym, couvrez et laissez cuire de 1 heure à 1 heure 30 en remuant de temps en temps jusqu'à ce que la viande soit bien tendre. Si elle commence à attacher, rajoutez un peu de cidre.

⚜ Entre-temps, préparez les champignons. Dans une poêle, laissez fondre les 30 g de beurre restants à feu moyen. Dès qu'il commence à mousser, ajoutez les champignons et laissez revenir 7 à 8 minutes jusqu'à ce qu'ils soient légèrement dorés. Retirez du feu et réservez.

⚜ Dans un petit bol, mélangez la crème fraîche, le jaune d'œuf et 2 cuillerées à soupe de persil. Réservez.

⚜ Quand le veau a cuit 1 heure 30, ajoutez les champignons et leurs jus, remuez bien et laissez cuire 10 minutes de plus pour mélanger les saveurs.

⚜ À l'aide d'une écumoire, sortez le veau du faitout et dressez sur un plat de service bien chaud. À feu doux toujours, incorporez dans le faitout le mélange à base de crème fraîche en battant au fouet. Ne laissez surtout pas bouillir.

⚜ Nappez le veau de cette sauce, saupoudrez des 2 dernières cuillerées à soupe de persil et servez.

Pour 6 personnes

Crème

La crème produite en France est l'une des plus fines du monde et les Français en font un usage généreux dans leur cuisine. Les régions riches en laitages, où les vaches profitent de pâturages verdoyants, couvrent presque tout le territoire à l'exception de la Provence, et la cuisine nationale reflète cette abondance. Nulle part, cependant, l'influence de la crème n'est aussi grande que dans la cuisine normande où il n'est guère de recette, des soupes aux vinaigrettes en passant par les sauces ou les tartes qui ne fasse la part belle à la crème fraîche.

Celle-ci est précieuse en cuisine car épaisse et légèrement acidulée, elle confère aux plats une texture parfaite et une saveur exquise. Elle est tout à fait indiquée pour les sauces qui doivent réduire parce qu'elle ne se délite pas en bouillant. Pour obtenir votre propre crème fraîche, ajoutez 2 cuillerées à soupe de babeurre entier à 12,5 cl de crème double, couvrez le récipient et laissez reposer une nuit à température ambiante. Si vous ne disposez que de peu de temps, 2 cuillerées à soupe de vinaigre de cidre ajoutées à 25 cl de crème double à température ambiante épaissiront la crème dans l'heure.

Saumon à la crème et au muscadet

Un muscadet, vin blanc sec produit dans une région où la Loire se jette dans l'Atlantique, près de Nantes, accompagnera superbement ce saumon qui, peut-être, aura remonté la Loire…

4 tomates pelées, épépinées et détaillées en cubes

2 échalotes détaillées en cubes

37 cl de muscadet ou autre vin blanc sec

1 cuillerée à café de sel et plus pour l'assaisonnement dans l'assiette

1 cuillerée à café de poivre fraîchement moulu et plus pour l'assaisonnement dans l'assiette

3 cuillerées à soupe de beurre doux

6 filets de saumon, soit environ 750 g en tout, sans la peau

15 cl de crème fraîche

1 cuillerée à café de cerfeuil frais ciselé

1 cuillerée à café de ciboulette fraîche ciselée

1 cuillerée à café d'estragon frais ciselé

♛ Dans une casserole, mélangez les tomates, les échalotes, le vin et ½ cuillerée à café de sel et autant de poivre. Laissez cuire 10 minutes environ à feu moyen en remuant occasionnellement jusqu'à ce que le mélange ait réduit d'un tiers. Retirez du feu et réservez.

♛ Dans une grande poêle à frire, laissez fondre le beurre à feu vif. Dès qu'il commence à mousser, ajoutez les filets de saumon. Saisissez-les 2 minutes environ de chaque côté jusqu'à ce qu'ils soient bien dorés et cuits à cœur. Assaisonnez le saumon de la ½ cuillerée à café de sel restante et autant de poivre et déposez-le sur des assiettes bien chaudes.

♛ Passez le mélange de tomates dans une chinois posé sur un bol en pressant la pulpe pour en extraire tout le jus. Incorporez la crème fraîche puis goûtez et rectifiez l'assaisonnement. Replacez dans la casserole et laissez mijoter 2 à 3 minutes à feu moyen en remuant jusqu'à ce que la sauce ait épaissi.

♛ Nappez-en votre saumon et parsemez de cerfeuil, de ciboulette et d'estragon. Servez immédiatement.

Pour 6 personnes

Provence

Gigot d'agneau à la boulangère

En France, les agneaux les plus réputés sont ceux engraissés dans les prés salés en bordure de mer (d'où la dénomination de mouton « pré-salé »), tels ceux des Landes, ou bien dans les garrigues des Alpes-de-Haute-Provence et son incomparable agneau de Sisteron. Cette viande, aux subtiles saveurs du terroir, a son prix, aussi sa provenance est-elle bien précisée sur les menus des restaurants. Elle peut être servie simplement grillée avec des herbes ou amoureusement mijotée avec des légumes.

En Provence, les cuisiniers préparent traditionnellement l'agneau avec des pommes de terre et des oignons. Il y a une centaine d'années, dans les villages, le fournil communal jouait un rôle important, et après la dernière fournée, la coutume voulait que certains jours on y enfourne de l'agneau sur un lit de pommes de terre.

15 g de beurre frais

1,25 kg de pommes de terre à cuire au four, coupées en très fines lamelles

1,25 kg de gros oignons jaunes, coupés en très fines rondelles

2 ½ cuillerées à soupe de bouillon de bœuf

1 gigot non désossé d'environ 3 kg

1 cuillerée à soupe d'huile d'olive

1 ½ cuillerée à café d'herbes de Provence séchées

½ cuillerée à café de sel

¾ de cuillerée à café de poivre fraîchement moulu

3 gousses d'ail finement émincées

♛ Préchauffez le four à 200 °C/th. 7. Beurrez un plat de cuisson suffisamment grand pour pouvoir contenir le gigot et les légumes. Réservez.

♛ Dans une grande casserole, mélangez à feu moyen les pommes de terre, les oignons et le bouillon de bœuf et portez à ébullition. Réduisez le feu et laissez frémir, à découvert, pendant 10 minutes pour bien attendrir les pommes de terre.

♛ À l'aide d'une écumoire, retirez les pommes de terre et les oignons de la casserole et disposez-les dans le plat de cuisson beurré en les étalant uniformément. Versez dessus le bouillon et laissez cuire pendant 30 minutes.

♛ Pendant ce temps, préparez l'agneau : avec un couteau pointu pratiquez dans la viande une vingtaine d'incisions d'environ 2,5 cm de profondeur. Badigeonnez le gigot d'huile d'olive, d'herbes de Provence, sel et poivre. Introduisez des morceaux d'ail dans les incisions.

♛ Lorsque les légumes ont cuit pendant 20 minutes, sortez le plat du four, posez dessus le gigot, puis réenfournez. Réduisez la température du four à 190 °C/th. 6 jusqu'à ce qu'un thermomètre à viande enfoncé dans la partie la plus épaisse du gigot, loin de l'os, indique au bout d'1 heure entre 52 et 54 °C pour une cuisson saignante. Si vous préférez une viande plus cuite, maintenez-la au four 15 minutes de plus ou jusqu'à ce que le thermomètre indique entre 57 et 63 °C. Une fois sortie, couvrez-la d'une feuille de papier aluminium et laissez reposer de 15 à 20 minutes.

♛ Pour servir, déposez le gigot sur une planche et découpez-le en fines tranches. Dressez les pommes de terre et les oignons sur un plat de service préalablement chauffé et disposez dessus les tranches de gigot. Arrosez avec le jus de cuisson. Servez à chaque convive deux ou trois tranches accompagnées de pommes de terre.

Pour 6 à 8 personnes

En France, les agneaux les plus réputés sont ceux qui ont brouté dans des prés salés, ou dans les garrigues où règnent farigoule ou serpolet, ces herbes qui confèrent à l'agneau ces subtiles saveurs des collines provençales.

Pays de la Loire

Crabe au beurre
sur lit d'algues

*C'est dans une brasserie d'Angers, non loin du château
qui domine la ville, que j'ai découvert ce plat.
Le crabe ornait de sa majesté un grand plat ovale tapissé
d'algues si fraîches qu'on aurait dit qu'elles venaient
d'être cueillies sur la grève. La carapace du superbe
crustacé avait été brisée pour laisser entrevoir sa chair
jaune et crémeuse, mais les pattes et les pinces
étaient intactes, à moi de les briser avec les pinces
qui m'étaient confiées. La chair était cuite à point,
tendre et délicieusement goûteuse. Avec un verre
de muscadet bien frais et fruité et du pain qui exhalait
encore l'odeur du four, cela reste un de mes
plus délicieux souvenirs de France.*

60 g de sel

1 citron, coupé en deux, plus un citron coupé en quatre

1 feuille de laurier séchée

2 crabes vivants d'environ 1 kg chacun

*une belle poignée d'algues fraîches, de préférence
du varech couleur ambre foncé*

❧ Remplissez d'eau aux trois quarts une grande
marmite. Ajoutez le sel, le citron coupé en deux, la
feuille de laurier et portez à ébullition. Plongez-y les
crabes, attendez que l'ébullition reprenne et laissez cuire
à gros bouillons 20 minutes. À l'aide de pinces sortez
les crabes de l'eau et laissez-les refroidir.

❧ Pour les préparer, détachez les pattes en les arrachant
au niveau de l'articulation la plus proche du corps ;
réservez-les. Posez le crabe à l'endroit et, avec la paume
de vos mains, appuyez de chaque côté de la carapace
jusqu'à ce qu'elle se brise en son milieu. Séparez la
carapace proprement dite de la partie inférieure, appelée
plastron, en veillant à ne pas perdre le jus. Puis soulevez
le rabat de la queue, tirez-le vers l'arrière et détachez-
le. Retirez les ouïes molles ayant la forme de lamelles
spongieuses et jetez-les. Laissez en place la chair contenue
dans la carapace, que l'on dégustera à table. Pincez la
bouche et les mandibules, tirez et jetez-les. Brisez chaque
segment des pattes à la jointure avec une pince à crustacés
en prenant soin de ne pas écraser la chair.

❧ Tapissez chaque assiette d'un lit d'algues. Déposez
dessus le crabe, en lui restituant au mieux sa forme
originelle. Servez avec une pince et des fourchettes à
crustacés et des quartiers de citron.

Pour 2 personnes

Normandie

Demoiselles de Cherbourg à la crème

*C'est un plat de luxe, mais tellement savoureux !
La « demoiselle de Cherbourg » est le nom
traditionnel d'un petit homard. Les œufs et le corail,
s'il y en a, serviront à préparer une sauce riche,
haute en couleur et subtilement parfumée, que vous
dégusterez à vous en lécher les doigts !*

*Servez avec un champagne brut
ou un meursault.*

2 homards vivants, de 750 à 900 g chacun

½ cuillerée à café de sel

1 pincée de poivre noir fraîchement moulu

45 g de beurre frais

3 cuillerées à soupe de calvados

3 cuillerées à soupe de Lillet (apéritif de Bordeaux)
ou de vermouth doux ou de vin blanc sec

50 cl de crème fraîche

3 jaunes d'œufs

2 cuillerées à café d'estragon frais haché

1 pincée de poivre de Cayenne

1 pincée de paprika

✤ Remplissez d'eau aux trois quarts une grande marmite et portez à ébullition à feu vif. Plongez les homards vivants dans l'eau bouillante et laissez-les 2 minutes, juste le temps de les tuer. À l'aide de pinces sortez-les de l'eau et déposez-les sur un plan de travail. Quand ils ont suffisamment refroidi, à l'aide de sécateurs de cuisine découpez-les en deux dans le sens de la longueur et séparez les deux moitiés. Retirez le sac pierreux qui se trouve dans la tête et le petit intestin au centre de la queue et jetez-les. Avec une petite cuillère, retirez le foie gris-vert et le corail brun rougeâtre s'il y en a et réservez-les dans un bol. Brisez délicatement les pinces avec un maillet en prenant soin de ne pas écraser la chair.

✤ Salez et poivrez chaque moitié de homard. Dans une grande poêle à frire, laissez fondre le beurre à feu moyen. Dès qu'il mousse, déposez les moitiés de homard, le côté carapace en dessous, et laissez-les sur le feu environ 2 minutes, en les remuant de telle sorte que toutes les parties de la carapace soient en contact avec le beurre. Retournez-les afin de cuire le côté chair cette fois, pendant 2 autres minutes, en les déplaçant dans la poêle. Ajoutez le calvados, enflammez-le avec une longue allumette afin de bien brûler l'alcool et laissez les flammes diminuer. Ajoutez le Lillet, le vermouth ou le vin blanc et augmentez le feu. Laissez bouillir environ 1 minute jusqu'à ce que le liquide ait réduit de moitié. Baissez légèrement le feu, ajoutez la crème fraîche et poursuivez la cuisson jusqu'à ce que la chair du homard soit cuite à point et se détache de la carapace après l'avoir soulevée avec une fourchette et lorsque la crème a épaissi, après 2 ou 3 minutes.

✤ Pendant ce temps, ajoutez les jaunes d'œufs et l'estragon dans le bol contenant le corail – si vous en avez –, et battez bien.

✤ À l'aide de pinces, retirez les moitiés de homard, laissez le jus s'égoutter dans la poêle. Disposez sur un plat chaud ou directement dans les assiettes.

✤ Baissez le feu et versez le contenu du bol dans la poêle avec le jus de cuisson. Battez 1 minute ou 2, jusqu'à ce que le mélange épaississe, en veillant à ne pas le laisser bouillir. Ajoutez le poivre de Cayenne et le paprika.

✤ Avec une cuillère nappez uniformément de sauce les moitiés de homard et servez immédiatement.

Pour 4 personnes

Pyrénées et Gascogne

Lapin aux pruneaux

Partout en France, le lapin, qui fait partie des animaux
de basse-cour au même titre que poulets, pintades
et autres canards, joue un rôle non négligeable dans
la cuisine simple, familiale et rustique que j'aime tant.
J'ai élevé des lapins pour ma consommation personnelle
pendant des années, mais par la suite j'ai trouvé plus
commode de m'adresser au plus proche volailler ! La chair
maigre, d'un blanc ferme, se prête à un grand nombre
de préparations et les recettes varient selon les produits
du terroir local. Ainsi on prépare le lapin avec
des pruneaux en Gascogne, de la crème en Normandie,
de la moutarde en Bourgogne et des olives en Provence.

½ cuillerée de thym frais haché

½ cuillerée à café de sauge fraîche hachée

½ cuillerée à café de romarin frais haché

½ cuillerée à café de poivre

1 jeune lapin d'environ 1,2 kg,
coupé en huit ou dix morceaux

8 à 10 pruneaux dénoyautés

8 à 10 tranches de lard

♛ Préchauffez le four à 180 °C/th. 6.

♛ Dans un petit bol, mélangez intimement le thym, la
sauge, le romarin et le poivre. Frictionnez les morceaux
de lapin avec ce mélange. Posez un pruneau sur chaque
morceau, puis enveloppez le tout d'une tranche de lard
que vous maintiendrez fermée à l'aide d'une pique en
bois. Disposez les morceaux de lapin ainsi enveloppés
dans un plat de cuisson profond et assez grand pour
qu'ils tiennent les uns à côté des autres.

♛ Laissez cuire au four environ 1 heure, 1 heure 15,
en les arrosant de temps en temps du jus de cuisson,
jusqu'à ce que les morceaux les plus épais s'abandonnent
sous la pointe d'un couteau et que la viande soit opaque
au niveau de l'os. Dressez dans un plat chaud et servez
tout de suite.

Pour 4 personnes

Île-de-France

Steak frites

Le steak frites est un plat incontournable partout en France, du plus modeste bistrot au restaurant le plus huppé. Mon meilleur steak, je le dois à un restaurant inattendu, après une longue journée de voyage avec mes deux enfants. Nous avions traversé la manche à Douvres pour accoster à Ostende, en Belgique, et lorsque nous sommes arrivés dans le nord de la France, nous étions aussi fatigués qu'affamés. Après avoir traversé deux ou trois villages aux volets obstinément clos, sans le moindre bistrot éclairé, je repérai un bar ouvert avec une timide enseigne indiquant que c'était un hôtel. On nous indiqua une pièce au fond du bar ; elle était habituellement réservée aux convives, mais pour ce soir, c'était trop tard !

Voyant nos mines déconfites et mon enfant de 6 ans accroché à ma jupe, un jeune homme nous indiqua une auberge. Après avoir enfilé une rue et tourné un moment dans ce qui ressemblait à un quartier résidentiel, j'aperçus le restaurant. Des voitures étaient garées autour, des voitures luxueuses. Je craignis que ce ne fût au-dessus de nos maigres moyens, mais je dis gaiement : « Oh, mais ça m'a l'air très bien ! » et, prenant mes enfants par la main, j'entrai. C'était calme et paisible, joliment décoré avec des fleurs fraîches et un gril rougeoyait tout près de la table où l'on nous avait installés. Après une tranche de jambon avec des cornichons en guise d'amuse-bouche, ma fille voulut une truite fraîche (un de ses mets favoris lorsqu'elle était enfant). Mon fils et moi avons pris simplement un steak frites, mais quel steak frites ! La viande avait été parsemée d'herbes, soigneusement rangées dans un panier à côté, avant d'être grillée sur des sarments de vigne. Puis on nous apporta un énorme plat de frites, cuites à la perfection. Et, comble du raffinement, un sorbet nous fut servi entre le plat principal et la crème brûlée du dessert. Ce dîner coûta trois fois le prix de l'hôtel, mais ce fut un moment extraordinaire.

En France, divers morceaux du bœuf sont appréciés en steaks, mais un des plus succulents et des plus répandus est l'entrecôte. Les frites sont quelque peu différentes d'un endroit à l'autre, mais elles doivent toujours être croustillantes à l'extérieur et légères et tendres à l'intérieur. On dit que ce sont les Belges qui ont inventé la meilleure méthode de cuisson – faire frire les pommes de terre par deux fois pour leur donner le croustillant nécessaire – et bien des chefs français ont fait leur cette recette.

4 ou 5 pommes de terre rosa ou autre variété à frites

huile végétale pour friture

1 ½ cuillerée à café de sel, ou plus selon le goût

4 belles entrecôtes

2 cuillerées à soupe de thym frais haché

1 cuillerée à café de poivre fraîchement moulu

6 à 8 cuillerées à soupe d'eau

⚜ Épluchez les pommes de terre et coupez-les dans le sens de la longueur en bâtonnets d'environ 6 mm d'épaisseur. Empilez-les et recoupez-les encore dans le sens de la longueur pour obtenir une largeur d'environ 6 mm. Au fur et à mesure que les pommes de terre sont coupées, jetez-les dans un saladier rempli d'eau froide. Laissez-les tremper dans l'eau entre 30 et 60 minutes. Juste avant de les cuire, égouttez-les et séchez-les bien à l'aide d'un torchon ou de papier absorbant.

⚜ Dans une friteuse ou une marmite profonde et à fond épais, versez l'huile végétale jusqu'à ce qu'elle atteigne 10 cm et portez-la à 180 °C : une pomme de terre jetée dedans doit grésiller.

⚜ Quand l'huile est prête, déposez un quart des pommes de terre dans le panier à friture et laissez-les frire jusqu'à ce qu'une croûte blanche se soit formée, sans dorer, soit environ 2 minutes. Égouttez-les sur un papier absorbant et répétez l'opération avec toutes les pommes de terre. La seconde cuisson peut attendre 3 ou 4 heures, mais les pommes de terre doivent reposer au moins 5 minutes entre les deux cuissons. Procédez à la seconde friture également en plusieurs tournées, mais cuisez-les légèrement plus longtemps, environ 3 minutes, le temps que les frites prennent une belle couleur dorée. Déposez-les sur du papier absorbant pour les égoutter puis salez-les légèrement.

⚜ Pendant ce temps, saupoudrez vos steaks de thym et de poivre. Tapissez de sel le fond d'une grande poêle à frire, et laissez-la chauffer à feu vif pendant 1 ou 2 minutes ou jusqu'à ce qu'une goutte d'eau grésille à son contact. Poêlez vos steaks environ 2 minutes de chaque côté pour un steak saignant, en les retournant une fois. Dressez-les sur un plat chaud. Versez l'eau dans la poêle pour la déglacer, toujours à feu vif, en raclant avec une cuillère de bois pour bien détacher les particules de viande et les jus qui adhèrent au fond.

⚜ Versez ce jus de cuisson sur les steaks et servez immédiatement avec les frites bien chaudes.

Pour 4 personnes

Cuisiner avec vins et eaux-de-vie

Le vin occupe une place privilégiée dans le patrimoine français, et la France peut s'en-orgueillir de la variété de ses cépages et des vins que chaque région, chaque village, voire chaque vignoble produit. Les vins – rouges, blancs, doux, secs –, et les liqueurs et alcools, font partie des ingrédients dont un cuisinier ne saurait se passer. Tout l'art du chef réside dans un choix judicieux et un savant dosage. En général, le vin qu'il va utiliser est un pur produit du cru, et la saveur d'un plat sera le reflet d'un choix régional. Le vin est un élé-ment essentiel entrant dans la préparation de soupes, de ragoûts et de sauces. Il sert à déglacer poêles, sauteuses ou casseroles, à pocher les fruits et à préparer aussi bien apé-ritifs que digestifs maison. Les alcools distil-lés, comme le cognac, l'armagnac et le cal-vados, jouent le même rôle, mais on les utilise en plus petites quantités. Outre leur parfum spécifique, ils possèdent la vertu d'être inflammables grâce à leur haute teneur en alcool. Et le feu, s'il brûle l'alcool, en préserve les arômes subtils.

Champagne et Nord

Ris de veau aux champignons

Les ris de veau sont particulièrement appréciés par les gourmets et autres amateurs d'abats. En effet, certains des plats les plus réputés de la gastronomie française sont constitués de rognons, de foies et de ris. Dans ce plat, la sauce est particulièrement succulente, aussi est-il conseillé de l'accompagner de riz, de nouilles ou de toasts.

1 kg de ris de veau

4 cuillerées à soupe de vinaigre de vin blanc

45 g de beurre frais

2 carottes épluchées et détaillées en dés

2 échalotes hachées

2 branches de céleri détaillées en dés

2 cuillerées à soupe de persil plat frais ciselé

1 cuillerée à soupe de thym frais haché

1 feuille de laurier séchée

½ cuillerée à café de poivre fraîchement moulu

8 cuillerées à soupe cl de vin blanc sec

½ cuillerée à café de sel

16 oignons blancs, de 2,5 à 4 cm de diamètre, épluchés

250 g de champignons frais, bien brossés et détaillés en quatre

♛ Déposez les ris dans un saladier et recouvrez-les d'eau froide. Couvrez et laissez-le au réfrigérateur environ 2 heures, en changeant l'eau à plusieurs reprises. Si vous avez acheté les ris entiers, il vous faut les préparer. À l'aide d'un couteau séparez les deux lobes toujours immergés, qui sont réunis par un vaisseau ; détachez et jetez celui-ci. Égouttez les ris, puis replongez-les dans de l'eau fraîche. Ajoutez le vinaigre et laissez-les tremper encore 30 minutes. Puis retirez autant de membranes et veinules que possible, en préservant la forme des ris.

꧁ Dans une sauteuse, faites fondre le beurre à feu moyen. Quand il commence à mousser, ajoutez les carottes, les échalotes, le céleri, le persil, le thym, la feuille de laurier et 1 pincée de poivre. Baissez le feu et prolongez la cuisson 10 minutes en remuant, jusqu'à ce que les légumes soient tendres mais pas dorés. Ajoutez le vin et, à feu vif, laissez réduire de moitié, 3 à 4 minutes.

꧁ Saupoudrez les ris de sel et d'1 autre pincée de poivre, puis déposez-les dans la poêle, sur les légumes, en une seule couche. Arrosez-les avec le beurre et les légumes, couvrez légèrement, et poursuivez la cuisson encore 5 minutes, toujours à feu doux, jusqu'à ce qu'ils deviennent opaques et commencent à perdre leur jus. Retournez-les et arrosez-les de nouveau. Recouvrez et cuisez pendant encore 5 minutes. La taille des ris diminue au fur et à mesure qu'ils rendent leur jus.

꧁ Versez les oignons dans la poêle. Beurrez une feuille de papier sulfurisé et placez-la, côté beurré en dessous, sur les ris et les oignons. Couvrez et laissez cuire à tout petit feu jusqu'à ce que les oignons soient tendres et presque transparents, soit environ 30 minutes. Retirez le couvercle et soulevez le papier. Retournez les ris et ajoutez les champignons. Replacez le papier et le couvercle et laissez cuire environ 15 minutes jusqu'à ce que les ris soient tendres quand on les transperce avec la pointe d'un couteau.

꧁ À l'aide d'une écumoire, dressez les ris et les légumes sur un plat. Jetez la feuille de laurier. Augmentez le feu sous la sauteuse et laissez bouillir le jus de cuisson 2 à 3 minutes afin qu'il réduise de moitié. Entre-temps, coupez les ris en lamelles d'1 cm d'épaisseur. Remettez ris et légumes dans la sauteuse et réchauffez-les pendant 1 ou 2 minutes.

꧁ Disposez ris, légumes et sauce dans un plat chaud et servez immédiatement.

Pour 4 personnes

Languedoc

Lapin grillé à la moutarde

Le lapin est un de mes plats favoris, et voici une des façons les plus simples et délicieuses qui soit de le préparer. J'ai élaboré ma propre recette après m'être inspirée d'un lapin grillé acheté dans une rôtisserie. Veillez à ce que le foie, le cœur et les rognons n'aient pas été enlevés, car ils devront étuver doucement dans la cavité abdominale pendant la cuisson en s'imprégnant ainsi de toutes les odeurs et saveurs de la moutarde et des plantes aromatiques. Pour accompagner le lapin, servez des carottes braisées à l'aneth (voir page 171) et une purée bien onctueuse.

1 lapin d'environ 1,2 kg,
de préférence frais, avec tous ses abats

125 g de moutarde de Dijon

4 gousses d'ail écrasées

1 cuillerée à soupe d'huile d'olive

1 cuillerée à soupe d'estragon frais haché

2 cuillerées à soupe de persil plat frais ciselé

1 pincée de sel

1 cuillerée à café de poivre fraîchement moulu

♛ Préparez un feu dans un gril à charbon de bois pourvu d'un couvercle.

♛ Refermez la cavité abdominale à l'aide d'une brochette rassemblant les chairs. Dans un bol, mélangez la moutarde, l'ail, l'huile d'olive, l'estragon, le persil, le sel et le poivre pour faire une pâte. À l'aide d'une spatule étalez cette pâte sur tout le lapin.

♛ Quand les charbons de bois sont incandescents, refoulez-les sur le côté et posez au fond du gril un grand plat qui recueillera le jus de cuisson. Huilez la grille, déposez-y le lapin et placez-la au-dessus du plat. Grillez à découvert pendant 15 minutes. Couvrez le gril, sans boucher les trous d'aération, et laissez-y le lapin encore un quart d'heure. Retirez le couvercle et, si nécessaire, ajoutez du charbon de bois pour maintenir la chaleur à 200 °C. Retournez le lapin et remettez le couvercle. Poursuivez la cuisson environ 30 minutes, jusqu'à ce que la viande soit bien opaque dans la partie la plus épaisse de la patte et du râble.

♛ Déposez le lapin sur une planche à découper. Avec des sécateurs de cuisine ou un couteau, découpez-le. Disposez sur un plat chaud et servez aussitôt.

Pour 4 personnes

Ile-de-France

Brochettes de rognons, foie et lardons

Quand je pense aux marchands ambulants, ces brochettes me viennent toujours à l'esprit, au même titre que les crêpes, les gaufres. Il n'est pas une foire où l'on ne trouve quelque vendeur de brochettes qui ne fasse griller saucisses ou merguez et ne vous les tende enveloppées dans une serviette en papier. Ici la moutarde n'est pas bannie de ces brochettes même si je les aime natures, enveloppées des seuls arômes du lard et du thym.

500 g de foie de veau, d'un bon centimètre d'épaisseur

6 rognons de mouton

4 tranches épaisses de lard, détaillées en morceaux de 2,5 cm

1 cuillerée à café de sel

1 cuillerée à café de poivre fraîchement moulu

1 cuillerée à café de feuilles de thym frais

♛ Préparez un barbecue ou allumez le gril d'un four. Laissez tremper 24 brochettes en bois dans de l'eau environ 15 minutes.

♛ Détaillez le foie en dés de 2,5 cm. Si les rognons sont enveloppés de graisse, ôtez-la avec un couteau pointu. Coupez les rognons en tranches de 6 mm d'épaisseur. Égouttez les brochettes. Enfilez en alternance foie, rognon et lardon. Saupoudrez de sel, de poivre et de thym.

♛ Placez les brochettes sur la grille du barbecue ou glissez-les sous le gril du four et laissez-les griller 2 ou 3 minutes jusqu'à ce qu'elles soient dorées sur un côté. Retournez et laissez griller pendant encore 1 à 2 minutes. Le foie doit être encore légèrement rosé et tendre à l'intérieur, le rognon à peine cuit et les lardons légèrement grillés.

♛ Déposez sur un plat chaud et servez sans attendre.

Pour 8 personnes

Sud-Ouest

Entrecôte marchand de vin

Par un petit matin frisquet de printemps à Paris, il y a de cela quelques années, je retrouvai une vieille amie à La Muette. Après avoir parcouru une rue très commerçante, elle m'entraîne dans un restaurant très parisien et réputé où on nous installa à l'une des meilleures tables. Les huîtres étaient d'une onctuosité sans pareille et la coupe de champagne leur rendit un pétillant hommage. Ensuite, notre entrecôte marchand de vin fut superbement accompagnée, grâce à un bordeaux velouté à souhait. Ce fut là un déjeuner merveilleux.

2 entrecôtes bien épaisses

½ cuillerée à café de sel

1 cuillerée à café de poivre fraîchement moulu

2 cuillerées à café de thym frais haché

30 g de beurre frais

45 g d'échalotes hachées

6 à 8 cuillerées à soupe de vin rouge

feuilles de persil plat frais

Débarrassez les entrecôtes d'une partie du gras. Séchez-les avec du papier absorbant avant de les saupoudrer de sel, de poivre et de thym des deux côtés. Laissez chauffer à feu moyen une poêle à fond épais pourvue d'un revêtement antiadhésif. Ajoutez 15 g de beurre. Quand il a fondu et est prêt à grésiller, déposez les entrecôtes dans la poêle et saisissez-les 3 à 4 minutes de chaque côté pour une cuisson saignante en les tournant une fois ; le temps de cuisson dépend de l'épaisseur des entrecôtes. Maintenez le feu vif, mais évitez que la graisse brûle. Vérifiez la cuisson en entaillant la viande. Quand la cuisson vous paraît convenir, dressez sur un plat chaud, et recouvrez d'une feuille de papier aluminium.

Gardez 1 cuillerée à soupe de jus de cuisson et jetez le reste. Remettez la poêle à feu moyen et ajoutez les échalotes. Laissez-les revenir 2 ou 3 minutes, pour qu'elles deviennent transparentes. Ajoutez le vin et déglacez votre poêle en raclant avec une cuillère en bois pour décoller toutes les particules. Poursuivez la cuisson 2 à 3 minutes afin que le vin réduise de moitié et que le mélange ait épaissi. Incorporez alors 15 g de beurre.

Nappez de sauce chaude, parsemez de feuilles de persil et servez immédiatement.

Pour 2 personnes

Bourgogne et Lyonnais
Poulet demi-deuil

La première fois où il me fut donné de découvrir ce plat extraordinaire, tout lyonnais qu'il soit, c'est dans un petit hôtel de Valensole, en Haute-Provence. Son nom tire son origine de truffes noires immiscées entre chair et peau et que l'on devine par transparence. Il n'y a pas si longtemps et pour des années, la coutume était de porter des vêtements noirs quand on avait perdu un membre de sa famille. Il y a cinquante ans, et même vingt ans, il était courant, notamment dans les campagnes, de vivre tout de noir vêtu après la disparition d'un être cher. Les truffes recouvrant d'un manteau sombre la poitrine des poulardes, on peut dire qu'elles sont en demi-deuil. Les traditions ont changé, certes, et aujourd'hui bien peu s'habillent de noir pour témoigner de leur deuil. Dans la recette classique, la cavité abdominale est remplie d'une farce à base de chair à saucisse et de pain, mais on me l'a servie sans farce. Vous pouvez préparer ce plat avec des champignons – notamment avec des cèpes –, c'est délicieux, mais, bien sûr, la saveur et le parfum sont sensiblement différents.

30 g de truffes noires fraîches

1 poularde d'environ 1,8 kg

1 cuillerée à café de sel

1 cuillerée à café de poivre fraîchement moulu

5 carottes épluchées

3 gros poireaux

1 oignon jaune piqué de 2 clous de girofle

1 navet

1 branche de céleri

3 branches de persil plat frais

3 branches de thym frais

20 g de beurre frais

1 cuillerée à soupe de crème épaisse

♛ Que vous ayez « creusé » les truffes vous-même ou que vous les ayez achetées directement à un producteur, il faudra les nettoyer soigneusement. Rincez-les à l'eau froide et brossez-les délicatement avec une petite brosse, puis séchez-les avec du papier absorbant. Découpez-les ensuite en fines lamelles de 3 mm.

♛ Rincez et essuyez la poularde. Passez vos doigts sous la peau au niveau du bréchet, et faites-les glisser le long des blancs jusqu'à hauteur des cuisses en prenant garde de ne pas la déchirer. Glissez les lamelles de truffes sous la peau, en les disposant de manière aussi harmonieuse que possible. Frottez l'intérieur et l'extérieur de la volaille avec ½ cuillerée de sel et ½ cuillerée de poivre.

♛ Déposez la poularde dans une grande cocotte à fond épais et versez l'eau afin de la recouvrir entièrement. Ajoutez les carottes, les poireaux, l'oignon, le navet, le céleri, le persil, le thym, ½ cuillerée de sel et ½ cuillerée de poivre. À feu moyen, portez à ébullition, puis baissez la flamme et laissez frémir à découvert environ 1 heure 15, jusqu'à ce que la poularde soit tendre et que le jus sorte clair en enfonçant la pointe d'un couteau dans la partie la plus épaisse de la cuisse.

♛ À l'aide de deux grosses cuillères en bois, sortez la volaille de la marmite et réservez-la. Avec une écumoire, récupérez les carottes, les poireaux, l'oignon, le navet, le céleri et le persil. Débarrassez l'oignon des clous de girofle. Mettez les légumes dans un mixer et ajoutez le beurre et la crème. Mixez jusqu'à ce que vous ayez obtenu une purée. Goûtez et rectifiez l'assaisonnement.

♛ Dressez à l'aide d'une cuillère la purée de légumes sur un plat de service préalablement chauffé et déposez délicatement la poularde dessus. Pour la découper, disposez-la sur une planche de travail.

Pour 4 personnes

Languedoc

Coquelets aux abricots et aux figues sèches

Les abricots et les figues, frais ou secs, sont des fruits particulièrement appréciés sur le pourtour méditerranéen. Ils se marient très bien avec les herbes aromatiques que l'on trouve dans la région. Bien imprégner la chair des coquelets de romarin et de sauge, à l'intérieur comme à l'extérieur, avant de la faire rôtir, lui apporte un délicat parfum en parfaite harmonie avec la saveur douce de la farce, elle-même parfumée aux herbes.

4 coquelets, d'environ 650 g chacun

1 cuillerée à café de sel

2 cuillerées à café de poivre fraîchement moulu

10 g de sauge fraîche hachée

10 g de romarin frais haché

FARCE

250 g à 300 g de pain vieux de deux jours coupé en tranches ou en dés (baguette, pain au levain ou tout autre pain de campagne)

15 g de beurre frais

½ gros oignon jaune haché

1 gousse d'ail écrasée

50 cl d'eau bouillante

90 g de figues sèches hachées

90 g d'abricots secs hachés

3 cuillerées à soupe de romarin frais haché

3 cuillerées à soupe de thym frais haché

1 cuillerée à café de sel

2 cuillerées à café de poivre fraîchement moulu

GLAÇAGE

150 g de confiture d'abricot

2 cuillerées à soupe de vinaigre de Banyuls ou balsamique

branches de romarin frais

❦ Préchauffez le four à 200 °C/th. 7

❦ Passez les volatiles sous l'eau puis séchez-les. Frottez l'intérieur et l'extérieur avec le sel et le poivre, puis avec la sauge et le romarin. Jetez les herbes, tout en en laissant quelques-unes si vous souhaitez renforcer les arômes.

❦ Pour préparer la farce, versez le pain dans un grand saladier et réservez. Dans une petite casserole, laissez le beurre fondre à feu moyen Ajoutez l'oignon et l'ail, puis faites revenir 3 à 4 minutes jusqu'à ce qu'ils soient transparents. Ajoutez l'eau bouillante et versez le mélange sur le pain. Touillez bien les morceaux de pain afin qu'ils soient parfaitement imprégnés. Laissez reposer un petit quart d'heure jusqu'à ce que cette pâte ait suffisamment refroidi pour être travaillée et que toute l'eau ait été absorbée. Pressez le pain entre vos mains et pétrissez-le jusqu'à ce que vous obteniez une consistance épaisse. Ajoutez alors les figues et les abricots secs, le romarin, le thym, le sel et le poivre, et continuez à pétrir pour les incorporer à la pâte.

❦ Farcissez les intérieurs des volatiles (80 à 125 g dans chaque). Ne remplissez pas trop. Glissez délicatement vos doigts entre la peau et la chair de la poitrine pour faire une poche, et passez un peu de farce sous la peau également. Attachez les pattes ensemble avec de la ficelle de cuisine et passez les ailes derrière les blancs.

❦ Disposez les coquelets, bréchets apparents, sur une grille posée sur un plat de cuisson. Faites-les rôtir 25 minutes environ.

❦ Pendant qu'ils cuisent, préparez le glaçage : dans une petite casserole, mélangez à feu doux la confiture et le vinaigre, environ 3 ou 4 minutes, en remuant de temps en temps, jusqu'à ce qu'un sirop se forme.

❦ Retirez les coquelets du four et à l'aide d'un pinceau de cuisine, badigeonnez-les de ce glaçage. Réenfournez-les et laissez-les rôtir 30 minutes jusqu'à ce que le jus sorte clair de la partie la plus épaisse de la cuisse lorsqu'on la pique avec la pointe d'un couteau.

❦ Sortez les volailles du four, garnissez avec les branches de romarin et servez.

Pour 4 personnes

Les volailles, farcies puis rôties, sont accompagnées des meilleures spécialités locales : pruneaux et noix en Gascogne, abricots secs dans le Sud, truffes dans le Périgord et en Haute-Provence.

Languedoc

Cassoulet

Le cassoulet est le plat typique du Languedoc,
de Toulouse la rose à Carcassonne la médiévale
qui monte la garde aux marges des Cévennes, au pied des
plateaux qui s'élèvent vers les Pyrénées et l'Espagne, en
passant par Castelnaudary, capitale incontestée
de ce ragoût languedocien. Chacune de ces villes possède
sa recette, mais aussi les villages sinon les familles.
Certains utilisent du mouton, d'autres du porc.
Le confit d'oie est impératif pour les uns, pour d'autres,
c'est le canard. Mais l'essentiel réside dans l'alternance
de couches de haricots blancs cuits longuement avec
des herbes aromatiques, et de filets de viande ou ragoûts
déjà cuisinés, baignant dans les jus de cuisson des haricots
et des viandes. Le tout préparé est servi dans une terrine.
C'est un plat qui exige du temps mais qui comblera
les plus impénitents des mangeurs.

HARICOTS

750 g de haricots blancs secs, de préférence
de récolte récente

250 g de couenne de porc fraîche

500 g de poitrine maigre de porc

os de l'échine de porc (voir ci-dessus)

2 oignons jaunes, finement émincés

4 gousses d'ail écrasées

8 branches de persil plat frais

4 branches de thym frais

2 feuilles de laurier

6 grains de poivre

3 clous de girofle

1 cuillerée à café de sel

3,5 l d'eau

ÉCHINE DE PORC

1 kg d'échine de porc désossée et ficelée,
les os réservés

1 cuillerée à café de sel

1 cuillerée à café de poivre fraîchement moulu

1 cuillerée à café de feuilles de thym frais

1 cuillerée à café de romarin frais haché

2 cuillerées à soupe de graisse de porc, de canard
ou d'oie ou de l'huile d'olive

1 oignon jaune haché

4 gousses d'ail écrasées

500 g de tomates pelées et hachées

75 cl de vin blanc sec

AGNEAU

2 cuillerées à soupe de graisse de porc, de canard
ou d'oie ou huile d'olive

1 kg d'épaule d'agneau désossée,
détaillée en dés de 5 cm

1 oignon jaune haché

2 gousses d'ail écrasées

3 branches de thym frais

½ cuillerée à café de sel

½ cuillerée à café de poivre fraîchement moulu

75 cl de vin blanc sec

4 saucisses de Toulouse ou autres saucisses
pur porc bien relevées

COUCHE FINALE

180 g de chapelure grossière

2 cuillerées à soupe de persil plat frais ciselé

125 g de graisse fondue de porc,
de canard ou d'oie

⚜ Pour préparer les haricots, triez-les, en jetant éventuellement ceux qui seraient abîmés et les petits cailloux. Rincez-les, puis égouttez-les. Versez-les dans une grosse casserole et recouvrez-les généreusement d'eau froide. Portez à ébullition, à feu moyen, puis réduisez et laissez frémir environ 30 minutes, à découvert, jusqu'à ce qu'ils soient tendres et bien gonflés.

⚜ Pendant ce temps, plongez dans une casserole remplie d'eau la couenne et la poitrine de porc. Portez à ébullition à feu vif, réduisez et laissez cuire encore une vingtaine de minutes. Égouttez et rincez à l'eau courante froide. Égouttez de nouveau et détaillez la couenne en dés d'un bon centimètre.

⚜ Quand les haricots sont prêts, égouttez-les, puis versez-les dans une grande marmite. Ajoutez les dés de couenne, la poitrine, les os de l'échine de porc, les oignons, l'ail, le persil, le thym, les feuilles de laurier, les grains de poivre, les clous de girofle, le sel et 3,5 l d'eau. Portez à ébullition à feu vif, puis baissez le feu et maintenez la cuisson environ 1 heure, à découvert et à petits bouillons.

⚜ Pendant que les haricots cuisent, préparez l'échine de porc. Frottez-la bien partout avec le sel, le poivre, le thym et le romarin. Quand la graisse ou l'huile d'olive, dans une sauteuse à fond épais, est chaude, ajoutez l'échine et retournez-la afin qu'elle dore de tous les côtés, soit environ 8 minutes. Ajoutez l'oignon et l'ail et laissez revenir 1 ou 2 minutes, en remuant bien.

Incorporez les tomates et 35 cl de vin, baissez le feu, couvrez et maintenez la cuisson environ 1 heure, jusqu'à ce que la viande soit tendre.

٭ En même temps, préparez l'agneau. Dans une marmite à fond épais, laissez chauffer la graisse ou l'huile d'olive à feu moyen. Quand elle est chaude, ajoutez l'agneau en le tournant régulièrement afin qu'il dore sur toutes ses faces, soit 8 minutes. Ajoutez l'oignon, l'ail, le thym, le sel et le poivre et mélangez bien. Versez le vin, couvrez, réduisez le feu et laissez mijoter environ 1 heure 30 jusqu'à ce que la viande soit tendre.

٭ Quand l'échine de porc est prête, retirez-la de la sauteuse et ajoutez-la aux haricots. Versez le reste de vin (40 cl) dans le jus de cuisson du porc et déglacez à feu vif, en remuant bien pour décoller tous les morceaux de viande restés au fond. Laissez réduire le vin de moitié. Versez ensuite ce jus dans les haricots.

٭ Quand l'agneau est cuit, transférez-le dans la marmite contenant les haricots et réservez le jus de cuisson. Ajoutez les saucisses aux haricots et laissez cuire à feu moyen environ 30 minutes.

٭ Préchauffez le four à 190 °C/th. 6.

٭ Retirez de la marmite l'échine et la poitrine de porc ainsi que les saucisses, et découpez-les en tranches d'un bon centimètre d'épaisseur et déposez-les, ainsi que le mouton, dans un plat.

٭ Choisissez un plat de cuisson ou une sauteuse allant au four d'une contenance de 3,5 ou 4 l. À l'aide d'une écumoire, déposez une couche de haricots de 2,5 cm d'épaisseur dans le fond de ce plat ou de cette sauteuse.

٭ Recouvrez les haricots d'une couche de viandes mélangées. Alternez ainsi couches de haricots et de viandes, en terminant par les haricots. Vous devriez avoir deux couches de viande. Versez le reste de jus de cuisson de l'agneau sur les haricots, et ajoutez ce qu'il faut de bouillon de haricots pour recouvrir ces derniers. Finissez par une couche uniforme de chapelure grossière, parsemez de persil, puis versez la graisse fondue.

٭ Mettez à cuire au four une quinzaine de minutes, jusqu'à ce qu'une croûte se forme. Avec une grosse cuillère, brisez-la et puisez le jus qui se trouve en dessous pour en arroser le dessus. Remettez au four encore 15 minutes, jusqu'à ce qu'une seconde croûte se forme. Brisez-la et de nouveau arrosez-la de jus. Remettez au four une dernière fois pendant 15 à 20 minutes jusqu'à ce que la croûte se soit reformée.

٭ Servez chaud.

Pour 10-12 personnes

LES LÉGUMES

*La cuisine française
vit au rythme des
saisons et puise son
inspiration au cœur
même du terroir.*

POUR AVOIR TRAVAILLÉ pendant des années dans une entreprise américaine importatrice de semences de légumes français, je me suis tout naturellement passionnée pour la variété de légumes que l'on trouve dans l'Hexagone et les innombrables et délicieuses façons de les accommoder. Ici, les légumes sont traités avec le même soin et le même respect que les autres aliments. Ils font partie des produits du terroir au même titre que les fruits, les fromages, la viande et les volailles. De cette double tradition du potager et du marché sont nées la *cuisine du potager* et la *cuisine du marché*, qui portent la couleur des saisons.

Poussez le portillon d'un potager ou un jardin maraîcher au printemps, vous y rencontrerez sans doute des alignements de fèves, dont les longues gousses vernissées se suspendent sous les feuilles, tandis qu'au sommet s'épanouissent de belles fleurs blanches au cœur d'un noir velouté. Quelques pas plus loin, vous trouverez peut-être ces fameux radis rose et blanc que les Français affectionnent tant avec une tartine de pain beurrée. Les tiges creuses des oignons printaniers oscilleront au gré de la brise, à l'orée des feuilles épaisses et veinées de rouge des betteraves, ou de celles, velues et dentelées, des navets. Plus loin, ce sont des laitues généreusement pommées et des épinards d'un vert profond qui exploseront au détour d'une allée.

Si, à cette même période, vous flânez sur un marché, vous retrouverez ces légumes, sous une présentation différente. Des marchands des quatre saisons tendent des corbeilles aux chalands qui les remplissent de fèves fraîches, d'asperges ou d'épinards. Les bottes de radis s'érigent en pyramides pittoresques et colorées, et à la vue de ces petits crucifères rouges, roses ou blancs, comment ne pas craquer ! Les meilleurs produits sont ceux des maraîchers du coin qui, depuis des générations, font la tournée des marchés des villes et villages avoisinants pour vendre leur production. Sur le coup de midi, quand sonne l'heure de remballer les légumes et les fruits invendus, ils vont prendre un verre au café, parfois déjeuner au bistrot du coin, avant de rentrer, prêts à recommencer à l'aube le lendemain.

Double page précédente : Le rouge flamboyant des coquelicots contraste gaiement avec les vastes étendues de prairies verdoyantes. **À gauche** : La culture maraîchère est une affaire de famille. De nombreux plats français font la part belle aux légumes de culture régionale.
Ci-dessous, en haut : Dans l'Orléanais, les asperges poussent entièrement sous terre, c'est pourquoi elles se présentent sous forme de superbes tiges blanches.
Ci-dessous, en bas : Près de Cancale, un maraîcher excise un chou-fleur, légume très populaire en Bretagne, où il est préparé en salade avec des crevettes et de la mayonnaise, avec des cœurs d'artichauts et des haricots blancs ou encore en simple gratin.

Chaque région et ses marchés nous permettent de découvrir les cultures du terroir. En Bretagne et en Basse-Normandie, les artichauts sont rois. Énormes, aussi gros que des boulets de canon, avec des queues épaisses et charnues et des feuilles rondes où se découpe une petite fente médiane, ils sont aussi bons qu'opulents. En Provence, les têtes sont beaucoup plus petites et les feuilles plus effilées. Les artichauts violets, les fameux «violets de Provence», sont nettement plus petits que les variétés bretonnes, de la taille d'un gros citron, et souvent vendus avec de longues tiges comestibles, assemblés en petites bottes et noués avec de la ficelle. On les mange crus, trempés dans de l'aïoli ou de la vinaigrette ou encore à la barigoule, c'est-à-dire évidés, farcis et cuits à l'huile d'olive. Ils constituent dans tous les cas un mets de printemps particulièrement délicieux. Les choux sont la fierté de l'Alsace, les salsifis sont abondants dans le Nord tandis que les endives foisonnent à la frontière belge. Dans le Sud, en été, les haricots à écosser, les poivrons et les aubergines fournissent les ingrédients de base à de fameux plats régionaux comme la soupe au pistou et la ratatouille.

Un grand nombre de sociétés de graines nationales ou internationales ont des bureaux en France. Vilmorin, établie en 1789, est la plus ancienne au monde. Cependant, ce sont des entreprises régionales plus petites qui produisent et vendent des graines de légumes locaux ou des graines issues de sélections et d'améliorations apportées au fil des ans par des générations de grainetiers. J.-P. Gautier et Fils en est un bel exemple. La première fois que je fus envoyée là-bas par un grainetier anglais qui était en affaires avec eux, l'entreprise avait ses locaux dans une de ces vieilles et vastes propriétés du XVIIIe siècle à Eyragues, une petite ville proche de Saint-Rémy-de-Provence. Le propriétaire, M. Gautier, fils du fondateur, est un homme tout à fait charmant d'une soixantaine d'années. Il nous fit visiter, à mon partenaire et moi-même, ses installations de traitement, nous expliquant l'usage des différentes machines y compris celui des modèles fabriqués au début du XIXe siècle, chargés de trier les semences récoltées en séparant la graine de son enveloppe et d'éliminer les mauvaises herbes. Ses graines sont stockées dans d'anciennes granges où règne une odeur douceâtre de carotte et de fenouil. Il nous montra ses cultures expérimentales, nous présenta à des maraîchers qui

cultivaient des melons et des laitues, puis il nous emmena déjeuner à Saint-Rémy dans un petit restaurant où tout le monde le connaissait. J'achète encore chez lui d'excellentes graines de laitue batavia, de feuille de chêne, de courge musquée de Provence et de plusieurs variétés de poireaux. Tous ces légumes poussent merveilleusement bien dans le jardin de ma maison de Californie, où le climat est de type méditerranéen.

En France, les pommes de terre jouent un rôle fondamental dans l'alimentation, le large éventail de variétés en témoigne. À la fin du printemps et au début de l'été, on peut voir dans les potagers et les terres maraîchères de vastes bâches couvertes de plantes aux épaisses feuilles vertes surmontées de fleurs blanches. Souvent les jardiniers cultivent plusieurs variétés de pommes de terre, destinées à des usages différents. Dans les supermarchés, vous les trouvez souvent vendues en filets avec une étiquette indiquant le nom de la variété et l'usage conseillé : sautée, vapeur, salade, au four ou frites, purée, potage. Une amie, dans sa hâte de terminer ses courses, avait acheté un sac de pommes de terre à préparer en purée alors qu'elle voulait les cuire

Page de gauche, en haut : En Provence, on trouve de nombreuses variétés d'artichauts, de ceux à grosses pommes vertes ou violettes, avec des tiges charnues, jusqu'aux tout petits à capitules brun sombre, plus longs à manger mais si savoureux. **Page de gauche, au milieu** : Les aubergines sont très répandues en Languedoc-Roussillon, où elles se préparent « à la catalane » (farcies avec leur pulpe, des oignons, de l'huile d'olive, du pain, du persil et de l'ail) ou « à la nîmoise » (avec du jambon, de l'huile d'olive, de la chapelure et de l'ail). **Page de gauche, en bas** : L'humble pomme de terre se prête à d'innombrables déclinaisons : en purée mêlée à des lardons et du fromage frais dans la truffade, mélangée avec de la morue salée en brandade, ou coupées en rondelles et cuites avec du chou et du porc. **Ci-dessus** : Le traditionnel jeu de boules provençal (ou pétanque) est particulièrement populaire auprès des anciens mais aussi des jeunes méridionaux.

Ci-dessus : Dans la vallée de la Loire, le romantique château d'Ussé, avec ses tourelles blanches et son cadre féerique, aurait inspiré à l'écrivain Charles Perrault le conte de *La Belle au bois dormant*. **Page de droite, à gauche** : De nombreuses variétés de laitues, aux couleurs, aux formes et aux saveurs diverses, prospèrent sous le doux climat de la Provence. **Page de droite, en haut** : Derrière cette fleur rose vif se cache un artichaut en puissance. **Page de droite, au milieu** : Difficile de faire son choix tant il existe d'olives différentes : vertes, noires et violettes ; grosses et petites ; sèches et fermes ; pulpeuses et juteuses. **Page de droite, en bas, à droite** : Les tomates mûries au soleil sont omniprésentes dans la cuisine provençale. Dès qu'une recette affiche *à la provençale*, on peut être sûr qu'entrent dans sa composition des tomates, de l'ail et de l'huile d'olive.

au four. Au dîner, elle se confondit en excuses pour son gratin de pommes de terre, expliquant que faute d'avoir choisi les bonnes pommes de terre, celles-ci s'étaient défaites au lieu de rester en lamelles. Son « gratin » s'avéra pourtant délicieux, avec ses pommes de terre certes légèrement en bouillie mais moelleuses à souhait et recouvertes d'une délicieuse croûte dorée... Un bel exemple de destin contrarié !

Mes voisins français, Maurice et Françoise, cultivent un grand champ de pommes de terre qu'ils récoltent à la fin de l'été ou au début de l'automne, puis qu'ils entreposent dans leur cave pour les consommer jusqu'en juin ou en juillet de l'année suivante. Une année, j'ai déterré des pommes de terre avec eux et j'y ai pris beaucoup de plaisir. Maurice est passé en premier avec son tracteur pour dégager les plants, Françoise, ses enfants et moi suivions derrière avec des seaux en plastique, enfouissant nos mains dans la terre ameublie pour récolter les précieux tubercules, poussant des cris de victoire quand nous en trouvions un particulièrement gros, ou quand nous déterrions une grappe de quatre ou cinq encore attachés à leur tige feuillue. Et nous mettions de côté toutes les pommes de terre qui avaient une forme rigolote. Dans mon jardin, en Californie, j'en cultive plusieurs variétés et chaque récolte me procure l'intense plaisir de les déterrer moi-même.

Si les Français accordent beaucoup d'importance à la culture et à la consommation des légumes, il n'existe pas pour autant de réelle tradition végétarienne. Néanmoins, de nombreux plats sont végétariens ou presque. Cela tient sans doute au fait que pendant de longues années, la viande était un luxe – et qu'elle reste encore très chère –, mais aussi parce que beaucoup de gens possèdent un petit coin de potager qui produit tout au long de l'année de savoureux légumes frais.

J'ai remarqué qu'assez souvent, dans les familles françaises, le plat principal se compose d'un gratin de légumes de saison, suivi ou accompagné d'une salade. En automne, ce peut être un gratin de potiron, en hiver de pommes de terre ; au printemps de betteraves ou d'artichauts et en été de cour-

gettes ou d'aubergines. Ces gratins de légumes frais sont relevés de crème, de bouillon, de plantes aromatiques, et couronnés d'une couche de fromage local ou de chapelure beurrée. On rencontre aussi des plats de pâtes fraîches avec de l'huile d'olive et des légumes. Au nombre de mes préférés figurent celui aux fleurs de courge et aux olives noires et celui aux haricots et à la salade étuvée. Les déclinaisons sont infinies...

Les légumes peuvent être braisés avec du vin, du cidre, de l'eau-de-vie ou de la bière, en fonction des ressources locales. En Auvergne et en Dordogne, ils sont mélangés avec des châtaignes et en Provence avec des pignons de pin ou des amandes.

Parfois de la viande vient enrichir un plat de légumes. C'est le cas du jambon cru, qui apporte une saveur salée en même temps qu'un peu de gras. En tranches fines, il peut envelopper des endives, que l'on nappera de sauce béchamel avant de les passer au four. Émincé, il sera mélangé à des petits pois cuits en cocotte ou utilisé pour farcir des courgettes, des navets et même des champignons. Toutes sortes de saucisses jouent un rôle similaire, dans des plats à base d'œufs, de pâtes ou de riz. Avec la chair à saucisses, on pourra farcir les légumes et agrémenter des sauces.

Que les légumes soient préparés en purée, en gratin, à la vapeur, en salade ou en soupe, servis en hors-d'œuvre, en plat principal ou en accompagnement, nul doute qu'ils jouent un rôle clé dans la gastronomie française. C'est cette cuisine, dite «du potager» ou «du marché», préparée essentiellement avec des ingrédients frais de saison, qui constitue le fondement de cette bonne chère rustique que j'apprécie tant. Simple, sans prétention, et toujours savoureuse.

Page de gauche, en haut : Cette église de Champagne est un très bel exemple de l'architecture gothique caractéristique du XIIIe siècle. **Page de gauche, en bas** : Un panier pour faire son marché est accroché à la porte d'une maison de Beaune, prêt à remplir son office. **Ci-dessous** : Les choux et les poireaux sont les ingrédients de base des soupes traditionnelles franciliennes comme le potage parisien (mélange de légumes), le potage parmentier (à base de pommes de terre) et le potage bonne femme (aux pommes de terre et aux poireaux). **En bas** : Une invitation à la cueillette...

Provence

Asperges et artichauts aux olives noires et au parmesan

*En Provence et dans tout le sud de la France,
les asperges et les artichauts se récoltent à la même
époque, serrés les uns à côté des autres sur les marchés
ou poussant en voisins dans le même carré de terre.
On peut les frire ensemble à la poêle et les servir
en accompagnement ou en plat principal.*

2 citrons coupés en deux

8 petits artichauts

2 cuillerées à soupe d'huile d'olive

500 g d'asperges vert tendre, débarrassées
de leur base filandreuse, et débitées
en tronçons de 2,5 cm de long

2 gousses d'ail

2 branches de thym frais

1 feuille de laurier

8 olives noires conservées dans la saumure

30 g de parmesan en copeaux

❦ Préparez un grand saladier rempli d'eau dans lequel vous aurez ajouté le jus d'1 citron. Prenez les artichauts un par un : coupez la queue près de la base et ôtez la première couche de feuilles. Coupez et jetez le premier tiers du capitule. Frottez la partie sectionnée avec une moitié de citron. Continuez à retirer des feuilles jusqu'à ce que vous atteigniez celles de l'intérieur, fines et presque transparentes. Éliminez les extrémités dures. Frottez avec une moitié de citron. Si le foin qui se trouve au centre est piquant, retirez-le. S'il est encore duveteux, laissez-le car il sera comestible après cuisson. Selon leur taille, coupez les artichauts dans le sens de la longueur en quatre ou six morceaux et jetez-les dans l'eau citronnée. Dès qu'ils commencent à cuire, égouttez-les et séchez-les.

❦ Dans une casserole à fond épais et pouvant aller au four, mettez l'huile d'olive à chauffer, à feu moyen. Puis ajoutez les artichauts, les asperges, l'ail, le thym et la feuille de laurier et faites revenir de 2 à 3 minutes, jusqu'à ce que les artichauts et les asperges commencent à suer. Couvrez, réduisez le feu et laissez mijoter 5 à 6 minutes en remuant de temps en temps. Découvrez, ajoutez les olives et poursuivez la cuisson 2 ou 3 minutes jusqu'à ce que les artichauts soient tendres et légèrement dorés. Dressez dans un plat de service et parsemez de copeaux de parmesan. Servez chaud.

Pour 4 personnes

Franche-Comté et Alpes

Gratin dauphinois

*Ancienne province de France, le Dauphiné
rassemble aujourd'hui les départements
des Hautes-Alpes, de l'Isère et de la Drôme.
Ce plat de pommes de terre est un classique
de la région. Il en existe bien sûr de nombreuses
versions, qui constituent un
accompagnement royal pour les viandes.
Ce gratin est très simple à préparer.
Plus les lamelles de pommes de terre seront fines,
mieux elles s'associeront pour atteindre
cette consistance moelleuse si savoureuse.*

1 gousse d'ail

60 g de beurre

1 kg de pommes de terre à gratin
(du type roseval, charlotte ou bintje), pelées
et coupées en lamelles de 3 mm d'épaisseur

1 cuillerée à café de sel

½ cuillerée à café de poivre fraîchement moulu

1 pincée de noix de muscade

125 g de beaufort ou de gruyère râpé

25 cl de lait

❦ Préchauffez votre four à 220 °C/th. 7.

❦ Frottez un plat de cuisson creux avec la gousse d'ail et graissez-le bien avec environ 15 g de beurre. Étalez la moitié des tranches de pommes de terre dans le plat ainsi préparé. Saupoudrez avec la moitié du sel, du poivre, de la noix de muscade et du fromage. Coupez 30 g de beurre en petits morceaux et parsemez-en la surface. Recouvrez avec le reste de pommes de terre et saupoudrez de sel, de poivre, de noix de muscade et de fromage restant. Coupez le reste de beurre en petits morceaux et parsemez-en le dessus.

❦ Dans une petite casserole, à feu moyen, portez le lait à ébullition. Versez-le sur les pommes de terre puis glissez la lame d'un couteau au bord du plat pour que le lait s'infiltre bien sous les pommes de terre.

❦ Laissez au four de 35 à 45 minutes, jusqu'à ce que le lait soit entièrement absorbé et qu'une croûte dorée se soit formée. Le temps de cuisson dépend de l'épaisseur des lamelles de pommes de terre. Servez immédiatement, directement du plat à l'assiette.

Pour 6 personnes

Pays de la Loire

Asperges au beurre d'estragon

L'asperge est sûrement un des légumes français les plus appréciés. Sur les marchés, au printemps, vous en verrez des blanches en forme de pinceaux fins, d'autres grosses comme le pouce ou encore de délicates surmontées de pointes vertes. Les asperges blanches, dont les tiges fibreuses doivent être pelées, ont un goût légèrement amer. À l'opposé, l'asperge verte est très douce. Les deux variétés sont cultivées sous terre et récoltées en coupant les tiges à l'aide de gouges spéciales. C'est la diversité des variétés et non les modes de culture qui détermine la différence de couleur et de goût. Certaines variétés ont été créées pour pousser entièrement sous le sol ; ainsi privées de chlorophylle, elles restent blanches comme neige.

Cette simple préparation au beurre et à l'estragon convient aussi bien à l'asperge blanche qu'à la verte. En revanche, les asperges blanches demandent à être cuites plus longtemps, surtout si elles sont grosses.

500 g d'asperges

45 g de beurre à température ambiante

1 cuillerée à soupe d'estragon frais ciselé

❧ Courbez délicatement chaque asperge jusqu'à ce que le pied filandreux se casse. Si vous avez choisi des asperges blanches, pelez les tiges avec un économe. Disposez-les ensuite dans un panier de cuisson vapeur et posez-le au-dessus d'un fond d'eau bouillante. Couvrez et laissez cuire jusqu'à ce qu'elles soient tendres lorsqu'on les pique avec une fourchette, soit de 3 à 4 minutes pour les asperges vertes, de 15 à 20 minutes pour les blanches (selon leur grosseur). Si vous utilisez des asperges vertes, elles devront garder leur couleur. Retirez les asperges de la marmite et rincez-les rapidement sous l'eau froide pour arrêter la cuisson. Égouttez et réservez.

❧ Dans un bol, mélangez le beurre et l'estragon jusqu'à ce que vous obteniez une substance crémeuse.

❧ Disposez les asperges encore chaudes sur un plat de service et étalez dessus le beurre à l'estragon. Servez immédiatement.

Pour 4 personnes

Franche-Comté et Alpes
Tartiflette

Le reblochon, un fromage au lait de vache cru, affiné et à croûte lavée, date du XIIIe siècle, époque à laquelle les autorités levaient une taxe sur la quantité de lait produite chaque jour. Une légende raconte que pour en diminuer le montant, les paysans des environs de la ville de Thonon-les-Bains ne trayaient que partiellement leurs vaches avant le passage du collecteur ! Une fois celui-ci passé, vite ils se remettaient à la traite et avec ce second lait, ils confectionnaient un fromage qu'ils ont tout naturellement baptisé « reblochon » (du verbe savoyard *reblocher* qui signifie « traire une seconde fois »).

C'est un fromage de forme ronde, d'environ 20 cm de diamètre, à la croûte légèrement orangée. Quand il est parfaitement affiné – au bout d'environ 3 semaines – sa croûte souple entoure un cœur crémeux et coulant. C'est à ce stade qu'on l'utilise pour la tartiflette. Le fromage est partagé en deux dans son épaisseur pour constituer deux disques disposés en alternance avec des couches de pommes de terre et d'oignons cuits, puis le tout est passé au four jusqu'à ce que le fromage fonde. Ce plat alpin copieux nécessite un vin du cru, comme une Mondeuse rouge, et s'accompagne d'une salade verte.

15 g de beurre

1 cuillerée à soupe d'huile d'olive

500 g de pommes de terre à gratin (belle de fontenay ou roseval), épluchées et coupées en cubes d'1 cm

1 cuillerée à café de sel

2 ½ oignons jaunes coupés en rondelles de 6 mm

45 g de lardons

½ cuillerée à café de poivre fraîchement moulu

12 à 15 cl de crème fraîche

1 reblochon entier fait à cœur

✤ Préchauffez le four à 190 °C/th. 6.

✤ Dans une sauteuse allant au four, laissez fondre le beurre avec l'huile d'olive, à feu moyen. Dès qu'il mousse, ajoutez les pommes de terre et faites-les dorer de 10 à 15 minutes. Saupoudrez de sel puis ajoutez les oignons et les lardons. Laissez cuire encore une dizaine de minutes, en remuant de temps en temps afin que les ingrédients n'accrochent pas. Couvrez, réduisez le feu, et laissez mijoter de 7 à 10 minutes de plus pour que les pommes de terre soient bien tendres. Ajoutez le poivre et mélangez.

✤ Retirez la moitié des pommes de terre et des oignons et déposez-les dans un plat creux. Versez la moitié de la crème fraîche sur les pommes de terre restant dans la sauteuse. Coupez le fromage en deux horizontalement pour obtenir deux disques. Si vous craignez l'odeur forte de la croûte, ôtez-en une partie mais laissez-la si vous l'appréciez. Posez un premier disque, face coupée en dessous, sur les pommes de terre dans votre sauteuse. Recouvrez-le avec les pommes de terre réservées pour constituer une seconde couche. Nappez uniformément le dessus de crème, et posez le deuxième disque de fromage, côté coupé toujours en dessous.

✤ Enfournez et laissez cuire environ 15 minutes, jusqu'à ce que le fromage ait fondu. Servez aussitôt directement de la sauteuse à l'assiette, à l'aide d'une cuillère ou d'une spatule.

Pour 4 à 6 personnes

Noix, noisettes, amandes et châtaignes

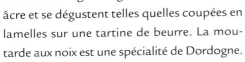

Ces fruits à écales jouent un rôle important dans la cuisine des terroirs. Ils se consomment nature ou sous forme d'huile, de farine et même parfois de vin, comme c'est le cas des noix vertes en Gascogne, en Savoie et dans les Alpes-de-Haute-Provence.

Les noix de Grenoble et celles du Périgord sont récoltées à peine arrivées à maturité, encore un peu molles. Elles ont alors un goût légèrement âcre et se dégustent telles quelles coupées en lamelles sur une tartine de beurre. La moutarde aux noix est une spécialité de Dordogne.

Les amandes sont mûres lorsque leur coque est complètement formée sous leur enveloppe verte duveteuse. Elles sont alors cassées et consommées avec du sel à l'apéritif. Moulues, effilées ou hachées, elles sont utilisées dans la pâtisserie et la confiserie. On s'en sert également pour épaissir et parfumer des sauces, spécialement dans le Sud, comme on le fait avec les noisettes dans les Alpes.

Tout au long de l'année, les châtaignes mûres entrent dans la composition de mets savoureux. Elles sont confites dans du sirop de sucre pour confectionner les fameux marrons glacés, mais aussi cuites entières dans les ragoûts ou réduites en purée pour accompagner un plat ou préparer des desserts.

Les citadins se régalent aussi en hiver de marrons grillés vendus par des marchands ambulants sur un petit brasero rougeoyant, emballés tout chauds dans un cornet en papier journal.

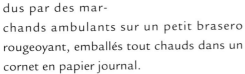

Provence

Fèves aux fleurs de thym

Un de mes plus grands plaisirs au printemps et au début de l'été est de cueillir les fèves du potager. Cuisinées avec les fleurs mauves du thym, prolifique en Provence, elles forment un plat succulent. Je ne pèle pas les jeunes fèves, à l'instar de mes voisins, parce que, comme eux, j'aime le croquant et le goût caractéristique, légèrement amer, de leur peau. Cependant, les fèves plus âgées doivent être pelées.

Pour cela, immergez-les 20 secondes dans une petite casserole d'eau bouillante afin de les blanchir. Égouttez-les et quand elles ont suffisamment refroidi, faites glisser la peau entre vos doigts.

2 cuillerées à soupe d'huile d'olive
2 gousses d'ail écrasées
1 kg de très jeunes fèves, dans leur cosse
8 cuillerées à soupe d'eau
2 cuillerées à soupe de fleurs de thym frais
½ cuillerée à café de sel
½ cuillerée à café de poivre fraîchement moulu

🌼 Dans une casserole à fond épais, mettez à chauffer l'huile d'olive à feu moyen. Ajoutez l'ail et faites revenir 1 à 2 minutes, jusqu'à ce qu'il soit tendre. Incorporez les fèves et faites-les revenir en remuant, 4 à 5 minutes, jusqu'à ce que les peaux commencent à éclater et à changer de couleur. Ajoutez l'eau, les fleurs de thym, le sel et le poivre. Réduisez le feu, couvrez et laissez mijoter de 5 à 6 minutes, le temps que les fèves s'attendrissent et que l'eau s'évapore.

🌼 Dressez dans un plat de service chaud et servez immédiatement.

Pour 4 personnes

Alsace et Lorraine

Chou rouge aux pommes et au genièvre

Ce plat au chou tout simple sera parfait pour accompagner des côtes de porc, des saucisses ou un rôti. Les pommes apportent leur saveur douce, le genièvre son parfum de forêt et le vinaigre sa pointe d'acidité.

1 chou rouge, d'environ 350 g

4 pommes (granny smith, gala ou golden)

45 g de beurre

1 oignon rouge (d'Espagne), émincé

3 baies de genièvre

4 cuillerées à soupe de vinaigre

4 cuillerées à soupe de bouillon de poule

½ cuillerée à café de sel

½ cuillerée à café de poivre fraîchement moulu

1 cuillerée à café de ciboulette ciselée

♔ Coupez le chou en deux et ôtez le cœur. Détaillez chaque moitié en fines lanières. Réservez. Coupez en deux et ôtez le cœur de 2 pommes puis détaillez-les, sans les éplucher, en dés de 2,5 cm. Réservez.

♔ Dans une poêle à fond épais, mettez à fondre à feu moyen le beurre. Jetez-y l'oignon et faites revenir 3 à 4 minutes, jusqu'à ce qu'il soit translucide. Ajoutez les dés de pommes et faites-les ramollir 3 ou 4 minutes. Ajoutez le chou et les baies de genièvre et poursuivez la cuisson de 5 à 6 minutes, jusqu'à ce que le chou commence à suer et à perdre sa couleur. Versez le vinaigre et déglacez la poêle, en raclant pour décoller tous les morceaux attachés au fond. Versez le bouillon, salez, poivrez et portez à ébullition. Baissez le feu, couvrez et laissez mijoter environ 15 minutes, jusqu'à ce que le chou devienne rose pâle et tendre.

♔ Pendant que le chou cuit, pelez, coupez en deux et ôtez le cœur des 2 autres pommes puis râpez-les sur les gros trous d'une râpe à gruyère. Une fois le chou cuit, retirez-le du feu et incorporez les trois quarts des pommes râpées. Dressez dans un saladier préchauffé et parsemez du reste de pomme râpée et de la ciboulette, puis servez.

Pour 4 ou 5 personnes

Languedoc
Girolles à la crème

*Les chanterelles ou girolles sont des champignons
de couleur abricot, en forme de coupelles,
qui poussent dans les bois de conifères et de chênes.
Ces champignons de choix s'accommodent en gratins,
en tourtes, en plats de pâtes ou se dégustent simplement
revenus dans de l'huile d'olive ou du beurre
avec de l'ail et du persil. Les girolles poussent
en abondance dans de nombreuses régions de France,
particulièrement dans le Languedoc et en Provence.*

500 g de girolles fraîches, soigneusement lavées

30 g de beurre

1 cuillerée à soupe d'huile d'olive

1 pincée de sel

1 cuillerée à café d'ail écrasé

1 cuillerée à soupe de persil plat frais ciselé

1 pincée de poivre

8 cuillerées à soupe de crème fraîche

⚜ Coupez les gros champignons en moitiés ou en quarts, du chapeau à l'extrémité de la queue, mais laissez les plus petits entiers.

⚜ Dans une poêle à frire, faites fondre le beurre avec l'huile d'olive à feu moyen. Quand il mousse, ajoutez les champignons et le sel. Tournez une fois ou deux, puis couvrez et laissez cuire une dizaine de minutes, en secouant la poêle de temps en temps, jusqu'à ce que les champignons aient rejeté un peu de leur eau et soient légèrement dorés.

⚜ Ajoutez l'ail, le persil et le poivre, et laissez cuire 1 à 2 minutes à découvert, en remuant de temps en temps. Incorporez la crème fraîche, augmentez le feu, et laissez cuire encore 1 ou 2 minutes en remuant, jusqu'à ce que la crème épaississe et se mêle au jus de cuisson des champignons.

⚜ Dressez les champignons et leur sauce sur un plat chaud et servez immédiatement.

Pour 3 ou 4 personnes

Champagne

Gratin de betteraves aux lardons

*S*ur de nombreux marchés, on trouve des betteraves
*déjà cuites, vendues parmi les légumes frais, prêtes
à être pelées et consommées. Dans la plupart des potagers,
en particulier dans le Nord, une grande place
est consacrée aux betteraves. Leurs racines charnues
comme leurs épaisses feuilles sont utilisées dans de
nombreuses recettes. Dans ce plat nourrissant, de grosses
tranches de lard fumé peuvent remplacer les lardons.*

1,5 kg de betteraves

*750 g de pommes de terre à cuire au four
(roseval ou charlotte)*

90 g de lardons

60 g de beurre

90 g de copeaux de beaufort ou de gruyère

1 cuillerée à café de sel

1 cuillerée à café de poivre fraîchement moulu

1 cuillerée à soupe de romarin haché

25 cl de crème épaisse

20 cl de lait

20 g de chapelure

⚜ Plongez les betteraves dans une casserole d'eau et
portez à ébullition à feu vif. Réduisez le feu, couvrez
et laissez cuire environ 1 heure, jusqu'à ce qu'elles soient
tendres. Dans le même temps, versez les pommes de
terre dans une casserole, recouvrez-les d'eau et portez
à ébullition à feu vif. Baissez le feu, couvrez et laissez-
les cuire de 30 à 40 minutes, jusqu'à ce qu'elles soient
tendres quand on les pique avec un couteau.

⚜ Égouttez les betteraves et les pommes de terre,
séparément. Quand elles sont suffisamment froides pour
être pelées, coupez-les en tranches de 6 mm d'épaisseur.
Réservez séparément. Préchauffez le four à 180 °C/th. 6.

⚜ Dans une poêle, faites revenir les lardons à feu vif
3 ou 4 minutes, jusqu'à ce que le gras devienne
translucide. À l'aide d'une écumoire, sortez-les et
déposez-les sur du papier absorbant.

⚜ Avec 15 g de beurre, graissez un plat à gratin d'une
vingtaine de centimètres de diamètre. Recouvrez le
fond de ce plat avec la moitié des tranches de betteraves.

Parsemez la moitié des lardons et le tiers du fromage
puis saupoudrez de sel, de poivre et de romarin.

⚜ Coupez les 45 g de beurre restant en petits dés et
disposez-en 15 g sur cette première couche. Recouvrez
avec toutes les pommes de terre. Répétez ensuite
l'opération pour former une seconde couche. Versez
par-dessus la crème et le lait. Recouvrez uniformément
de chapelure et rajoutez les derniers morceaux de
beurre.

⚜ Faites cuire au four de 30 à 40 minutes, jusqu'à ce
que la sauce bouillonne et que le dessus soit bien doré.
Sortez du four, recouvrez d'une feuille de papier
aluminium et laissez reposer 10 minutes. Servez
directement du plat de cuisson à l'assiette.

Pour 8 personnes

Sud-Ouest

Courgettes chaudes aux noix et au roquefort

*D*u roquefort émietté sur des courgettes chaudes fond
*et se mélange à l'huile de noix pour constituer une sauce
riche en saveurs. Ces courgettes peuvent être servies
en plat principal, mais elles accompagneront aussi
bien un poisson ou du poulet.*

3 courgettes coupées en fines rondelles

3 cuillerées à soupe d'huile de noix

1 cuillerée à café de vinaigre

½ cuillerée à café de poivre fraîchement moulu

60 g de roquefort

30 g de noix grossièrement hachées

⚜ Disposez les rondelles de courgettes dans un panier
de cuisson vapeur au-dessus d'un fond d'eau bouillante,
couvrez et laissez étuver environ 3 minutes, jusqu'à ce
qu'elles soient tendres.

⚜ Disposez-les ensuite dans un saladier, versez dessus
l'huile de noix et le vinaigre, puis poivrez. Émiettez le
fromage sur les courgettes chaudes, puis mélangez le
tout. Ajoutez la moitié des noix et mélangez de
nouveau. Parsemez du reste des noix et servez
immédiatement.

Pour 4 ou 5 personnes

Centre
Navets farcis

Les navets demeurent très prisés dans certaines régions, où on les prépare de multiples façons. Cette recette m'a été inspirée par un plat dégusté dans le Berry. Plus les navets seront gros, plus ils offriront une saveur poivrée qui se mêlera à la farce.

4 gros navets, d'environ 150 g chacun

1 cuillerée à café de sucre

500 g de chair à saucisse

40 g de noisettes finement concassées

50 g de raisins secs

1 cuillerée à soupe de sauge fraîche ciselée

♛ Préchauffez le four à 180 °C/th. 6. Coupez le quart supérieur de chaque navet et réservez. À l'aide d'une cuillère, évidez les navets, en conservant une épaisseur d'1 cm. Réservez la chair retirée.

♛ Remplissez aux trois quarts une grande casserole d'eau et portez à ébullition à feu vif. Ajoutez les navets évidés et les parties supérieures découpées. Faites cuire à demi les navets, soit 6 à 7 minutes. Égouttez et réservez.

♛ Hachez la moitié de la chair réservée. (Gardez le reste pour un autre usage ou jetez-le.) Saupoudrez l'intérieur des navets d'1 pincée de sucre. Dans un saladier, mélangez bien le navet haché, la chair à saucisse, les noisettes, les raisins et la sauge.

♛ Posez les navets évidés dans un plat de cuisson. Remplissez-les de farce, en la faisant généreusement déborder. Versez environ 1 cm d'eau dans le fond du plat et enfournez.

♛ Laissez au four entre 1 heure 15 et 1 heure 30, afin que la farce soit cuite à point et le navet suffisamment tendre pour être piqué aisément avec la pointe d'un couteau. Recouvrez avec le quart supérieur des navets 10 minutes avant la fin de la cuisson, si vous le désirez.

♛ Dressez sur un plat de service chaud ou servez directement dans les assiettes.

Pour 4 personnes

Les marchés en plein air

Les marchés en plein air s'apparentent à de véritables lieux de fête. Ma vie est marquée par ces marchés où j'ai flâné, fascinée par les couleurs, les odeurs, les appels des marchands, leur gouaille provocante et chaleureuse, les étals si tentateurs... Comment résister aux minuscules anguilles de Perpignan un radieux samedi de printemps, aux superbes gigots de chevreuil des marchés berrichons près de Châteauroux, aux champignons de Dijon gros comme le poing...

Le chatoiement d'un marché m'attire irrésistiblement. Il me faut aussitôt trouver une place où me garer. J'attrape un panier, que je tiens toujours en réserve dans ma voiture, et je me laisse happer, tel un papillon par la lumière, par les parasols aux coloris vifs et les bâches bariolées aux mille promesses. La matinée passe en un éclair à déambuler entre les étals, à s'enivrer devant une telle profusion de fruits, de légumes, d'herbes, d'épices, de charcuterie, de poissons aux reflets de marée, de fromages...

Partout en France, le marché fait partie intégrante de la vie, c'est un endroit où l'on se rencontre, où l'on bavarde et par-dessus tout où l'on profite de l'incroyable générosité de la terre et du savoir-faire des paysans, éleveurs et artisans de la région.

Les marchés du week-end sont les plus animés car ils drainent un maximum de chalands. Sur le coup de midi, beaucoup se retrouvent dans les cafés, à deux pas du marché, où l'on sacrifie à l'immuable rituel de l'apéro en observant le spectacle de la foule.

Parfois, l'apéritif se poursuit par un déjeuner sur le pouce, un sandwich jambon-beurre, un « plat du jour », un steak frites ou une douzaine d'huîtres. Petit à petit, les parasols sont repliés, les étals démontés, les rues balayées et, vers 14 heures, comme par magie, le décor bigarré s'est évanoui et avec lui la belle cohue qui envahissait les rues.

Provence

Poivrons grillés

*Les poivrons donnent de belles touches
de couleurs aux marchés de Provence. Verts,
jaunes, orange ou rouges, ils offrent au regard
des formes rebondies, carrées ou longues.
leur brillance est un signe de fraîcheur.
Les poivrons sont les rois de la cuisine
méditerranéenne : ils se déclinent en ratatouille,
en gaspacho, en piperade ou tout simplement,
marinés ou grillés, comme le propose la recette
ci-dessous. Cette préparation m'a été inspirée
par une voisine âgée, Mémé d'origine italienne,
qui excelle dans l'art de les cuisiner avec
de l'huile d'olive, du thym et de l'ail.
Lors d'un dîner chez sa fille, Mémé proposa
à mon mari de goûter un mets spécial, qu'elle avait
préparé elle-même. Elle revint portant un saladier
de poivrons rouges grillés macérant dans de l'huile
d'olive avec de l'ail et du thym. Elle déposa
le saladier cérémonieusement devant mon mari.
Ses poivrons étaient une pure merveille, cela fait
pourtant partie des grands classiques de la cuisine
provençale, mais ceux de Mémé nous régalèrent.*

5 poivrons rouges charnus

2 gousses d'ail coupées en deux

4 branches de thym frais

1 pincée de sel

1 pincée de poivre fraîchement moulu

4 cuillerées à soupe d'huile d'olive

♛ Allumez le gril d'un four ou d'une rôtissoire.
Disposez les poivrons sur un plat et placez-le sous le
gril jusqu'à ce que la peau noircisse et cloque de toutes
parts. Retirez-les du gril, couvrez-les d'une feuille de
papier aluminium, laissez refroidir pendant 10 minutes
puis ôtez leur peau. Détachez la queue, incisez les
poivrons dans le sens de la longueur, épépinez-les, videz-
les et coupez-les en quatre dans le sens de la longueur.

♛ Disposez-les dans un saladier et ajoutez l'ail, le thym,
le sel et le poivre. Versez un filet d'huile d'olive et remuez
pour en enrober uniformément les poivrons.

♛ Servez chaud ou à température ambiante. Les
poivrons se garderont couverts dans le réfrigérateur
pendant plus d'une semaine. Vous les laisserez alors
prendre la température de la pièce avant de servir.

Pour 4 personnes

Provence

Brocolis à l'ail

*Je n'avais jamais goûté de brocolis cuits de cette façon
jusqu'à ce que j'aille dîner un soir d'automne,
en Provence, chez mes voisins, tous deux d'origine
italienne. Pour commencer, Françoise apporta à table
un grand saladier de brocolis qu'elle avait cueillis
l'après-midi même dans leur potager. Ils avaient été cuits
au point d'être juste attendris et légèrement décolorés.
Elle épluha plusieurs gousses d'ail, qu'elle râpa dessus,
puis les arrosa d'huile d'olive. Ce fut simplement
sublime. Depuis j'ai réalisé ce plat bien des fois, le
proposant soit en entrée, soit en accompagnement.*

750 g de brocolis

75 cl d'eau

1 cuillerée à café de sel

4 cuillerées à soupe d'huile d'olive

6 gousses d'ail

poivre du moulin

♛ Coupez et jetez les extrémités des tiges de brocolis.
Détaillez chaque brocoli en coupant bouquets et tiges
dans le sens de la longueur en trois ou quatre.

♛ Dans une casserole, versez les 75 cl d'eau, ajoutez les
brocolis, 1 cuillerée à café de sel et portez à ébullition.
Couvrez, baissez le feu et laissez cuire de 15 à 20 minutes,
jusqu'à ce que les brocolis aient perdu leur couleur vert
vif et soient devenus tendres.

♛ Égouttez-les et dressez dans un plat chaud. Arrosez-
les d'huile d'olive et râpez environ la moitié de l'ail.
Servez immédiatement, sans oublier de mettre la râpe,
le reste d'ail, le sel et le poivre sur la table.

Pour 4 personnes

*Le potager calqué
sur le rythme des saisons
garantit des légumes frais
tout au long de l'année.*

Provence

Salade de tomates

*En été, en Provence, ce serait bien le diable
si l'on ne servait pas une salade de tomates au moins
à un repas sinon aux deux. Elles sont coupées
en rondelles ou en quartiers, selon l'humeur
de la cuisinière. Des anchois, des poivrons verts,
du fromage de chèvre frais ou sec, des oignons,
des concombres ou des olives peuvent l'enrichir.
Elle peut être servie en entrée ou en accompagnement
d'un plat de poisson grillé ou de côtelettes.*

6 tomates mûres, coupées en fines rondelles

2 cuillerées à soupe d'oignon rouge haché

½ cuillerée à café de sel

½ cuillerée à café de poivre fraîchement moulu

1 cuillerée à soupe de basilic frais ciselé

3 cuillerées à soupe d'huile d'olive

1 cuillerée à soupe de vinaigre

♛ Disposez les rondelles de tomates sur un plat.
Saupoudrez de sel et de poivre, éparpillez l'oignon rouge
et le basilic. Arrosez d'huile d'olive et de vinaigre. Servez
immédiatement.

Pour 4 à 6 personnes

Pays de la Loire

Concombres à l'aneth

*Même si l'aneth est une plante aromatique
originaire du nord de l'Europe, elle n'en est
pas moins couramment utilisée en France,
au nord comme au sud de la Loire. Le concombre,
lui, n'est cultivé dans les jardins français que
depuis le XIVe siècle, alors qu'il jouissait déjà
d'une grande popularité du temps des Romains.*

*C'est une délicieuse préparation, qui accompagnera
parfaitement toutes sortes de poissons,
soit servie à part, soit disposée en lit sur lequel
le poisson sera déposé. Les concombres
ramollissent et absorbent un peu de bouillon
en cuisant, tandis que l'aneth relève leur
saveur ainsi que celle du poisson.*

2 concombres

1 noix de beurre

1 pincée de sel

1 pincée de poivre fraîchement moulu

4 cuillerées à soupe de bouillon de poulet

2 cuillerées à soupe d'aneth frais ciselé

♛ Pelez les concombres, puis divisez-les en deux
tronçons. Coupez-les ensuite dans le sens de la longueur
et ôtez les graines à l'aide d'une cuillère. Détaillez en
tranches de 5 mm d'épaisseur.

♛ Dans une poêle, laissez fondre le beurre à feu moyen.
Quand il commence à mousser, ajoutez les concombres,
le sel, le poivre et faites revenir pendant 1 minute. Versez
le bouillon et poursuivez la cuisson 2 à 3 minutes, jusqu'à
ce que les concombres deviennent mous et translucides.
Parsemez l'aneth, mélangez puis retirez du feu.

♛ Dressez sur un plat chaud et servez immédiatement.

Pour 4 personnes

Alsace et Lorraine

Carottes à l'aneth

Rien n'accompagne mieux le ragoût de veau ou de bœuf que des carottes braisées, car leur saveur sucrée apporte à l'ensemble un équilibre parfaitement harmonieux. Elles constituent également un excellent accompagnement pour d'autres plats de viande ou de poisson. Diverses herbes aromatiques peuvent remplacer l'aneth, comme le thym, le romarin ou la sauge, mais en plus petites quantités.

La carotte sauvage est connue depuis des siècles en France, mais elle était à l'origine employée comme plante médicinale. Ce n'est qu'au XVIIIᵉ siècle, quand la maison Vilmorin-Andrieux entreprit la sélection et le croisement des carottes pour obtenir un légume à cultiver dans les jardins, que la carotte sauvage est devenue cette racine charnue et orangée que nous dégustons aujourd'hui.

Les carottes, crues comme cuites, se révèlent exquises cuisinées en toute simplicité avec des herbes.

6 carottes, coupées en rondelles de 5 mm

50 cl d'eau

12 cl de bouillon de poulet

1 cuillerée à café de sel

25 g de beurre

½ cuillerée à café de poivre fraîchement moulu

3 cuillerées à soupe d'aneth frais ciselé

♛ Dans une casserole remplie d'eau, versez les carottes, le bouillon et ½ cuillerée à café de sel. (Si vous utilisez un bouillon salé, diminuez le sel.) Portez à ébullition, puis baissez le feu et laissez frémir environ 10 minutes, jusqu'à ce que les carottes s'attendrissent. Versez dans une passoire et égouttez bien.

♛ Remettez-les dans la casserole avec le beurre, le reste de sel et de poivre. Couvrez et laissez cuire à feu doux environ 5 minutes, jusqu'à ce que le beurre soit presque absorbé.

♛ Dressez dans un plat chaud, éparpillez l'aneth, remuez pour mélanger et servez immédiatement.

Pour 4 personnes

Champignons sauvages grillés à l'ail et au persil

En France, la cueillette des champignons relève souvent d'une passion, transmise de génération en génération. En automne, quand les champignons sortent après les premières pluies, ils apparaissent au menu sous toutes les formes possibles : en omelette, dans les sauces des ragoûts, farcis en entrée, sautés en accompagnement ou simplement grillés. C'est d'ailleurs ainsi que je les préfère. Surtout les sanguins, ou lactaires délicieux, à la texture ferme, au chapeau concave et à la chair légèrement orangée.

16 champignons frais tels que cèpes, chanterelles ou sanguins (lactaires délicieux)

3 cuillerées à soupe d'huile d'olive, et un peu plus pour arroser

½ cuillerée à café de sel

½ cuillerée à café de poivre fraîchement moulu

4 gousses d'ail écrasées

10 g de persil plat ciselé

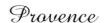 Préparez un feu de charbon de bois ou allumez le gril d'un four ou d'une rôtissoire. Coupez l'extrémité du pied des champignons et nettoyez-les avec une brosse dure. Déposez les champignons dans un saladier avec l'huile, le sel, le poivre, la moitié de l'ail et la moitié du persil. Retournez-les pour bien les enrober de ce mélange. Mélangez le reste d'ail et de persil et réservez.

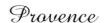 Quand les charbons de bois sont en braises, huilez la grille, ou si les champignons sont petits, enserrez-les dans un gril double qui ferme et se retourne. Placez-les, queues en dessous, sur la grille ou dans le gril double. Laissez griller de 3 à 4 minutes, afin qu'ils dorent légèrement sur le premier côté. Retournez, parsemez d'ail et de persil et arrosez d'un peu d'huile. Faites-les dorer de 3 à 4 minutes. Si vous utilisez le gril d'un four ou d'une rôtissoire, cuisez les champignons queues en dessous, dans un plat à environ 8 cm de la source de chaleur comme pour une cuisson au barbecue.

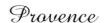 Dressez sur un plat chaud et servez aussitôt.

Pour 3 ou 4 personnes

Le potager

Ces jardins cultivés tout au long de l'année fournissent, à l'instar des marchés en plein air, les légumes frais et les plantes aromatiques qui constituent la base de la cuisine familiale française. Pommes de terre tout juste sorties de terre, haricots vert tendre, aubergines fermes et lustrées, pommes de chou-fleur blanches et croquantes, fines tiges d'asperges à la teinte bronze, opulents navets aux couleurs cardinales passent du potager à la table en un rien de temps.

Les jardins sont souvent modestes. Le jardinier cherche avant tout à pourvoir aux besoins de sa maisonnée, et il y parvient aisément. Les potagers tiennent une place importante dans la vie française et sont le plus souvent mentionnés dans les actes notariés.

Ainsi dans le mien, figure « un jardin potager avec droit à un puits d'une superficie de 96 centiares ». Jusqu'au milieu du XXᵉ siècle, avoir un potager, garant de légumes frais tout au long de l'année, était considéré comme indispensable. Et heureusement, la tradition perdure !

Terrine de légumes au coulis de framboises

Cette terrine constitue une élégante entrée ou un plat principal léger. La saveur distincte de chaque légume est préservée, tandis que la superposition de couches colorées forme un ensemble harmonieux. La sauce aux framboises, légèrement aigrelette, fait ressortir la saveur sucrée des légumes. On peut réaliser la même recette avec des épinards, des asperges ou d'autres légumes encore. Le porto peut fort bien remplacer le vin doux.

500 g de céleri rave, épluché et détaillé en rondelles d'1 cm

500 g de jeunes carottes, pelées et coupées en quatre dans le sens de la longueur

500 g de petits pois écossés

1 œuf entier, plus 2 jaunes

25 cl de crème épaisse

60 g de beurre

COULIS DE FRAMBOISES

60 g de framboises fraîches

2 cuillerées à soupe de sucre

12 cl de vin doux tel que banyuls ou beaumes-de-venise

5 cuillerées à soupe de vinaigre de framboise

꽃 Remplissez d'eau aux trois quarts une casserole et portez à ébullition à feu vif. Ajoutez le céleri rave, réduisez le feu et laissez frémir environ 15 minutes, jusqu'à ce qu'il soit tendre quand on le pique avec une fourchette. Égouttez bien et réservez.

꽃 Dans une autre casserole d'eau bouillante remplie aux trois quarts, versez les carottes et laissez-les s'attendrir entre 5 et 7 minutes. Égouttez et réservez.

꽃 Dans une troisième casserole, répétez la même opération avec les petits pois. Égouttez et réservez.

꽃 Réduisez en purée chacun de ces légumes avec un mixer, sans oublier de rincer votre appareil après chaque usage. Versez les purées dans des saladiers différents.

Dans un autre saladier, battez ensemble l'œuf entier, les deux jaunes et la crème jusqu'à ce que le mélange soit homogène. Incorporez 4 cuillerées à soupe de cette préparation dans chaque purée. Mélangez soigneusement.

Préchauffez le four à 180 °C/th. 6. Avec le beurre, graissez deux terrines de 15 cm x 8 cm (ou utilisez des moules à cake de même dimension).

Remplissez une poche à douille de purée de carottes et étalez une couche de carotte dans chaque terrine, environ au tiers. Après avoir nettoyé la poche à douille, étalez une deuxième couche avec la purée de pois, sur un deuxième tiers de chaque récipient. Terminez avec une couche de purée de céleri de même épaisseur.

Placez les terrines dans une cocotte allant au four et munie d'un couvercle hermétique. Versez délicatement de l'eau dans cette cocotte jusqu'à 1 cm du haut des terrines. Sortez celles-ci et portez l'eau à ébullition. Retirez la cocotte du feu, remettez les terrines à l'intérieur et couvrez.

Laissez au four de 50 à 60 minutes, jusqu'à ce que la préparation soit ferme au toucher. Retirez les terrines de la cocotte et laissez reposer de 10 à 15 minutes.

Pendant ce temps, préparez le coulis de framboises : dans une casserole, à feu moyen, mélangez les framboises, le sucre, le vin doux et le vinaigre. Laissez cuire de 4 à 5 minutes en remuant jusqu'à ce que le sucre soit complètement dissous. Retirez du feu et passez au tamis fin au-dessus d'un saladier, en pressant avec le dos d'une cuillère.

Pour démouler, posez un plat de service à l'envers sur le dessus de la terrine. Maintenez le plat et la terrine fermement assemblés, puis retournez le tout afin que le plat se trouve en dessous. Secouez la terrine, puis soulevez-la. Répétez l'opération avec l'autre terrine.

Au moment de servir, versez du coulis de framboises autour de chaque part de terrine.

Pour 2 à 4 personnes

Centre

Galettes de potiron

*Il existe deux grandes variétés de potiron français.
Dans le Nord, on cultive le rouge d'Étampes,
un beau potiron aplati, rouge vif et à chair épaisse,
tandis que dans le Sud domine la courge musquée
de Provence, une énorme cucurbitacée profondément
lobée, de couleur chamois, à la chair fine
et dense et à la peau très dure.*

*Sur les marchés, la courge musquée est vendue
en tranches. Utilisez ici un potiron à gratin
ou de la courge de la variété Hubbard.
Servez ces galettes avec de la viande grillée,
de dinde ou de porc, par exemple.*

500 g de potiron (voir ci-dessus)

2 à 3 cuillerées à soupe d'huile à friture légère

2 oignons jaunes hachés

100 g de farine

2 œufs

4 cuillerées à soupe de crème fraîche

½ cuillerée à café de sel

½ cuillerée à café de poivre fraîchement moulu

1 cuillerée à café de thym frais

30 g de beurre

Raclez l'intérieur du potiron pour en retirer les graines et les parties fibreuses, puis ôtez la peau. Râpez grossièrement la chair. Réservez. Versez 1 cuillerée à soupe d'huile dans une poêle. Ajoutez les oignons et faites revenir 2 à 3 minutes, jusqu'à ce qu'ils soient translucides. Réservez.

Battez ensemble dans un saladier, la farine, les œufs, la crème fraîche, le sel, le poivre et le thym. Ajoutez le potiron râpé et les oignons. Mélangez bien.

Versez le beurre et 1 cuillerée d'huile dans une poêle. Quand le mélange mousse, déposez 1 bonne cuillerée à soupe de préparation au potiron dans la poêle pour chaque galette. Formez ainsi quatre tas espacés de 5 cm. Aplatissez et lissez chacun d'eux pour en faire une galette de 5 mm d'épaisseur. Faites cuire, en les retournant une fois, jusqu'à ce qu'elles soient dorées des deux côtés, soit environ huit minutes. Dressez ces galettes dans un plat que vous maintiendrez au chaud. Répétez l'opération en ajoutant si nécessaire de l'huile dans la poêle. Quand les galettes sont prêtes, servez-les immédiatement.

Pour 4 personnes

Champagne et Nord

Beignets de salsifis

*Le salsifis fait partie de ces légumes anciens quelque
peu oubliés mais qui retrouvent aujourd'hui un regain
de faveur. C'est une racine résistante au froid,
particulièrement populaire dans le Nord, où les hivers
sont parfois rudes. Durant la Seconde Guerre mondiale,
il constitua, avec le topinambour, la base de l'alimentation
pour de nombreuses familles. Aussi, associé à une période
de pénurie et de temps difficiles, lui fit-on pendant
des décennies un bien mauvais accueil. Désormais,
sa saveur délicate et sa fine texture ayant été
redécouvertes, il retrouve peu à peu sa place
sur les tables familiales et au menu des restaurants.*

1,25 l d'eau

3 cuillerées à soupe de vinaigre de cidre

5 salsifis tendres (environ 250 g au total)

Huile végétale pour friture

125 g de farine ordinaire

½ cuillerée à café de sel

25 cl d'eau glacée

Versez l'eau et le vinaigre dans une casserole sans aluminium. À l'aide d'un économe, épluchez les salsifis. Rincez-les. Coupez-les en tronçons de 5 cm que vous recouperez en quatre dans le sens de la longueur pour obtenir des bâtonnets. Jetez-les aussitôt coupés dans l'eau vinaigrée.

Si les salsifis sont très jeunes et tendres, ils peuvent dès maintenant être séchés avec du papier absorbant, trempés dans la pâte à frire et frits. S'ils sont plus vieux, faites-les d'abord précuire à demi dans l'eau vinaigrée pendant 8 à 10 minutes, puis égouttez-les et séchez-les.

Dans une friteuse ou une grande poêle, versez 5 cm d'huile et chauffez à 180 °C (jusqu'à ce qu'un peu de pâte à frire jetée dedans gonfle et grésille).

Pendant que l'huile chauffe, mélangez dans un saladier la farine et le sel, puis versez l'eau glacée et fouettez. Trempez les bâtonnets de salsifis, 4 ou 5 à la fois, dans la pâte puis jetez-les dans l'huile bouillante. Laissez-les frire 2 à 3 minutes, jusqu'à ce qu'ils soient dorés et cuits à cœur. À l'aide d'une écumoire, déposez-les sur du papier absorbant pour qu'ils s'égouttent. Disposez-les ensuite dans un plat tapissé de papier absorbant, que vous glisserez au four chaud jusqu'à ce que tous les salsifis soient frits.

Dressez alors sur un plat de service et servez.

Pour 4 à 6 personnes

Sud-Ouest

Flageolets aux herbes

*Les flageolets font partie des trésors du terroir français.
Ce sont des haricots en forme de rein, que l'on écosse
et que l'on utilise aussi bien frais que secs. Leur saveur
est légèrement sucrée, leur texture lisse et charnue.
Ils peuvent être blancs ou verts, car il en existe différentes
variétés, parmi lesquelles le fameux chevrier vert.*

*Certains affirment que le gigot d'agneau rôti perdrait
son âme sans flageolets, et je suis bien de leur avis.
Cuits avec des herbes aromatiques, ils se marient
superbement avec le gigot et son jus de cuisson.
Cependant ils peuvent tout aussi bien accompagner
d'autres plats, tels que le rôti de porc, le veau, le bœuf
ou les côtelettes d'agneau. Si vous avez la chance
de disposer de flageolets frais, cuisinez-les comme il vous
plaira, mais pensez alors à réduire le temps de cuisson,
20 minutes suffiront pour qu'ils soient bien tendres.*

500 g de flageolets secs

2,5 l d'eau

1 cuillerée à café de sel

2 feuilles de laurier sèches

4 longues branches de sarriette fraîche

1 pincée de poivre fraîchement moulu

☙ Rincez les haricots et égouttez-les. Versez-les dans une grande casserole et ajoutez l'eau et le sel. Laissez reposer pendant 5 minutes. Éliminez tous les haricots qui flottent à la surface.

☙ Ajoutez les feuilles de laurier, les branches de sarriette et portez à ébullition à feu moyen. Couvrez partiellement, réduisez le feu et laissez frémir environ 2 heures, jusqu'à ce que les flageolets soient tendres sous la dent. Jetez le laurier et la sarriette.

☙ Dressez les haricots dans un plat de service chaud, poivrez et servez immédiatement.

Pour 4 à 6 personnes

Centre

Gratin de poireaux

*Le poireau, légume de base de la cuisine française,
pousse en toutes saisons, même en plein hiver
car certaines variétés ont été sélectionnées
pour leur résistance aux basses températures.
En effet, on peut en planter en automne,
en été ou encore au printemps,
ce qui permet de les récolter
et de les savourer toute l'année.
Les poireaux sont à la base de soupes et de bouillons.
On peut les braiser pour une garniture ou les cuire
à la vapeur et les servir arrosés d'huile d'olive.
En gratins, ils constituent un substantiel
accompagnement, sinon le plat principal.*

*Ce gratin de poireaux est enrichi
de fromage de chèvre et de jambon cru.
On peut également laisser les poireaux entiers
au lieu de les émincer, les cuire à la vapeur
puis les disposer dans un plat à gratin beurré avant
de les recouvrir d'une sauce béchamel ou autre.*

*Quelle que soit la recette choisie, présenter
le gratin dans des ramequins individuels apportera
une touche d'élégance à votre table.*

75 g de beurre

1 cuillerée à soupe d'huile d'olive

6 gros poireaux (le blanc et 5 cm de vert) émincés

2 cuillerées à soupe de farine

½ cuillerée à café de sel

½ cuillerée à café de poivre noir
fraîchement moulu

1 pointe de poivre de Cayenne

18 cl de lait

125 g de fromage de chèvre frais et mou

2 cuillerées à soupe de persil plat ciselé

60 g de jambon cru en fines tranches

2 à 3 cuillerées à soupe de cantal râpé

❧ Dans une grande poêle, faites fondre à feu moyen 15 g de beurre avec l'huile d'olive. Quand le mélange commence à mousser, ajoutez les poireaux et laissez revenir environ 5 minutes, jusqu'à ce qu'ils soient translucides. Retirez du feu et mettez de côté.

❧ Préchauffez un four à 190 °C/th. 6-7. Avec une noix de beurre, graissez généreusement un plat à gratin.

❧ Dans une sauteuse, faite fondre à feu moyen 30 g de beurre. Dès qu'il mousse, retirez la casserole du feu et ajoutez la farine, le sel, le poivre noir et le poivre de Cayenne, et battez au fouet pour obtenir une pâte. Remettez la poêle à feu moyen et incorporez le lait en le versant en filet continu. Réduisez et fouettez jusqu'à ce qu'il n'y ait plus de grumeaux. Faites cuire la sauce à feu doux de 12 à 15 minutes, en remuant de temps en temps, jusqu'à ce qu'elle ait suffisamment épaissi pour napper le dos d'une cuillère. Ajoutez le fromage de chèvre et maintenez la cuisson 1 à 2 minutes, jusqu'à ce qu'il soit bien incorporé.

❧ Mélangez à la sauce les poireaux, le persil et le jambon cru. Versez la préparation dans le plat à gratin beurré. Recouvrez uniformément de cantal. Coupez les 15 g de beurre restants en petits dés et parsemez-en la surface.

❧ Faites cuire de 20 à 30 minutes au four, jusqu'à ce qu'une croûte dorée se forme sur le dessus. Servez chaud directement du plat à l'assiette.

Pour 4 à 6 personnes

Languedoc

Fenouil braisé

Le fenouil est un des fleurons des légumes méditerranéens. On le cuisine dans tout le sud de la France, braisé, sauté, en gratin ou servi simplement en salade. Il dégage une agréable odeur de réglisse et offre une texture ferme et croquante quand il est cru, et tendrement fondante une fois cuit. Il est ici braisé puis gratiné pour constituer une savoureuse entrée ; ou sera servi comme plat principal.

4 bulbes de fenouil

1 cuillerée à soupe d'huile d'olive

1 gousse d'ail écrasée

3 tomates grossièrement émincées

1 cuillerée à café de thym frais

½ cuillerée à café de sel

½ cuillerée à café de poivre fraîchement moulu

30 g de chapelure grossière

15 g de beurre, coupé en dés

2 cuillerées à soupe de basilic frais ciselé

✤ Préparez les fenouils en coupant le bout des tiges, les extrémités feuillues et toutes les parties abîmées ou trop dures. Coupez les bulbes en deux dans le sens de la longueur. Puis détaillez ces moitiés, toujours dans le sens de la longueur, en bâtonnets d'1 cm d'épaisseur.

✤ Préchauffez le four à 230 °C/th. 7-8.

✤ À feu moyen, versez l'huile d'olive dans une poêle. Ajoutez l'ail et faites-le légèrement dorer, 1 à 2 minutes, puis les bâtonnets de fenouil et laissez-les cuire doucement de 10 à 12 minutes. Incorporez les tomates, le thym, le sel, le poivre et poursuivez la cuisson à découvert environ 5 minutes, jusqu'à ce que les tomates aient légèrement ramolli. Couvrez et laissez mijoter doucement 5 autres minutes. Augmentez le feu et laissez sur le feu encore 5 minutes, le temps que la sauce tomate épaississe et que le fenouil devienne bien tendre.

✤ Versez cette préparation dans un petit plat à gratin. Saupoudrez uniformément de chapelure, puis parsemez les morceaux de beurre et la moitié du basilic. Laissez au four environ 15 minutes pour faire dorer le dessus.

✤ Retirez du four, parsemez le reste du basilic et servez directement du plat à l'assiette.

Pour 4 personnes

À la recherche des légumes sauvages

La cueillette de légumes sauvages, pratiquée depuis des siècles par les habitants des campagnes, fait encore partie des traditions rurales. Parmi ces trésors culinaires, le pissenlit sauvage (ou dent-de-lion), le pourpier, les jeunes et tendres pousses de coquelicot, le fenouil et la chicorée amère. Il y a aussi la mâche sauvage (ou doucette) à servir en salade, et la bourrache et l'ortie, à consommer cuites. À la fin de l'hiver et au début du printemps, on trouve dans les vignobles des poireaux, des asperges et de l'ail sauvages. Ils se préparent de la même manière que la plupart des légumes verts : blanchis, cuits à la vapeur, sautés puis assaisonnés avec de la crème, des échalotes ou des oignons, épicés avec un peu de noix de muscade ou arrosés de jus de citron.

Le pissenlit dent-de-lion, servi en salade (même la racine peut être grattée et nettoyée), peut dérouter par son amertume, c'est pourquoi il vaut mieux le mélanger avec des feuilles de laitue (voir page 57). Ces salades « sauvages » sont traditionnellement agrémentées de noix ou noisettes grillées, de lardons et d'œufs mollets.

Le fenouil sauvage, avec ses branches et ses feuilles duveteuses, est un composant essentiel de la soupe de poisson méditerranéenne et des grillades. Sa puissante saveur de réglisse se marie bien avec celle des poissons et des fruits de mer. Les poireaux sauvages, fins comme les vrilles de la vigne, sont un véritable régal cuits à la vapeur et légèrement arrosés de vinaigrette.

Il est cependant vivement déconseillé de récolter des légumes sauvages sans être accompagné d'une personne qui les connaît parfaitement bien.

Sud-Ouest

Pommes de terre rôties aux herbes

La pomme de terre, qu'elle soit dans sa robe des champs ou dans toute autre parure, demeure l'hôtesse parfaite de tous les plats. Ici, cette manière de les préparer les rend particulièrement séduisantes dans leur robe d'herbes aux mille parfums. Si vous cultivez des plantes aromatiques dans votre jardin, n'hésitez pas à aller en cueillir quelques-unes sur-le-champ pour réaliser cette recette !

4 ou 5 pommes de terre à cuire au four (type roseval), non pelées et coupées en deux dans le sens de la longueur

3 cuillerées à soupe d'huile d'olive

8 à 10 bouquets garnis (composés de romarin, thym, sarriette d'hiver, marjolaine et sauge)

2 cuillerées à café de sel

❧ Préchauffez le four à 190 °C/th. 6.

❧ Mettez les demi-pommes de terre dans un saladier et versez dessus l'huile d'olive. Tournez bien pour les enrober d'huile. Mettez-les, faces coupées en l'air, sur une plaque de cuisson et posez un bouquet garni sur chacune, en pressant légèrement pour qu'il y adhère. Salez.

❧ Faites cuire au four environ 45 minutes, jusqu'à ce qu'une belle croûte dorée se soit formée et que les pommes de terre soient tendres en leur cœur quand on y enfonce la pointe d'un couteau. Sortez du four et disposez-les sur un plat de service. Servez chaud.

Pour 4 personnes

Les pommes de terre, que l'on déterre à la fin de l'été ou au début de l'automne, se conservent dans les caves pour être consommées jusqu'en juin ou en juillet de l'année suivante.

Sud-Ouest

Piperade

Ce plat typique du Pays basque, à base d'œufs et de poivron, peut être servi à n'importe quel moment de la journée – petit-déjeuner, déjeuner ou dîner. Un de ses principaux ingrédients est une variété locale de poivron, cultivée aux environs de la ville d'Espelette, dans les Pyrénées. Vous saurez que vous êtes à Espelette quand vous verrez sécher sur les façades des maisons, suspendus par des cordes, des chapelets de piments rouges. Ces fameux piments d'Espelette sont de forme oblongue, longs d'environ 8 cm. Lorsqu'ils sont secs, ils sont grillés puis moulus. C'est avec cette poudre pimentée que l'on frotte les jambons et que l'on assaisonne de nombreux plats, parmi lesquels le fameux poulet à la basquaise et la piperade.

2 cuillerées à soupe d'huile d'olive

1 gros oignon jaune haché

1 ½ poivron vert, épépiné et coupé dans le sens de la longueur en languettes de 5 mm

1 ½ poivron rouge épépiné et détaillé en dés

6 tomates pelées, épépinées et grossièrement émincées

1 gousse d'ail écrasée

½ cuillerée à café de sucre

1 pincée de sel

1 pincée de poivre noir fraîchement moulu

5 œufs, légèrement battus

½ cuillerée à café de piment d'Espelette moulu (ou à défaut, 1 pincée de poivre de Cayenne)

❧ Chauffez l'huile dans une poêle, à feu moyen. Ajoutez l'oignon et faites-le revenir 2 à 3 minutes, jusqu'à ce qu'il devienne transparent. Ajoutez les poivrons et faites-les revenir 3 à 4 minutes, jusqu'à ce qu'ils s'attendrissent. Couvrez et poursuivez la cuisson de 3 à 4 minutes, jusqu'à ce qu'ils soient mous. Ajoutez les tomates, l'ail, le sucre, le sel et le poivre. Mélangez puis couvrez, réduisez le feu et laissez cuire et épaissir légèrement pendant 20 à 25 minutes.

❧ À l'aide d'une fourchette, battez les œufs avec le piment rouge moulu, puis incorporez-les dans la préparation aux poivrons. Continuez à battre encore 2 à 3 minutes, afin que les œufs commencent à prendre consistance.

❧ Déposez sur un plat chaud ou servez aussitôt.

Pour 4 personnes

Pays de la Loire
Échalotes caramélisées

*Dans la vallée de la Loire, aux alentours d'Angers,
s'étendent d'immenses champs où l'on cultive les
échalotes. Celles-ci germent sous des films de plastique
noir qui réchauffent le sol au début du printemps. Après
la récolte, en été, les échalotes sont conservées dans des
hangars bien ventilés, puis expédiées dans le monde entier
durant les douze mois suivants. Les échalotes ont
naturellement un goût sucré, aussi sont-elles
particulièrement adaptées aux plats braisés, aux viandes
rôties, aux volailles et aux gratins de légumes.*

100 g de beurre

500 g de grosses échalotes épluchées

1 cuillerée à soupe de thym frais

½ cuillerée à café de sel

½ cuillerée à café de poivre fraîchement moulu

1 ½ cuillerée à soupe de sucre

*4 cuillerées à soupe de vin rouge sec tel qu'anjou,
gamay ou saumur*

♛ Préchauffez le four à 180 °C/th. 6. Avec 10 g de beurre, graissez quatre ramequins.

♛ Dans une poêle assez grande pour contenir toutes les échalotes en une seule couche, laissez fondre les 90 g de beurre restants à feu moyen. Ajoutez les échalotes, réduisez le feu, et faites revenir environ 5 minutes, jusqu'à ce qu'elles commencent à dorer. Posez un couvercle bien hermétique sur la poêle et poursuivez la cuisson encore 3 ou 4 minutes, en remuant de temps en temps. Ajoutez le thym, le sel et le poivre, recouvrez et laissez les échalotes brunir 3 à 4 minutes. Jetez une partie du beurre en conservant la valeur de 2 cuillerées à soupe. Saupoudrez de sucre, afin que les échalotes caramélisent, comptez 3 à 4 minutes le temps que la sauce épaississe et prenne la consistance d'un sirop. Ajoutez le vin, augmentez le feu et déglacez de 1 à 2 minutes, en raclant bien pour décoller tous les sucs. Répartissez les échalotes et le sirop dans les ramequins, que vous disposerez sur une plaque de cuisson.

♛ Laissez-les au four environ 15 minutes, jusqu'à ce que le dessus soit doré et les échalotes moelleuses. Une fois sortis, laissez-les refroidir environ 5 minutes avant de servir.

Pour 4 personnes

Pays de la Loire

Épinards à la crème et aux œufs durs

Au printemps et en automne, les étals des marchés regorgent de pyramides d'épinards. Il faut dire que ce légume contient tant d'eau qu'une livre de branches fraîches se trouve réduite après cuisson à une ou deux poignées, une véritable peau de chagrin pour les amateurs d'épinards !

8 l d'eau

1 cuillerée à soupe de gros sel

2 kg d'épinards équeutés

45 g de beurre

1 échalote émincée

½ cuillerée à café de sel

½ cuillerée à café de poivre fraîchement moulu

25 cl de crème épaisse

6 œufs durs, écalés et coupés en deux dans la longueur

Versez les 8 l d'eau dans un grand faitout et portez à ébullition à feu vif. Ajoutez le gros sel et les épinards, en les immergeant bien à l'aide d'une cuillère. Quand l'eau recommence à bouillir, laissez cuire à peine 2 minutes les épinards, quasiment *al dente*. Versez-les dans une passoire, puis rincez à l'eau froide pour stopper la cuisson. Pressez-les entre vos mains pour en exprimer l'eau. Hachez-les grossièrement et réservez.

Laissez fondre à feu moyen 30 g de beurre. Dès qu'il mousse, ajoutez-y l'échalote émincée et faites-la revenir 1 à 2 minutes, le temps qu'elle devienne translucide. Ajoutez les épinards et laissez-les cuire en remuant environ 5 minutes, afin qu'ils perdent toute leur eau. Baissez le feu, ajoutez le sel et le poivre, puis mélangez avec la moitié de la crème. Laissez mijoter 10 à 15 minutes en incorporant progressivement la crème restante, jusqu'à ce que la préparation épaississe. Ajoutez les 15 g de beurre restants.

Pour servir, dressez les épinards dans un plat creux chaud et disposez les moitiés d'œufs durs au milieu. Servez aussitôt.

Pour 6 personnes

Un zeste de fromage

Quelques grammes de fromage suffisent à modifier sensiblement le goût d'un plat. La formidable palette de saveurs et de textures que déploie la myriade de fromages français – près de 400 variétés recensées – est une formidable source d'inspiration pour les cuisiniers qui jonglent entre les fromages régionaux. Le même gratin de légumes prendra une toute autre saveur selon qu'on le saupoudre de bleu d'Auvergne, de tomme de Savoie ou d'ossau-iraty.

Le fromage de chèvre, particulièrement apprécié en France, est parfait pour la cuisine car il supporte la chaleur sans se déliter, contrairement à de nombreux fromages au lait de vache. Frais, il fond en bouche et la liaison crémeuse qu'il permet est précieuse pour préparer une farce, lier une sauce ou couronner un gratin. Les fromages secs sont le plus souvent râpés et ajoutés en fin de cuisson.

Sud-Ouest

Cèpes farcis

Les cèpes, bolets comestibles à la texture ferme et à la saveur intense, sont les rois des champignons. À l'automne, les amateurs, friands de leur chair parfumée, les ramassent depuis les forêts de Dordogne jusqu'à celles des Alpes-de-Haute-Provence. Les bonnes années, une seule personne peut en remplir une bonne dizaine de paniers.

Les cèpes sont souvent servis farcis en plat principal ou en accompagnement d'un plat de canard, de veau ou de porc rôti. D'autres champignons peuvent être farcis, mais aucun d'eux ne remplacera jamais la saveur unique des cèpes.

8 cèpes frais (environ 500 g au total) soigneusement brossés

90 g de fines tranches de jambon cru ou de prosciutto

60 g de roulade, de pancetta ou de lard fumé, en fines lanières

1 œuf légèrement battu

30 g de fromage de chèvre frais

1 gousse d'ail écrasée

1 échalote émincée

2 cuillerées à soupe de persil plat ciselé

1 cuillerée à café de thym frais

½ cuillerée à café de poivre fraîchement moulu

2 cuillerées à soupe d'huile d'olive

❧ Préchauffez le four à 200 °C/th. 7.

❧ Retirez les pieds des champignons, émincez-les puis mélangez-les dans un saladier avec le jambon cru, la roulade, l'œuf, le fromage de chèvre, l'ail, l'échalote, le persil, le thym et le poivre. Malaxez bien pour obtenir une pâte homogène.

❧ Badigeonnez les champignons d'huile d'olive, après en avoir réservé la valeur d'1 cuillerée à café. Farcissez les champignons avec la préparation précédente en la faisant déborder. Déposez-les dans un plat de cuisson assez grand pour les loger sans qu'ils soient serrés. Arrosez-les uniformément avec le reste d'huile d'olive. Laissez au four 20 à 25 minutes, jusqu'à ce que le fromage ait fondu, que la farce soit légèrement dorée et que les chapeaux des champignons cèdent sous la pointe d'un couteau.

❧ Dressez sur un plat chaud et servez.

Pour 4 personnes

Pays de la Loire

Cœurs de céleri braisés

Une cuisson longue et lente dans du bouillon de poulet donne aux cœurs de céleri une texture veloutée et une saveur à la fois plus intense et plus douce. Ils ont longtemps été une spécialité du nord et du centre de la France, et fréquemment mis à l'honneur dans les restaurants parisiens traditionnels. Ils constituent un excellent accompagnement pour toutes les viandes rôties.

4 pieds de céleri-branche

30 g de beurre

2 cuillerées à soupe d'huile d'olive

1 feuille de laurier

½ cuillerée à café de poivre fraîchement moulu

1 pincée de sel

25 cl de bouillon de poulet

♛ Retirez les tiges extérieures de chaque pied de céleri (réservez-les pour un autre usage ou jetez-les), pour garder seulement les branches tendres du cœur. Ôtez les grosses côtes dures restantes, éliminez les filandres, mais gardez la base du cœur intacte. Coupez en quatre chaque cœur de céleri dans le sens de la longueur.

♛ Dans une grande poêle, faites fondre à feu doux le beurre avec l'huile d'olive. Quand le mélange commence à mousser, ajoutez les quartiers de céleri, en les disposant en une seule couche et en alternant la base avec l'extrémité pour mieux les assembler. Pendant les 2 ou 3 minutes de cuisson, tournez-les une fois pour qu'ils suent et ramollissent. Baissez le feu et ajoutez la feuille de laurier, le poivre et le sel. Couvrez bien et laissez mijoter environ 10 minutes, jusqu'à ce que le céleri commence à dorer légèrement. Découvrez, arrosez de bouillon, recouvrez et poursuivez la cuisson encore une dizaine de minutes, jusqu'à ce que le céleri soit tendre et se coupe facilement avec une fourchette.

♛ Servez dans un plat chaud avec un peu de bouillon de cuisson.

Pour 4 personnes

Champagne et Nord

Salsifis à la crème

Il existe deux types de salsifis : le salsifis vrai, blanc et conique, et le salsifis noir (ou scorsonère), de forme cylindrique. Tous deux sont des racines à pousse lente et résistantes au froid, que l'on plante en été pour les récolter en hiver ou au printemps suivant.

Le salsifis vrai, surnommé « asperge du pauvre », se prête mieux à une préparation à la crème, car son goût subtil tend à être masqué par certains condiments appréciés dans le Sud, comme l'ail ou l'huile d'olive.

2 cuillerées à soupe de vinaigre de cidre, de vin blanc ou de jus de citron frais

10 salsifis (environ 500 g au total)

1 cuillerée à café de sel

45 g de beurre

3 cuillerées à soupe de crème épaisse

1 cuillerée à café de jus de citron frais

1 cuillerée à café de persil plat ciselé

1 pincée de noix de muscade râpée

♛ Remplissez d'eau aux trois quarts un grand saladier et versez-y le vinaigre ou le jus de citron. À l'aide d'un économe, pelez les salsifis. Rincez-les et détaillez-les en tronçons de 5 cm. Recoupez en quatre ces tronçons dans le sens de la longueur pour obtenir des bâtonnets. Plongez-les aussitôt dans le saladier rempli d'eau pour éviter qu'ils ne s'oxydent.

♛ Remplissez une grande casserole aux trois quarts d'eau et ajoutez le sel dès qu'elle bout. Avec une écumoire, sortez les salsifis du saladier et plongez-les dans l'eau bouillante. Réduisez le feu et laissez cuire 20 à 30 minutes, jusqu'à ce qu'ils soient tendres. Plus les salsifis sont jeunes, plus la cuisson sera brève. Égouttez-les bien.

♛ Dans une poêle, laissez fondre le beurre à feu moyen. Dès qu'il mousse, versez les salsifis et laissez-les dorer 3 ou 4 minutes en remuant de temps en temps. Ajoutez la crème, le jus de citron, le persil et la noix de muscade. Prolongez la cuisson encore 1 minute en remuant pour bien enrober les salsifis de crème.

♛ Dressez sur un plat chaud et servez.

Pour 4 personnes

Centre

Lentilles aux carottes et au céleri-rave

*Le Puy-en-Velay est célèbre pour ses petites lentilles,
appelées lentilles vertes du Puy.
De couleur vert foncé, celles-ci se tiennent mieux
à la cuisson que les communes lentilles blondes,
et elles révèlent une saveur incomparable.
Elles sont ici assaisonnées avec de la roulade,
un lard salé, épicé et fumé, semblable
à la pancetta italienne.*

*60 g de roulade (ou de pancetta) coupée en fines
lanières de 3 cm de long sur 5 mm de large*

1 cuillerée à soupe d'huile d'olive

1 oignon jaune haché

2 gousses d'ail écrasées

3 petites carottes, pelées et détaillées en dés

½ céleri-rave, pelé et coupé en dés

500 g de petites lentilles vertes, triées et rincées

2 l d'eau

1 cuillerée à café de sel

2 feuilles de laurier fraîches ou 1 sèche

1 ½ cuillerée à café de poivre fraîchement moulu

1 cuillerée à soupe de thym frais

❦ Dans une grande casserole ou un faitout, laissez chauffer à feu moyen les morceaux de roulade jusqu'à ce que le gras commence à fondre. Ajoutez l'huile d'olive, l'oignon et l'ail puis maintenez la cuisson 3 ou 4 minutes. Ajoutez les carottes et le céleri, faites-les ramollir 1 à 2 minutes puis incorporez les lentilles. Ajoutez l'eau, le sel, les feuilles de laurier, augmentez le feu et portez à ébullition. Puis baissez, couvrez et laissez frémir environ 30 minutes, jusqu'à ce que les lentilles soient tendres tout en gardant leur forme. Au besoin, poursuivez la cuisson à découvert.

❦ Ajoutez le poivre et le thym, jetez les feuilles de laurier. Goûtez et corrigez l'assaisonnement. Servez.

Pour 4 à 6 personnes

Champagne et Nord
Gratin d'endives

L'endive a été découverte en Belgique vers 1850. Son origine se prête à bien des légendes, mais toutes s'accordent à dire qu'elle est née d'un accident. À l'automne, un fermier qui par inadvertance avait mis quelques racines de chicorée dans son tas de compost découvrit, quelques semaines plus tard, qu'elles avaient produit des racines tendres et blanchâtres, de saveur légèrement amère.

Belle aubaine que celle de pouvoir disposer d'un légume frais et feuillu en hiver, alors qu'ils sont si rares en cette saison. Aussi cette nouvelle variété se répandit très vite.

Aujourd'hui, les endives sont cultivées à grande échelle de façon hydroponique, c'est-à-dire non plus dans la terre mais dans de l'eau enrichie par des substances nutritives.

Elles figurent parmi les légumes les plus populaires dans le nord de la France, le Pas-de-Calais et les Flandres, où des douzaines de recettes ont été inventées : en salade, braisées, en gratin, grillées...

8 endives

50 g de beurre

3 cuillerées à soupe de farine

½ cuillerée à café de sel

1 pincée de noix de muscade

1 petite pincée de poivre de Cayenne

25 cl de lait

30 g de parmesan râpé

125 g de jambon cru ou de prosciutto coupé en fines tranches

2 cuillerées à soupe de copeaux d'emmenthal ou de comté

1 ½ cuillerée à café de poivre fraîchement moulu

♛ Préchauffez le four à 190 °C/th. 6.

♛ À l'aide d'un petit couteau pointu, ôtez sur chaque endive la base blanche conique où se concentre l'amertume. Réservez les endives ainsi préparées.

♛ Dans une casserole, faites fondre 30 g de beurre à feu doux. Quand il commence à mousser, retirez la casserole du feu et incorporez en fouettant la farine, le sel, la noix de muscade et le poivre de Cayenne jusqu'à ce que le mélange prenne la consistance d'une pâte. Remettez la casserole sur le feu et introduisez progressivement le lait, que vous verserez en filet continu sans cesser de fouetter. Réduisez le feu et continuez à tourner jusqu'à ce qu'il n'y ait plus de grumeaux. Laissez la sauce cuire à petit feu environ 15 minutes, en remuant de temps en temps, jusqu'à ce qu'elle ait suffisamment épaissi pour napper le dos d'une cuillère. Ajoutez le parmesan et poursuivez la cuisson 2 à 3 minutes de plus, le temps que le fromage fonde dans la sauce. Retirez la casserole du feu.

♛ Avec 15 g de beurre, graissez le fond et les côtés d'un plat à gratin assez grand pour contenir facilement les endives. Rangez-les dans le plat et recouvrez-les de tranches de jambon cru. Nappez de sauce. Coupez les 10 g de beurre qui restent en petits dés et parsemez-les sur le dessus, puis éparpillez uniformément les copeaux d'emmenthal ou de comté.

♛ Enfournez et laissez cuire de 25 à 30 minutes, le temps qu'une croûte légèrement dorée se forme. Vous vérifierez que les endives sont tendres en les piquant avec la pointe d'un couteau.

♛ Sortez du four et saupoudrez de poivre noir. Servez chaud directement du plat à l'assiette.

Pour 4 à 6 personnes

Alsace et Lorraine

Chou farci

*Bien que préparer, farcir et cuire un chou entier
puisse paraître de prime abord assez compliqué,
c'est en réalité très facile et le résultat est à la hauteur
de l'attente. Le chou farci est un plat typique
du nord de la France, et spécialement en Alsace,
où les choux jouent un rôle important dans
l'économie agricole régionale et figurent
dans de nombreux plats traditionnels.*

40 cl de bouillon de poulet

150 g de riz blanc long grain

1 gros chou cabus ou frisé (2,5 à 3 kg)

2 cuillerées à soupe plus 2 cuillerées à café de sel

60 g de beurre

½ oignon jaune haché

90 g de pruneaux hachés

*350 g de champignons de Paris frais, brossés
et émincés*

2 cuillerées à café de poivre fraîchement moulu

½ cuillerée à café de cumin en poudre

750 g de chair à saucisse

10 cl de crème épaisse

BOUILLON

2 à 2,5 l d'eau

4 cuillerées à soupe de vinaigre de vin blanc

1 oignon jaune coupé en quatre

6 branches d'estragon frais

6 grains de poivre

4 gousses d'ail entières

1 cuillerée à café de sel

⚜ Versez le bouillon de poulet dans une casserole et portez à ébullition à feu moyen. Ajoutez le riz, attendez que l'ébullition reprenne, couvrez et laissez cuire tout doucement une vingtaine de minutes, jusqu'à ce que le riz soit tendre et le bouillon absorbé.

⚜ Pendant ce temps, épluchez le chou en enlevant les grosses feuilles extérieures et lavez-le soigneusement. Mettez-le dans un faitout et versez de l'eau jusqu'à sa mi-hauteur. Ajoutez 2 cuillerées à soupe de sel, couvrez et portez à ébullition à feu vif. Puis laissez cuire à feu moyen à couvert 15 minutes.

⚜ Garnissez un grand saladier d'un large carré de mousseline, en laissant les coins retomber à l'extérieur. Sortez le chou de la marmite et déposez-le dans ce saladier garni de mousseline. Laissez-le refroidir 15 minutes, puis écartez délicatement les feuilles pour atteindre le cœur, qui n'est guère plus gros que le poing. À l'aide d'un couteau pointu, détachez-le en le coupant à la base, en prenant garde surtout de ne pas déchirer les feuilles écartées, et réservez-le. Dégagez bien le fond de manière à agrandir la cavité.

⚜ Hachez le cœur de chou que vous venez d'ôter. Dans une grande poêle, faites fondre le beurre à feu moyen. Quand il mousse, ajoutez l'oignon et attendez 2 à 3 minutes, le temps qu'il devienne translucide. Ajoutez le chou haché et les pruneaux, réduisez le feu, couvrez et laissez cuire de 6 à 8 minutes à feu moyen jusqu'à ce que le chou ait réduit de moitié. Ajoutez les champignons. Augmentez le feu pendant 3 à 4 minutes : les champignons doivent être ramollis mais pas en bouillie. Ajoutez les 2 cuillerées à café de sel, le poivre et le cumin et mélangez bien. Versez cette préparation dans un grand saladier.

⚜ Dans une autre poêle, à feu moyen, émiettez la chair à saucisse et remuez fréquemment pendant 6 ou 7 minutes, jusqu'à ce qu'on ne voie plus de chair rose mais sans la laisser dorer. Sortez-la de la poêle à l'aide d'une écumoire et déposez-la sur du papier absorbant pour qu'elle égoutte quelques instants, puis ajoutez-la à la préparation précédente ainsi que le riz et la crème. Malaxez et tassez le mélange pour obtenir une sorte de pâte souple.

⚜ Remplissez la cavité du chou avec cette farce, en arrondissant légèrement le dessus. Refermez le chou en commençant par les feuilles du centre. Quand la dernière feuille est repliée, rassemblez les quatre coins de la mousseline et nouez-les avec de la ficelle de cuisine afin que le chou garde sa forme pendant la cuisson.

⚜ Préparez le bouillon en ajoutant dans l'eau du faitout le vinaigre, l'oignon, l'estragon, le poivre en grains, les gousses d'ail et le sel. Plongez-y le chou enveloppé dans la mousseline. Portez à ébullition puis couvrez et laissez cuire à petits bouillons jusqu'à ce que le chou et sa farce soient bien cuits, soit plus ou moins 1 heure 30, selon la taille du chou. Sortez délicatement le chou de la marmite et déposez-le dans un saladier. Jetez le bouillon. Laissez le chou reposer 1 heure avant de le consommer.

⚜ Pour servir, posez le chou farci dans un plat creux et débarrassez-le de sa mousseline. Découpez-le en parts triangulaires. Servez à température de la pièce.

Pour 10 à 12 personnes

Bretagne

Artichauts aux crevettes

*L'artichaut de Bretagne, d'une belle forme ronde,
est parfait pour ce genre de plat.*

*Il est charnu, très goûteux et sa taille
le prédispose à être farci
de préparations diverses et variées.*

4 grosses têtes d'artichauts

1 cuillerée à café de sel

4 cuillerées à café de moutarde

1 cuillerée à café de vermouth extrasec

8 cuillerées à soupe de mayonnaise

1 cuillerée à café de romarin frais

½ cuillerée à café de sel

½ cuillerée à café de poivre fraîchement moulu

*500 g de petites crevettes cuites
et entières*

*1 ½ cuillerée à soupe de persil
plat ciselé*

꙰ Coupez la tige des artichauts au ras de la tête et retirez toutes les feuilles extérieures. Disposez les têtes dans une grande marmite et versez de l'eau sur une hauteur de 10 cm. Saupoudrez de sel et portez à ébullition à feu vif. Couvrez et laissez frémir environ 45 minutes, jusqu'à ce que la base de l'artichaut puisse être facilement percée avec une fourchette. À l'aide de 2 cuillères (à soupe), sortez-les et déposez-les dans une passoire, en les renversant pour qu'ils s'égouttent bien. Laissez refroidir.

꙰ Tranchez le premier quart supérieur des artichauts et jetez-le. Avec une cuillère, retirez les feuilles du centre et le foin pour ménager une cavité ronde. Une fois évidés, enveloppez-les dans un film plastique et laissez-les reposer au réfrigérateur pendant 2 heures.

꙰ Dans un saladier, mélangez bien la moutarde et le vermouth, puis la mayonnaise, le romarin, le sel et le poivre. Ajoutez les crevettes, sauf 12 que vous réserverez pour la décoration, et mélangez délicatement le tout. Farcissez le centre de chaque artichaut en répartissant également la préparation. Enveloppez-les de nouveau dans un film plastique et remettez-les au réfrigérateur au minimum 2 heures.

꙰ Garnissez chaque artichaut avec 3 des crevettes réservées et parsemez de persil. Servez frais.

Pour 4 personnes

Le sel marin

En France, la récolte du sel marin – extrait de l'eau de mer – est une pratique ancestrale qui se poursuit de nos jours. Le sel de Guérande, récolté dans les marais salants de Loire-Atlantique, est constitué de cristaux irréguliers d'un blanc gris et encore humides. Quelquefois appelé « sel gris » à cause de sa couleur, il a un léger goût de saumure. Le sel de mer est aussi récolté dans les marais salants de l'île de Ré et en Provence, dans ceux de Camargue et d'Aigues-Mortes.

Le nec plus ultra des sels de mer est la fleur de sel, qui se forme à la surface des marais salants seulement certains jours de temps chaud et très sec, et où le vent souffle d'une façon bien particulière. Celui qui travaille aux marais salants, le paludier, le récolte alors à l'aide d'un râteau spécial appelé « las » ou « rabale ». Les petits cristaux de fleur de sel sont très fins et d'une saveur particulièrement délicate.

LES DESSERTS

*Un dessert, c'est
aussi bien une simple
pomme croquée à table
qu'un onctueux
gâteau au chocolat.*

QUE LE REPAS soit simple ou élaboré, le dessert en est un peu le bouquet final. On ne sort pas de table sans avoir sacrifié avec bonheur à quelque douceur. Le dessert est bien souvent suivi d'un café ou, après dîner, d'une infusion de tilleul ou de verveine menthe. Parfois, on propose un fruit entre le fromage et le gâteau. Le plus souvent, on pose simplement la corbeille de fruits sur la table. Ainsi le dessert peut aller d'une simple orange à toutes sortes de pâtisseries aux fruits, à base de chocolat, d'alcool et de crèmes diverses. Le choix est vaste entre les cakes aux fruits confits, les tartes, le fromage blanc au miel, les petits gâteaux secs, les glaces et les sorbets.

Il n'est pas une ville ou un village en France qui n'offre de quoi combler la gourmandise des plus exigeants des gourmets. Des pâtisseries les plus classiques aux plus inventives, il y en a pour chaque jour et pour tous les goûts. Beaucoup de maîtresses de maison en ont oublié l'usage du rouleau à pâtisserie. À quoi bon, puisqu'il leur suffit de pousser la porte du pâtissier pour offrir à leurs convives un dessert raffiné qui ralliera les suffrages des petits et des grands ?

Il est impossible de parcourir une ville française sans être attiré par les vitrines des nombreuses pâtisseries qui rivalisent de raffinement pour séduire les passants avec des mille-feuilles prêts à fondre dans la bouche, des tartes et tartelettes aux fruits brillants de sirop, et des gâteaux au chocolat à la robe sombre et chaude, certains décorés d'une mince pellicule de chocolat, d'autres de fins copeaux. Des pâtes feuilletées si légères qu'elles en deviennent éthérées, poudrées de sucre glace, parsemées d'amandes effilées et garnies de délicieuses crèmes aromatisées au café, au chocolat, à la vanille ou au praliné. Plus modestes et impassibles, les flans, coupés en carrés, en rectangles ou en triangles, laissent entrevoir pruneaux ou raisins. Un grand choix de gâteaux secs vous est également offert, les plus petits vendus au poids, les autres à la pièce.

Souvent boulangerie et pâtisserie ne font qu'un, notamment dans les villages. Au fond de la boutique s'alignent les pains tandis que les gâteaux s'exposent juste sous le nez des petits gourmands, à l'abri d'une vitrine. Le samedi et le dimanche matin, les hôtes qui reçoivent des invités à déjeuner ou à dîner ou ceux qui sont invités chez des parents ou des amis se rendent de bonne heure à la pâtisserie pour être sûrs d'avoir le choix s'ils n'ont pas pris la précaution

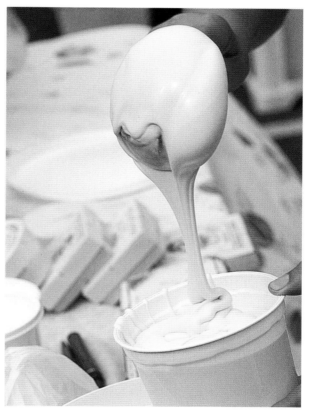

Double page précédente : Presque trop beaux pour être mangés, framboises, groseilles et cassis sont pourtant consommables à merci : en sorbets, en tartes, en liqueurs, en confitures et, bien sûr, nature. **Page de gauche** : À quoi rêvent les petits garçons... ? Ci-dessus, en haut : Une rangée de cyprès dresse sa masse sombre à flanc de colline, dans le Lubéron. **Ci-dessus** : Les vaches normandes sont des laitières réputées, et leur lait se retrouve dans la riche cuisine locale sous forme de beurre et de crème fraîche.

Ci-dessus : La madeleine, ce petit gâteau fondant immortalisé par Proust, porte le nom de la pâtisserie qui les fabriquait et les vendait ici, dans le jardin des Tuileries, du côté de la place de la Concorde.

de passer commande. Ma petite boulangerie-pâtisserie de province offre des gâteaux qui valent largement ceux des pâtisseries des grandes villes. J'y ai acheté un jour un gâteau au chocolat destiné à des amis qui m'avaient invitée à déjeuner. Entre de fines et délicates couches de biscuit au chocolat se cachait une somptueuse confiture de framboises, et le tout était recouvert d'un glaçage au chocolat et de framboises prises dans du sirop. Ce gâteau, qui par sa taille semblait bien modeste, fit les délices de la tablée.

Les pâtisseries françaises font la part belle aux fruits de saison qui s'invitent sur les tables lors de leur pleine maturation, fruits de saison gorgés de soleil. Aussi, en mai, un saladier de fraises aura la place d'honneur au dessert. Il la cédera aux cerises, aux abricots et aux pêches en été, aux raisins, aux pommes et aux poires à l'automne. Et cela dans toute la France, même si la période de maturité et la variété cultivée changent d'une région à l'autre.

Dans le sud de la France, en été, peu de desserts peuvent rivaliser avec un beau melon mûr à point. Pendant près de vingt-cinq ans, mon voisin Maurice a cultivé ce que beaucoup considèrent comme les meilleurs melons du Haut-Var. Outre sa clientèle fidèle des villages environnants, il compte aussi des Allemands, des Néerlandais, des Anglais et des estivants français qui ont découvert ses melons et reviennent d'une année à l'autre s'approvisionner chez lui. Sur le marché, il y a toujours la queue devant son étal – pas de parasol, juste une table, ses beaux fruits aux tons orangés et une balance – tandis que d'autres attendent le client…

D'ordinaire, c'est sa femme Françoise qui s'occupe de la vente, et au fil des ans, amitié aidant, j'ai pris l'habitude de la seconder. Mais les clients sont souvent exigeants ! Ils voudraient un melon de pays qui sera parfaitement mûr pour le dîner du lendemain, plus un autre pour le déjeuner d'aujourd'hui. Il a fallu que Françoise m'apprenne à choisir celui qui convient pour chaque moment. S'il doit être consommé le jour même, le fruit doit présenter de fines craquelures à la base, dégager un arôme caractéristique indiquant que sa chair sucrée est prête à être dégustée tout de suite. Un jour de plus et il serait trop mûr, « passé ». Le melon du lendemain ne

Ci-dessous : La couleur intense de ces framboises laisse présager de leur fragrance…

Ci-dessus, en haut : Les jardins des Tuileries, dessinés par André Le Nôtre au XVIIe siècle, sont un havre de calme au milieu du tumulte des rues parisiennes. C'est un lieu idéal pour partager quelques instants de tendresse.
Ci-dessus, au milieu : De nombreux fromages de chèvre français portent le label AOC (Appellation d'Origine Contrôlée), qui garantit qu'ils proviennent d'une région précise et sont affinés selon une méthode spécifique ; c'est donc un gage de qualité.
Ci-dessus : Une invitation à venir goûter les fromages de la ferme voisine.

Ci-dessous, en haut : Les cerises de Céret, en pays catalan, sont parmi les premières à apparaître sur les marchés. Le climat méditerranéen de cette région favorise aussi la culture de la vigne.

Ci-dessous, en bas : Crêperies, bars et boutiques occupent le centre de Rennes, pôle breton d'innovation et de recherche toujours très animé.

doit pas être craquelé, mais une nuance jaune apparaissant sur sa peau d'un vert tendre indiquera que son point de maturation optimum est proche. À ceux qui souhaitent en rapporter chez eux, s'ils habitent loin, nous recommandons un melon de Cavaillon ou une autre variété de melon moins fragile que le charentais.

Les desserts à base de fruits ont la faveur des maîtresses de maison, les plus courants étant les clafoutis, les tartes, les fruits pochés et les gâteaux aux fruits. Il est relativement simple aujourd'hui de préparer une tarte maison, grâce aux pâtes toutes prêtes et pré-étalées en vente dans les supermarchés. Il suffit de dérouler la pâte, de la foncer sur un moule, de la recouvrir de fruits frais tels que pêches, prunes, fraises, framboises, poires ou pommes. Quelques dés de beurre, un peu de sucre en poudre, puis on replie les bords de la pâte sur la garniture pour lui donner un petit air rustique avant d'enfourner. La tarte est vite cuite et on la sert encore chaude sur sa pâte croustillante, riche des parfums de la saison. Pour une présentation plus originale, on disposera dessus des rondelles de citron, des demi-prunes ou des tranches de nectarine.

Bien sûr, tous les desserts ne sont pas à base de fruits. Parmi ceux qui font partie des traditions familiales et des grands classiques en restauration, il y a les entremets, ces préparations crémeuses comme la mousse au chocolat, la crème caramel et la crème brûlée – et toutes sortes de cakes.

C'est parmi les gâteaux que les spécialités régionales se distinguent le plus, ainsi dans les pâtisseries du Var on trouvera la fameuse galette tropézienne (une pâte briochée, coupée en deux, garnie d'une crème pâtissière légèrement parfumée à l'amande et saupoudrée de sucre) ou le célèbre gâteau basque, assez consistant, fourré de crème pâtissière ou de confiture de cerises. Brest a sa spécialité, le paris-brest, composé d'une couronne de pâte à choux garnie de crème pralinée et décorée de sucre et d'amandes effilées. Les Languedociens sont fiers de leur gâteau aux marrons et les Alsaciens de leur kouglof, une brioche en forme de couronne garnie de raisins secs.

Page de droite : Les arbres fruitiers de Provence – pêchers, abricotiers, poiriers, cerisiers, figuiers, cognassiers – libèrent des fleurs à profusion au printemps. Quelques mois plus tard, leurs fruits paradent sur les marchés locaux.

Parfois, un fromage blanc de vache ou un fromage de chèvre frais est servi en dessert dans sa faisselle avec du sucre, du miel ou de la confiture. Le repas familial peut aussi se conclure sur une glace, au grand bonheur des petits et des grands. Les meilleures sont faites maison ou proviennent d'un artisan glacier du coin. Les noms des glaces inscrits sur leur devanture égrènent les saisons : glace aux fraises au printemps, à la pêche en été, aux marrons et aux amandes en automne.

Encore plus fascinantes sont les confiseries, ces boutiques diablement tentatrices où l'on fabrique et où l'on vend des chocolats. Les artisans chocolatiers y exercent leur talent et fabriquent des confiseries traditionnelles comme les œufs de Pâques et

Ci-dessus : Les collines de Grasse, capitale de la parfumerie depuis le XVIIIe siècle, sont tapissées de champs de lavande odorante.
À gauche : Fleurs et feuilles de tilleul sont récoltées pour faire des infusions très appréciées des Français.

les chocolats de Noël. Les amateurs « fondus » de chocolat ont leurs rituels. Ils aiment se rendre dans la meilleure confiserie de la ville pour y choisir avec soin leur « dose » de chocolat hebdomadaire ou quotidienne. Ils regardent avec gourmandise la vendeuse emballer leur trésor dans de belles boîtes dorées, ornées de favoris qu'ils s'imaginent déjà défaire lentement.

Le moment de la dégustation venu, ils se saisiront avec mille précautions d'une ou deux bouchées, qu'ils savoureront lentement, avec une délectation quasimystique. Toutes les occasions sont bonnes : pour accompagner le café, combler un manque de magnésium, consoler un gros chagrin, se récompenser d'une dure journée...

Toutes ces pâtisseries et confiseries, dont les vitrines regorgent de friandises irrésistibles, font partie d'une certaine douceur de vivre typiquement française.

Ci-dessous : Bayonne est célèbre pour son chocolat. Il serait arrivé là apporté par des Juifs séfarades espagnols chassés par l'Inquisition. Longtemps considéré comme un luxe, il fut d'abord servi en boisson chaude aromatisée de cannelle et de clous de girofle avant d'être dégusté en morceaux, avec du pain, à l'heure du goûter.

Ci-dessous : Les fameuses glaces de la maison Berthillon sont servies dans la plupart des cafés de l'île Saint-Louis, comme ici, au *Flore en l'Île.*

Alsace et Lorraine

Babas au rhum

Les babas semblent devoir leur nom à Ali Baba, le héros des Mille et Une Nuits. *C'était, dit-on, le livre favori de Stanislas Leszczynski Ier, ex-roi de Pologne (sa fille épousa Louis XV) et inventeur de ce dessert qui eut un grand succès à la cour. Les babas sont des gâteaux, petits ou grands, généreusement imbibés d'un mélange de sirop et de rhum jusqu'au point de saturation. Il en existe, comme souvent, de nombreuses variantes.*

Trois règles doivent être respectées pour bien réussir les babas : la pâte doit lever dans un endroit où la température est élevée, il vous faudra travailler la pâte collante jusqu'à ce qu'elle devienne élastique et le gâteau comme le sirop devront être chauds quand vous arroserez le baba.

PÂTE

3 cuillerées à soupe de sucre en poudre

4 cuillerées à soupe d'eau chaude

1 paquet de levure de boulanger

3 cuillerées à soupe de lait

75 g de beurre

400 g de farine tamisée

2 gros œufs

1 pincée de sel

SIROP

180 g de sucre en poudre

35 cl d'eau

1 cuillerée à soupe de jus d'orange frais

10 cl de rhum ambré

GARNITURE

25 cl de crème épaisse

2 cuillerées à soupe de sucre glace

½ cuillerée à café d'extrait de vanille

2 cuillerées à soupe de zeste d'orange en fine julienne

♔ Pour préparer la pâte, délayez dans un bol l'eau et 1 cuillerée à soupe de sucre. Saupoudrez de levure et mettez ce bol dans un endroit très chaud (27-38 °C) pendant une dizaine de minutes, jusqu'à ce que le mélange double au minimum de volume.

♔ Dans une petite casserole, versez le lait et 50 g de beurre. Faites chauffer à feu moyen jusqu'à ce que le beurre fonde. Réservez.

♔ Tamisez de nouveau la farine au-dessus d'un saladier et creusez un puits au centre, dans lequel vous déposez les œufs, le sel, le sucre restant, la levure dissoute et le lait tiède mêlé au beurre fondu. Battez au fouet pour bien mélanger. La pâte doit devenir épaisse et collante à tel point que pour la travailler, il faudra, à la main, l'élever bien haut, puis la laisser retomber brutalement dans le saladier, et répéter cette opération environ 5 minutes, jusqu'à ce que vous puissiez l'étirer sans qu'elle se déchire. Rassemblez-la alors en une boule, recouvrez le saladier d'un linge humide et laissez-le dans un endroit chaud. Attendez 1 heure 30 à 2 heures que la pâte lève, jusqu'à doubler de volume. Roulez doucement les bords vers le centre et appuyez dessus pour l'abaisser.

♔ Avec les 15 g de beurre qui restent, graissez 6 moules à baba (ou à muffins). Répartissez la pâte dans ces moules, en remplissant chacun d'eux au tiers. Couvrez-les d'un linge humide et placez-les de nouveau dans un endroit très chaud pendant environ 1 heure, le temps qu'ils lèvent. La pâte devra juste atteindre le bord. Pendant ce délai, placez une grille dans le tiers supérieur d'un four préchauffé à 190 °C/th. 6.

♔ Préparez le sirop : dans une casserole, versez l'eau et le sucre et portez à ébullition à feu moyen, en remuant pour que le sucre se dissolve. Ajoutez le jus d'orange et faites bouillir 4 à 5 minutes en tournant jusqu'à ce que le sirop épaississe. Attendez qu'il refroidisse légèrement, puis ajoutez le rhum. Maintenez au chaud.

♔ Retirez le linge humide et enfournez les babas. Faites-les cuire une quinzaine de minutes, jusqu'à ce qu'ils prennent une belle couleur dorée et qu'ils dépassent du bord du moule. Sortez du four, laissez reposer 10 à 15 minutes, puis démoulez-les. Posez-les bien droits sur une grille.

♔ Pour imbiber les babas de sirop, piquez le dessus avec une brochette en bois. Placez-les horizontalement dans un plat creux et arrosez-les de sirop à la cuillère. Récupérez le sirop qui a coulé dans le plat et arrosez encore. Laissez reposer pendant 4 à 5 minutes, puis arrosez de nouveau. Recommencez ainsi plusieurs fois jusqu'à ce que les babas soient spongieux. Mettez alors une grille sur un plat et posez les babas dessus. Laissez-les égoutter un moment puis disposez-les dans un autre plat, couvrez et placez au réfrigérateur quelques heures.

♔ Préparez la garniture : battez la crème jusqu'à ce que des pics mous se forment. Ajoutez le sucre glace et la vanille, puis battez de nouveau jusqu'à ce que vous obteniez des pics plus fermes.

♔ Pour servir, placez les babas sur des assiettes à dessert. Déposez un peu de garniture sur chacun et décorez avec un fin zeste d'orange. Servez aussitôt.

Pour 6 personnes

Provence

Compote d'oranges sanguines

Les oranges sanguines que l'on trouve en hiver proviennent d'Espagne, d'Italie, du Maroc et de Tunisie.

Cette variété très répandue, à la saveur acidulée et à la couleur intense, est superbement mise en valeur dans cette compote toute simple. Vous pouvez la servir avec des gâteaux secs aux amandes, que vous tremperez dans le jus.

4 oranges sanguines

25 cl d'eau

125 g de miel d'acacia, d'oranger ou toutes fleurs

2 clous de girofle

♛ Enlevez le zeste des oranges sanguines en lanières ou en spirale, et réservez. Préparez les oranges une à une : à l'aide d'un petit couteau pointu, découpez une rondelle en haut et une en bas. Pelez ensuite à vif (en ôtant toute membrane blanche). Découpez alors chaque orange en rondelles de 5 mm d'épaisseur. Retirez tous les pépins. Rangez dans un saladier, couvrez et réservez.

♛ Dans une casserole à fond épais, versez l'eau et le miel et faites chauffer en remuant fréquemment afin de bien les mélanger. Ajoutez les clous de girofle et les trois quarts du zeste d'orange. Réduisez le feu et laissez frémir à découvert environ 1 heure, jusqu'à ce qu'un sirop léger se forme et que les saveurs aient fusionné.

♛ Passez le sirop au travers d'un tamis fin ou d'un chinois au-dessus d'un pichet. Jetez les résidus récoltés dans la passoire, y compris le zeste. Nappez ensuite les rondelles d'oranges de sirop. Couvrez et laissez reposer à température de la pièce pendant au moins 1 heure. Si vous ne les servez pas tout de suite, placez-les au réfrigérateur, mais pas plus de 24 heures. Disposez des rondelles d'oranges dans des coupelles et arrosez de sirop. Coupez le zeste réservé en julienne et garnissez-en chaque coupe avant de servir.

Pour 4 personnes

Normandie

Pommes sautées

*Ce savoureux dessert rustique
reflète toutes les saveurs de la campagne
normande.*

60 g de beurre

1 kg de pommes fermes et douces (du type golden,
gala ou reinettes), pelées, épépinées et coupées
en quartiers de 5 mm

3 cuillerées à soupe de sucre glace

2 cuillerées à soupe de calvados

♕ Dans une grande poêle, faites fondre le beurre à feu
moyen. Ajoutez les quartiers de pommes, saupoudrez
de sucre et laissez revenir 3 à 4 minutes. Retournez-les
afin de laisser dorer l'autre côté pendant 2 à 3 minutes.
Versez le calvados et enflammez-le avec une allumette.
Une fois les flammes éteintes, répartissez dans des
assiettes à dessert chaudes et servez.

Pour 4 personnes

Franche-Comté et Alpes

Fromage frais au miel

*Le fromage frais, également appelé «fromage blanc»,
se consomme avec du sucre, du coulis
de fruits ou s'arrose de miel, comme
dans cette recette toute simple.*

1 petit fromage frais de vache ou de chèvre
qui s'égoutte encore dans sa faisselle

2 à 3 cuillerées à soupe d'un miel très aromatique,
tel que du miel de châtaigne, de tilleul ou de lavande

♕ Déposez le fromage démoulé dans un bol, nappez-le
de miel et servez.

Pour 1 personne

Miel

Où que vous alliez dans la campagne française, vous trouverez des apiculteurs et des ruches. Celles-ci sont disséminées dans les vergers, les forêts, les garrigues, les prairies et en bordure des champs où les abeilles butinent la moindre fleur. Une fois qu'une plante a cessé de fleurir, que pollen et nectar ont été déposés dans les alvéoles de la ruche, les abeilles vont s'activer ailleurs. Les petits producteurs peuvent récolter trois ou quatre

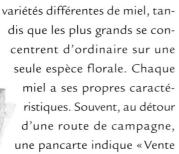

variétés différentes de miel, tandis que les plus grands se concentrent d'ordinaire sur une seule espèce florale. Chaque miel a ses propres caractéristiques. Souvent, au détour d'une route de campagne, une pancarte indique « Vente de miel ». Arrêtez-vous, car vous trouverez là ce beau liquide ambré recueilli par un amoureux des abeilles.

Le miel, qui chez les anciens remplaçait le sucre, connaît bien des usages : il nappe les tartines du petit-déjeuner, il entre en Asie comme en Occident dans la composition de plats

savoureux tels que le canard rôti (voir page 93), il sert à glacer un poulet ou encore à préparer gâteaux et friandises. Mais pour moi, un filet de miel de montagne sur du fromage frais est le plus simple et le plus sublime des desserts (voir page 209).

Provence

Glace au miel de lavande

Si les champs de lavande offrent à la terre ce bleu intense qui envahit le ciel de Provence, leurs fleurs aromatiques nous offrent bien des délices gourmandes, comme le miel, produit béni des dieux. Celui-ci parfume ici une crème glacée fort originale.

75 cl de crème épaisse
25 cl de lait
180 g de miel de lavande, d'oranger ou de trèfle, plus un filet pour la décoration
100 g de sucre roux
1 cuillerée à café de fleurs de lavande sèches
1 gousse de vanille
1 pincée de sel
4 jaunes d'œufs
1 pincée de clou de girofle en poudre

❦ Dans une casserole à fond épais, assemblez la crème, le lait, les 180 g de miel, le sucre roux, les fleurs de lavande, la gousse de vanille et le sel. Portez à ébullition, en remuant fréquemment jusqu'à ce que le sucre soit complètement dissous.

❦ Dans un saladier, battez les jaunes d'œufs jusqu'à ce qu'ils aient blanchi. Versez lentement environ 25 cl du mélange crémeux chaud sur les jaunes d'œufs sans cesser de battre. Puis incorporez cette préparation dans ce qui reste du mélange crémeux. Poursuivez la cuisson encore 5 ou 6 minutes, en remuant constamment, jusqu'à ce que vous obteniez une substance suffisamment épaisse pour napper le dos d'une cuillère. Ne laissez surtout pas bouillir. Retirez du feu et laissez tiédir. Passez au travers d'un chinois ou d'un tamis fin placé au-dessus d'un saladier, jetez la lavande et la vanille. Parfumez avec le clou de girofle en poudre.

❦ Versez dans une sorbetière, que vous placerez dans le congélateur en suivant le mode d'emploi de l'appareil. Servez en petites boules et arrosez d'un filet de miel.

Pour 1 litre

210 LES DESSERTS

Provence

Glace au fenouil

J'avoue que j'adore le fenouil sous toutes ses formes, mais le jour où l'on m'offrit une glace au fenouil confit dans une école hôtelière près d'Avignon, je fus perplexe. Cependant, après la première cuillerée, mes doutes fondirent comme glace au soleil !

FENOUIL CONFIT

500 g de sucre

50 cl d'eau

1 bulbe de fenouil, épluché et détaillé en petits dés

GLACE

75 cl de crème épaisse

25 cl de lait

250 g de sucre

1 cuillerée à soupe de pollen de fenouil (facultatif)

1 pincée de sel

4 jaunes d'œufs

1 gousse de vanille

⚜ Pour confire le fenouil, versez dans une casserole à fond épais le sucre et l'eau et portez à ébullition à feu moyen, en remuant. Maintenez l'ébullition 3 à 4 minutes, jusqu'à ce qu'un sirop léger se forme. Ajoutez le fenouil, baissez le feu et laissez le sirop bouillonner doucement. Poursuivez la cuisson 20 minutes, jusqu'à ce que le fenouil ait absorbé un maximum de sirop et soit blond. Sortez-le avec une écumoire et égouttez-le.

⚜ Pour préparer la glace, mélangez dans une casserole la crème, le lait, le sucre, le pollen de fenouil et le sel. Portez à ébullition à feu moyen, en remuant. Pendant ce temps, dans un saladier, battez les jaunes d'œufs jusqu'à ce qu'ils aient blanchi. Versez environ 25 cl du mélange crémeux chaud sur les œufs sans cesser de battre. Puis incorporez cette préparation dans ce qui reste du mélange crémeux. Poursuivez la cuisson 5 ou 6 minutes en remuant constamment, jusqu'à ce que vous obteniez une substance assez épaisse pour napper le dos d'une cuillère. Ne laissez surtout pas bouillir. Ajoutez la vanille, retirez du feu et laissez tiédir. Passez à travers un tamis fin au-dessus d'un saladier, jetez la vanille.

⚜ Versez dans une sorbetière que vous placerez dans le congélateur en suivant le mode d'emploi de l'appareil. Quand la crème glacée est ferme, incorporez les dés de fenouil confit, en en réservant 1 cuillerée à soupe. Servez sous forme de petites boules décorées du fenouil réservé.

Pour 1 litre

Normandie

Sablés de Caen

On trouve aujourd'hui ces petits sablés au beurre partout en France, mais ils sont originaires de cette région riche en beurre qu'est la Normandie, où ils faisaient le régal des enfants (et des adultes) à l'heure du goûter ou du thé.

125 g de beurre, à température ambiante

90 g de sucre

1 petite pincée de sel

quelques gouttes d'extrait de vanille

200 g de farine

⚜ Dans un saladier, battez votre beurre avec une cuillère en bois ou un batteur électrique jusqu'à ce qu'il devienne crémeux. Ajoutez le sucre, le sel et la vanille, et continuez à battre afin que tous les ingrédients soient parfaitement mélangés. Versez la farine que vous travaillerez avec vos doigts pour obtenir une pâte homogène. Rassemblez-la en une boule, enveloppez-la dans du film plastique et placez-la au réfrigérateur environ 1 heure.

⚜ Préchauffez le four à 190 °C/th. 6. Tapissez une plaque à gâteaux d'une feuille de papier sulfurisé.

⚜ Déposez la pâte sur un plan de travail fariné et recouvrez-la d'une autre feuille de papier sulfurisé ou de film plastique. Abaissez la pâte au rouleau jusqu'à 5 mm d'épaisseur. À l'aide d'un emporte-pièce de 5 cm de diamètre, découpez autant de gâteaux que possible. Alignez-les et espacez-les de 3 cm sur la plaque à gâteaux préparée. Rassemblez toutes les chutes de pâte en une boule. Étendez-la et découpez d'autres sablés, que vous déposerez sur la plaque.

⚜ Faites cuire au four une dizaine de minutes, jusqu'à ce que le pourtour soit doré. Déposez les sablés sur une grille à pâtisserie pour qu'ils refroidissent complètement. Conservez-les dans une boîte hermétique pendant 4 jours au plus.

Pour 18 sablés

Sud-Ouest

Fondant au chocolat

La première fois que j'ai goûté ce dessert au chocolat plutôt riche et au goût légèrement amer, semblable à celui des truffes au chocolat, c'est dans un petit restaurant près de Bayonne réputé pour ses desserts chocolatés. Il m'arrive de saupoudrer ce gâteau de poudre de cacao avant de le servir.

1 jaune d'œuf

90 g de sucre

6 cuillerées à soupe de lait

250 g de chocolat amer, en petits morceaux

250 g de beurre détaillé en dés, à température ambiante

4 cuillerées à soupe de liqueur d'orange

♛ Dans une casserole de taille moyenne, battez le jaune d'œuf et le sucre jusqu'à ce que le mélange blanchisse. Dans une casserole plus petite, faites bouillir votre lait.

Sans cesser de fouetter, versez lentement celui-ci dans le mélange œuf-sucre puis laissez cuire à feu moyen 3 ou 4 minutes, toujours en remuant, jusqu'à ce que la préparation ait suffisamment épaissi pour napper le dos d'une cuillère.

♛ Versez de l'eau dans le fond d'une casserole et, à feu doux, faites-la frémir, puis posez au-dessus (sans qu'il touche l'eau) un saladier dans lequel vous aurez versé vos morceaux de chocolat. Transvasez lentement la préparation précédente sur le chocolat et tournez jusqu'à ce qu'il fonde. Ajoutez le beurre et remuez encore 1 minute ou 2, afin d'obtenir une substance crémeuse. Retirez du feu et incorporez la liqueur d'orange.

♛ Répartissez la préparation dans deux moules à cake. Couvrez avec un film plastique et laissez au réfrigérateur entre 12 heures et 24 heures, pour qu'ils raffermissent.

♛ Pour démouler, plongez le fond du moule dans un récipient rempli d'eau chaude pendant 30 secondes. Glissez la lame d'un couteau le long de la paroi et posez dessus un plat de service à l'envers. Maintenez les deux récipients ensemble, retournez puis soulevez le moule. Répétez l'opération avec le deuxième moule.

♛ Servez le fondant coupé en tranches.

Pour 6 à 8 personnes

Franche-Comté et Alpes
Bugnes

*Ces beignets se préparent dans le sud
de la France, de la Provence aux côtes de l'Atlantique
en traversant tout le Sud-Ouest. On les appelle
« bugnes » dans le Lyonnais, « craquelins »
en Savoie et « merveilles » en Provence
et dans le Sud-Ouest, mais leur nom
peut varier d'un village à l'autre.
Leur forme change aussi selon les régions.*

*Les bugnes sont servies par milliers lors de fêtes
de villages, notamment au moment de Mardi gras,
superbement dorées et généreusement saupoudrées
de sucre glace. Préparer des bugnes est
un excellent prétexte pour se retrouver entre amis
car plus on est nombreux à les découper,
les replier, les frire et les déguster
plus la fête bat son plein.*

500 g de farine

125 g de sucre en poudre

1 ½ cuillerée à café de levure chimique

1 pincée de sel

5 œufs

125 g de beurre fondu et refroidi

1 cuillerée à soupe d'huile de colza
(ou autre huile légère), plus de l'huile
pour friture

sucre glace

❦ Dans un saladier, mélangez la farine, le sucre en poudre, la levure et le sel. Creusez au centre une fontaine dans laquelle vous placerez les œufs, le beurre et 1 cuillerée à soupe d'huile. En travaillant rapidement avec le bout des doigts, incorporez la farine pour obtenir une pâte collante. Continuez à la travailler environ 10 minutes, jusqu'à ce qu'elle ne colle plus et devienne élastique.

❦ Sur un plan de travail légèrement fariné, abaissez la pâte en un rectangle de 3 cm d'épaisseur. Saupoudrez d'un peu de farine, puis pliez en trois dans le sens de la longueur. Étendez au rouleau de nouveau en un rectangle de 3 cm d'épaisseur. Cette fois, repliez-le en trois dans le sens de la largeur. Répétez cinq fois ces opérations, en travaillant rapidement. Enfin, abaissez la pâte en un rectangle de 4 cm d'épaisseur. Couvrez avec un torchon et laissez reposer 1 heure.

❦ Divisez la pâte en quatre. Sur le plan de travail fariné, étendez au rouleau chaque morceau en rectangles de 15 cm x 35 cm, d'une épaisseur de 5 mm. Découpez des bandes de 2 cm x 15 cm de long. Sur la moitié d'entre elles, pratiquez au milieu une incision de 5 cm de long. Faites passer une extrémité de la bande de pâte par cette fente. Avec l'autre moitié, repliez simplement chaque bande pour lui donner la forme d'un arc.

❦ Dans une poêle profonde ou dans une friteuse, versez 10 cm d'huile. Chauffez à 190 °C, en vérifiant avec un thermomètre, ou jusqu'à ce qu'un peu de pâte jetée dedans gonfle et dore immédiatement. Plongez alors les bugnes dans l'huile 1 à 2 minutes, mais peu à la fois, jusqu'à ce qu'elles soient gonflées et dorées. À l'aide de pinces, retournez-les 1 minute de plus pour qu'elles dorent de l'autre côté puis déposez-les sur du papier absorbant. Avec un tamis fin, saupoudrez-les de sucre glace. Répétez l'opération jusqu'à épuisement de la pâte.

Pour 8 à 10 personnes (une centaine de bugnes)

Pyrénées et Gascogne

Gâteau de mûres

*L'été, la montagne livre des trésors de fruits rouges :
fraises, framboises, myrtilles et mûres. Une année,
en août, des amis de retour en Provence après un voyage
dans les Pyrénées ramenèrent non seulement
des confitures de mûres maison, mais aussi un plein seau
de mûres fraîches. Nous avons alors préparé un gâteau
semblable à celui-ci que nous avons dégusté chaud
avec une boule de glace à la vanille.*

*90 g de beurre, plus 15 g de beurre fondu
et refroidi*

250 g de sucre en poudre

250 g de mûres

4 œufs

150 g de farine

1 cuillerée à café de levure chimique

1 pincée de sel

❦ Préchauffez le four à 180 °C/th. 6. Déposez les 90 g de beurre dans un moule à manqué d'environ 25 cm de diamètre et 6 cm de hauteur. Enfournez ce moule et laissez fondre le beurre 5 minutes. Sortez-le et ajoutez 125 g de sucre. Mélangez et remettez au four 5 minutes, en remuant, puis ressortez-le. Étalez les mûres en une seule couche sur le sucre.

❦ Séparez les œufs en mettant les blancs dans un grand saladier et les jaunes dans un plus petit. Incorporez les 15 g de beurre fondu dans les jaunes et réservez. Dans un autre saladier, tamisez ensemble la farine, la levure et le sel. Mettez de côté. À l'aide d'un batteur électrique à vitesse moyenne ou d'un fouet, battez les blancs d'œufs en neige jusqu'à ce qu'ils forment des pics assez fermes, mais sans insister. Incorporez petit à petit les 125 g de sucre qui restent dans les blancs d'œufs, environ un quart à la fois. Puis les jaunes d'œufs, environ un quart à la fois également. Enfin, incorporez la farine, 50 g à la fois. Versez cette préparation sur les mûres et étalez pour les recouvrir uniformément.

❦ Faites cuire au four environ 30 minutes, jusqu'à ce que la pointe d'un couteau enfoncé en son centre ressorte nette. Laissez reposer pendant au moins 10 minutes avant de démouler, puis glissez la lame d'un couteau le long du moule. Posez dessus un plat de service à l'envers. Maintenez les deux récipients assemblés et retournez, puis soulevez le moule. Servez le gâteau encore tiède.

Pour 6 à 8 personnes

Confitures

Les délicieuses confitures et gelées que l'on prépare avec des cerises, des framboises, des coings, des mûres, des abricots, des myrtilles, des prunes et autres fruits de saison, jouent un rôle presque aussi important au dessert qu'au petit-déjeuner, où elles accompagnent pain grillé et croissants. Les confitures épaisses servent à fourrer des beignets. Les gelées, après avoir été chauffées pour les liquéfier, sont utilisées pour glacer les tartes aux fruits. On sert aussi de la confiture avec du fromage blanc, de la glace et du pain perdu sucré. Vous en trouverez aussi entre deux couches de génoise ou en glaçage sur des gâteaux secs.

Certains s'accordent encore ce plaisir de préparer eux-mêmes leurs propres confitures, parfois avec des fruits rapportés de leurs vacances d'été à la montagne ou à la campagne. Ils sont alors fiers de servir ces confitures au pot décoré d'une étiquette soigneusement calligraphiée: « Confiture de figues sauvages, faite à Moustiers-Sainte-Marie, août 1998 ». Ces quelques mots racontent à eux seuls toute une histoire, que les hôtes se font un plaisir de détailler : l'endroit exact où les figues ont été cueillies, quel temps il faisait, qui était du voyage...

Alsace et Lorraine

Tarte à la rhubarbe
et aux fraises

*La rhubarbe s'accommode des climats assez froids,
c'est pourquoi on en trouve dans des régions comme
la Savoie et l'Alsace. Elle pousse en pleine nature
ou dans les jardins, à la fin du printemps et au début
de l'été, en même temps que les fraises.*

*6 tiges de rhubarbe (environ 600 g),
détaillées en tronçons d'1 cm*

40 cl d'eau

le jus d'1 citron frais

1 cuillerée de zeste de citron râpé

*1 gousse de vanille fendue dans sa longueur
et coupée en trois morceaux*

180 g de sucre roux

1 cuillerée à soupe de farine

*600 g de fraises équeutées
et coupées en deux*

1 pâte feuilletée toute prête

15 g de beurre coupé en petits dés

♛ Versez dans une grande casserole la rhubarbe, l'eau,
le jus de citron, le zeste et la gousse de vanille. Portez à
ébullition, puis réduisez le feu et laissez frémir à
découvert environ 15 minutes, jusqu'à ce que la
rhubarbe soit tendre. Retirez du feu et laissez refroidir.
Couvrez et laissez au réfrigérateur pendant environ
1 heure. Versez la rhubarbe dans une passoire et jetez le
jus de cuisson.

♛ Dans un saladier, mélangez soigneusement le sucre
roux et la farine. Ajoutez la rhubarbe égouttée et remuez,
puis les fraises, que vous introduirez délicatement.

♛ Préchauffez le four à 190 °C/th. 6. Déposez la pâte
sur une plaque de cuisson non graissée. Versez en tas la
préparation à la rhubarbe et aux fraises au centre,
parsemez dessus les dés de beurre et repliez les bords de
la pâte vers le centre pour maintenir les fruits en place.

♛ Laissez cuire au four entre 20 et 25 minutes, jusqu'à
ce que la pâte soit gonflée et dorée.

♛ Sortez du four et servez chaud, ou bien déposez la
tarte sur une grille et dégustez-la tiède.

Pour 6 personnes

Pays de la Loire

Poires au thé et aux épices

La vallée d'Anjou est un gros producteur de fruits et notamment de poires. Une des variétés les plus connues, la doyenné du Comice, a d'abord été cultivée dans la région d'Angers, où beaucoup d'autres poires réputées ont été créées. Les poires étaient, dit-on, les fruits préférés de Louis XIV, qui appréciait tout particulièrement la louise-bonne, à la chair fondante, sucrée et parfumée.

Savez-vous que les poires mûrissent mieux détachées de l'arbre que dessus ? Si vous les laissez mûrir sur l'arbre, elles deviennent granuleuses. Choisissez des poires fermes et à la peau d'un vert un peu trouble avec juste une touche de jaune, descendez-les à la cave et laissez-les mûrir, elles vont s'amollir, leur peau va jaunir et vous pourrez alors savourer un fruit dans sa plénitude.

Dans cette recette, les poires se marient délicieusement avec du thé Earl Grey et de la badiane (l'anis étoilé). Servez simplement ces poires avec beaucoup de sirop, ou bien avec une tranche de pain aux noix accompagnée, pourquoi pas, de bleu d'Auvergne.

25 cl de vin blanc sec

25 cl d'eau

150 g de sucre

2 cuillerées à soupe de thé Earl Grey dans une boule à thé ou 2 sachets

1 zeste d'orange de 5 cm de long

4 clous de girofle

2 graines de badiane (anis étoilé)

1 gousse de vanille

5 poires pelées, évidées, coupées en deux ou en quatre dans la longueur

⚜ Dans une casserole, mélangez le vin, l'eau, le sucre, le thé, le zeste d'orange, les clous de girofle, l'anis étoilé et la gousse de vanille puis portez à ébullition, en remuant pour que le sucre se dissolve. Laissez bouillir environ 5 minutes, jusqu'à ce qu'un sirop léger se forme. Retirez du feu et laissez reposer 15 minutes. Enlevez la boule à thé ou les sachets.

⚜ Remettez la casserole sur le feu jusqu'à ce que le sirop frémisse, puis baissez pour poursuivre la cuisson au ralenti. Avec une écumoire, plongez les poires dans le liquide 3 à 4 minutes, pour les pocher. Retournez-les en les laissant juste assez pour qu'elles deviennent fondantes, soit 2 à 3 minutes. Vérifiez leur moelleux en les piquant avec la pointe d'un couteau.

⚜ Versez le contenu de la casserole dans un saladier en verre. Une fois bien refroidi, vous pouvez retirer le zeste d'orange, les clous de girofle et l'anis étoilé, ou bien les y laisser. Couvrez et laissez rafraîchir au réfrigérateur.

⚜ On peut conserver ces poires au frais jusqu'à 5 jours. Servez-les dans de petits ramequins ou des coupelles, bien arrosées de sirop.

Pour 6 à 8 personnes

Bourgogne et Lyonnais

Mousse au chocolat

La mousse au chocolat est presque synonyme de dessert en français. Malheureusement, on rencontre trop souvent de pâles imitations, voire des contrefaçons, en France comme ailleurs. Une bonne mousse au chocolat est si riche, si chocolatée qu'elle ne peut se déguster qu'en petite quantité. Sa consistance varie selon les recettes, d'onctueuse à ferme. Celle-ci appartient à la dernière catégorie. Si vous souhaitez, vous pouvez la présenter décorée de petits copeaux de chocolat.

125 g de chocolat noir, en tout petits morceaux

3 cuillerées à soupe de beurre, coupé en dés

3 œufs

1 petite pincée de sel

2 cuillerées à soupe de sucre glace

♕ Versez de l'eau dans le fond d'une casserole et faites-la frissonner à feu doux ; posez au-dessus (sans qu'il touche l'eau) un saladier résistant à la chaleur dans lequel vous aurez mis les morceaux de chocolat. Remuez pour aider le chocolat à fondre. Ajoutez le beurre et continuez à tourner avec une cuillère en bois jusqu'à ce que le beurre soit fondu et noyé dans le chocolat.

♕ Séparez un œuf, mettez le blanc dans un grand saladier et ajoutez le jaune au chocolat. Battez rapidement pour bien l'incorporer. Répétez cette opération avec les deux autres œufs. Retirez le saladier de la casserole et laissez tiédir.

♕ Ajoutez le sel aux blancs d'œufs. Avec un batteur électrique, battez les blancs à vitesse moyenne jusqu'à ce qu'ils forment des pics assez fermes, ajoutez alors le sucre glace tout en continuant à battre. Avec une spatule en caoutchouc, incorporez les blancs d'œufs dans le chocolat très délicatement afin d'éviter qu'ils retombent.

♕ Versez la préparation dans un grand saladier ou répartissez-la dans des coupes individuelles. Couvrez et placez au réfrigérateur le temps que la mousse prenne une consistance ferme, au moins 6 heures et jusqu'à 24 heures. Servez frais.

Pour 4 personnes

Fruits de saison

En France, les fruits tiennent souvent lieu de dessert, et ceux de saison sont toujours très attendus et appréciés. En hiver, même si aujourd'hui on trouve un peu partout tous les fruits en toutes saisons, on consomme surtout des oranges, des clémentines, des pommes et des fruits secs. Le printemps est « le temps des cerises » et des fraises. En été, dans la corbeille de fruits se côtoieront pêches, prunes, abricots, nectarines et melons. Quand vient l'automne ce sont les raisins, les figues et les poires qui ont la vedette.

Ceux qui ont la chance de posséder un jardin s'empressent d'y planter quelques arbres fruitiers pour avoir le plaisir de déguster les fruits de leur propre récolte. Ils servent par ailleurs à confectionner quantité de desserts simples. Notamment, le clafoutis, préparé avec une sorte de pâte à crêpes garnie de cerises, mais aussi d'abricots, de pêches, de figues, de prunes ou de nectarines. Le gratin de fruits, où des fruits coupés en deux ou en quartiers sont rangés dans un plat à gratin beurré et assemblés par une mince couche de pâte, est un des desserts les plus faciles à réaliser et aussi l'un des plus savoureux.

Les fruits de saison comme les pêches, les cerises ou les raisins peuvent être utilisés pour fourrer des crêpes, pour garnir des génoises ou des glaces. Pochés dans un sirop de sucre légèrement parfumé à la vanille, ils sont un vrai régal. Enfin, comment ne pas éprouver quelque convoitise devant ces tartes aux fraises ou aux framboises au printemps, aux abricots en été, aux prunes à l'automne, aux pommes et aux oranges en hiver, complaisamment exposées en toute saison sous nos yeux !

Pays de la Loire

Gratin de pêches

*Les gratins de fruits font partie des desserts
les plus faciles à réaliser. Une sorte de pâte à crêpes
mince permet de maintenir les fruits en place quand
ils sont coupés en tranches. Toutes sortes de fruits peuvent
être utilisées, des figues aux mûres en passant par les
abricots. Servez le gratin seul, nappé de crème fraîche
ou couronné d'une boule de glace.*

30 g de beurre, détaillé en petits dés

4 cuillerées à soupe de sucre

4 cuillerées à soupe de lait

1 œuf

1 petite pincée de sel

50 g de farine

1 kg de pêches pelées, coupées en deux et dénoyautées

*2 cuillerées à soupe d'amandes ou de noix
grossièrement hachées*

♛ Préchauffez le four à 220 °C/th. 7. Graissez un plat
creux avec 15 g de beurre, puis saupoudrez d'1 cuillerée
à soupe de sucre.

♛ Dans un saladier, battez ensemble le lait, l'œuf,
1 cuillerée à soupe de sucre et le sel. Introduisez progressivement la farine. Versez cette pâte crémeuse dans le
plat à gratin et disposez dessus les pêches préparées.
Saupoudrez avec les 2 dernières cuillerées de sucre et
les amandes ou les noix, puis parsemez les dés de beurre
restants.

♛ Faites cuire au four une douzaine de minutes, jusqu'à
ce que la pâte soit prise, le beurre fondu et les pêches
cuites à point. Sortez du four et laissez reposer environ
10 minutes avant de servir.

Pour 4 à 6 personnes

Sud-Ouest

Crêpes aux coings et à l'armagnac

Les crêpes occupent une place importante dans la gastronomie française comme en témoigne la présence de crêperies dans tout le pays où vous pourrez savourer des crêpes salées et sucrées. Mais on trouve aussi sur les marchés, dans les foires et dans les rues des marchands qui vendent des crêpes toutes chaudes, le plus souvent simplement sucrées ou fourrées de confiture. Les coings crus sont pâles et âpres. Une fois cuits, ils prennent une délicate et appétissante couleur ambre-rose, et se révèlent tendres et parfumés.

PÂTE À CRÊPES

4 œufs

40 cl de lait, ou plus si besoin

250 g de farine

1 cuillerée à café de sucre

½ cuillerée à café de sel

GARNITURE

45 g de beurre

4 gros coings pelés, évidés et coupés en tranches de 5 mm

2 cuillerées à soupe de sucre

4 cuillerées à soupe d'eau

2 cuillerées à soupe d'armagnac

60 g de beurre

25 cl de crème épaisse

1 ½ cuillerée à soupe de sucre

❦ Préparez la pâte à crêpes : dans un grand saladier, battez ensemble les œufs et le lait jusqu'à ce que l'ensemble soit bien homogène. Puis, petit à petit, introduisez la farine, le sucre et le sel en fouettant toujours pour obtenir une pâte lisse et sans grumeaux. Si, malgré vos efforts, il restait encore des grumeaux, il faudrait passer la pâte au travers d'un chinois ou d'une passoire tapissée de mousseline. Couvrez et laissez reposer au réfrigérateur pendant 2 heures.

❦ Pour la garniture, faites fondre le beurre dans une poêle, à feu moyen. Quand il mousse, ajoutez les tranches de coing et poursuivez la cuisson 1 ou 2 minutes, jusqu'à ce qu'ils soient luisants. Ajoutez le sucre et attendez 2 à 3 minutes qu'ils prennent une légère couleur dorée sur le premier côté. Retournez les tranches et laissez dorer

le deuxième côté. Versez l'eau et poursuivez la cuisson encore 2 ou 3 minutes, jusqu'à ce que les tranches de coing soient tendres. Versez l'armagnac et enflammez-le. Couvrez et gardez au chaud jusqu'au moment de servir.

❦ Mettez une poêle d'un diamètre de 30 cm, de préférence munie d'un revêtement antiadhésif, à feu moyen. Quand une goutte d'eau tombant dedans grésille et gicle, la poêle est à température. Déposez-y alors 15 g de beurre et basculez-la pour en graisser le fond uniformément. Si la pâte vous semble trop épaisse (elle doit avoir la consistance de la crème fleurette), ajoutez un peu de lait. Puis versez à peine 4 cuillerées à soupe de pâte dans la poêle, inclinez rapidement cette poêle en tous sens pour bien répartir la pâte sur le fond. Retirez le surplus s'il y en a. Au bout de 30 secondes environ, des bulles apparaissent sur la surface, tandis que les bords commencent à sécher et se décoller. À l'aide d'une spatule, retournez votre crêpe. Empilez-les sur une assiette au fur et à mesure, et couvrez pour maintenir au chaud. Répétez jusqu'à ce que toute la pâte soit utilisée, en remettant du beurre dans la poêle quand c'est nécessaire. Vous devriez avoir seize crêpes.

❦ Dans un saladier, battez la crème avec un batteur électrique à vitesse maximum, environ 2 minutes, pour la faire épaissir. Ajoutez lentement le sucre, tout en continuant à battre jusqu'à ce que des pics mous se forment.

❦ Pour servir, déposez 1 ½ cuillerée à soupe de coings au centre d'une crêpe. Repliez la crêpe en deux, puis encore en deux. Posez-la sur une assiette à dessert. Répétez jusqu'à ce que toutes les crêpes soient garnies et repliées, mettez deux crêpes par assiette. Décorez chacune d'elles avec 1 cuillerée ou 2 de crème fouettée. Servez aussitôt.

Pour 8 personnes

Pouvoir servir à ses invités des fruits de son jardin est un réel privilège. Ceux qui ne peuvent en bénéficier se rendront au marché pour choisir sur les étals les fruits de saison en provenance des vergers voisins.

Centre
Clafoutis aux cerises

*L*e *clafoutis est un entremets à base de pâte à crêpes
épaisse et de cerises noires. Il serait originaire du
Limousin, mais la recette a fait florès dans tous les coins
du pays. Maintenant, on le prépare non seulement avec
différentes variétés de cerises, mais aussi avec toutes sortes
de fruits. Traditionnellement, les cerises ne sont pas
dénoyautées car les noyaux ajoutent leur parfum à la
saveur du fruit ; n'oubliez pas de prévenir vos invités !*

20 g de beurre

25 cl de lait

4 cuillerées à soupe de crème épaisse

100 g de farine tamisée

3 œufs

60 g de sucre en poudre

1 cuillerée à soupe d'extrait de vanille

1 pincée de sel

*500 g de cerises équeutées et éventuellement
dénoyautées*

1 cuillerée à soupe de sucre glace

☙ Préchauffez le four à 180 °C/th. 6. Avec le beurre,
graissez un moule rond d'environ 25 cm de diamètre.
Dans un saladier, assemblez le lait, la crème, la farine,
les œufs, le sucre en poudre, la vanille et le sel. Fouettez
avec un batteur électrique à vitesse moyenne environ
5 minutes, jusqu'à ce que le mélange mousse.

☙ Versez dans le moule une quantité suffisante de pâte
pour en recouvrir le fond sur une épaisseur d'environ
5 mm. Enfournez le plat pendant 2 minutes, puis sortez-
le. Couvrez la pâte obtenue d'une couche de cerises.
Versez le reste de pâte sur les cerises. Remettez au four
et laissez cuire 30 à 35 minutes, jusqu'à ce qu'il soit
gonflé et doré et que la lame d'un couteau enfoncée
en son centre ressorte nette.

☙ Saupoudrez de sucre glace et servez tiède.

Pour 6 à 8 personnes

Sud-Ouest

Pudding au pain
et aux fruits secs

*J'ai toujours admiré la façon dont on utilise en France
les restes de pain, les considérant comme un ingrédient
à part entière. Ce n'est pas parce qu'il n'est plus frais
qu'il a perdu sa valeur nutritive, il s'est simplement
transformé, comme le lait devient fromage et le raisin, vin.
Dans les desserts, le pain rassis est principalement utilisé
pour faire des puddings et du pain perdu (voir page 242).
Dans les plats salés, il entre dans la composition
de farces pour les légumes, les poissons ou la volaille,
il est également réduit en chapelure et sert
alors à recouvrir certains gratins.*

*Dans les puddings, le résultat dépend du type de pain
utilisé. Si vous prenez du bon gros pain de campagne,
votre pudding sera léger et aéré, presque semblable
à un soufflé, car ce pain garde sa structure et l'air
s'y trouve enfermé. Si c'est un pain à mie dense
et souple, le pudding sera dense lui aussi.
Mais tous deux seront bons. J'associe cette recette
à la région du Sud-Ouest, riche en abricotiers.*

90 g de raisins secs

180 g d'abricots secs, grossièrement hachés

10 cl de rhum

45 g de beurre frais

1 à 1,5 l de lait

4 œufs

1 cuillerée à café d'extrait de vanille

½ cuillerée à café de sel

300 g de sucre

10 à 12 tranches de pain rassis de la veille,
de 3 cm d'épaisseur

☙ Dans un saladier, mélangez les raisins et les abricots,
arrosez-les de rhum et laissez macérer à température
ambiante toute la nuit afin qu'ils gonflent généreusement.

☙ Préchauffez le four à 190 °C/th. 6. Graissez soigneusement un moule à cake avec 15 g de beurre.

☙ Versez le lait dans un grand saladier. Si vous utilisez
un pain à texture fine, 1 l suffira, mais si c'est un pain
plus grossier et plus sec, il en faudra 1,5 l. Incorporez
les œufs, la vanille, le sel et 220 g de sucre. Égouttez les
fruits et versez le rhum dans le saladier.

☙ Étalez une couche de pain dans le fond du moule.
Réservez 2 cuillerées à soupe de raisins et d'abricots
pour la décoration. Éparpillez sur la couche de pain un
tiers des fruits. Versez dessus un quart de la préparation
précédente. Répétez deux fois ces opérations, en tassant
bien les différentes couches au fur et à mesure et en
finissant par une couche de pain sur laquelle vous
verserez le reste du lait. Mélangez les fruits réservés avec
les 80 g de sucre qui restent et éparpillez-les sur le dessus.
Coupez les 30 g de beurre restants en petits dés et
parsemez-les également.

☙ Faites cuire au four environ 45 minutes, jusqu'à ce
que la lame d'un couteau enfoncée en son centre
ressorte nette. Sortez du four et servez chaud ou tiède
dans des petits ramequins.

Pour 6 personnes

Sud-Ouest

Soufflé aux pruneaux et à l'armagnac

Les soufflés sont des desserts traditionnels communs à toute la France, mais chaque région possède sa recette particulière liée aux produits que l'on y trouve. La présence de pruneaux et d'armagnac signe ici l'allégeance de ce soufflé à la gastronomie gasconne.

250 g de pruneaux dénoyautés

25 cl d'eau chaude

2 cuillerées à soupe d'armagnac

40 g de beurre

1 ½ cuillerée à café de sucre, plus 6 cuillerées à soupe

7 blancs d'œufs

1 petite pincée de sel

sucre glace

❧ Assemblez dans un saladier les pruneaux, l'eau chaude et 1 cuillerée à soupe d'armagnac. Laissez macérer à température ambiante toute une nuit, afin que les pruneaux aient le temps de bien gonfler.

❧ Le lendemain, préchauffez un four à 180 °C/th. 6. Beurrez généreusement un moule à soufflé de 20 cm de diamètre. Saupoudrez le fond d'1 ½ cuillerée à café de sucre, puis inclinez le moule en tous sens pour le répartir uniformément y compris sur les côtés.

❧ Égouttez les pruneaux et réservez 2 cuillerées à soupe de jus. Dans un mixer, mélangez les pruneaux, le jus réservé et la cuillerée à soupe d'armagnac qui reste jusqu'à ce que vous obteniez une purée épaisse. Réservez.

❧ Dans un grand saladier, versez les blancs d'œufs avec le sel et battez-les avec un batteur électrique sur vitesse moyenne jusqu'à la formation de pics mous. Incorporez progressivement 6 cuillerées à soupe de sucre en continuant de battre jusqu'à ce que des pics rigides se forment. Avec une spatule en caoutchouc, incorporez par petites quantités la purée de pruneaux, en veillant à ne pas faire retomber les blancs. Versez dans le moule à soufflé.

❧ Faites cuire au four environ 20 minutes, jusqu'à ce que le soufflé ait atteint le bord. Retirez du feu, et à l'aide d'un tamis fin, saupoudrez le dessus du soufflé avec un peu de sucre glace. Servez immédiatement.

Pour 6 personnes

Digestifs

Comme l'apéritif est le prélude à un repas, le digestif en est la conclusion, son but étant d'aider la digestion, assistance on ne peut plus agréable. Quelquefois il est servi avec le café à la fin du repas, mais le plus souvent il le suit.

Les digestifs sont ordinairement des produits de la distillation de vin ou de fruits, et pratiquement toutes les régions de France ont leurs spécialités. Sans aucun doute le plus connu est le cognac, distillé à partir de vin de la région de Cognac, dans les Charentes. Pas très loin, en Gascogne, c'est l'armagnac qui règne en maître. Comme le cognac, il provient de la distillation du vin régional. Les marcs, obtenus par distillation des résidus de fruits que l'on a pressés, notamment des raisins, sont également très appréciés. Parmi eux, les marcs de Bourgogne, de Champagne, d'Auvergne et d'Alsace. Le calvados, spécialité de Normandie, est une eau-de-vie de cidre. On trouve également des eaux-de-vie de framboise, de poire ou d'autres fruits que l'on fait d'abord fermenter avant de les distiller. Un procédé différent de celui utilisé pour le marc, mais qui donne des résultats tout aussi fameux.

Tous ces marcs et eaux-de-vie sont utilisés dans la cuisine, où ils sont le plus souvent flambés, ce qui permet de brûler l'alcool tout en conservant l'arôme du fruit.

Île-de-France
Tartelettes aux fruits

Tartelettes dont les beaux fruits rouges sont autant de joyaux dans leur écrin de pâte dorée, rondes et festonnées, multicolores et scintillantes, elles rivalisent d'attraits pour éveiller notre convoitise. Que ce soit dans un petit village, une cité industrielle, une banlieue ou dans les beaux quartiers, il se trouvera toujours une pâtisserie offrant de superbes tartes aux fruits frais, sur un lit de crème pâtissière. Ce n'est pas sorcier à faire, cela demande juste un peu de temps. Si vous êtes nombreux, remplacez les petits moules par un moule à tarte de 25 cm de diamètre.

PÂTE

300 g de farine

1 cuillerée à café de sel

125 g de beurre, plus 30 g de beurre froid coupé en petits dés

10 cl d'eau glacée

CRÈME PÂTISSIÈRE

25 cl de lait, plus 1 cuillerée à soupe (éventuellement)

125 g de sucre

3 jaunes d'œufs

60 g de farine

15 g de beurre à température ambiante

1 ½ cuillerée à café d'extrait de vanille

150 g de gelée de groseilles

180 g de myrtilles

180 g de framboises

☙ Préparez la pâte : dans un grand saladier, mélangez la farine et le sel. Versez les dés de beurre et à l'aide d'un mixer ou de deux couteaux, recoupez-les jusqu'à ce que vous obteniez des billes de la taille d'un pois. Ajoutez l'eau glacée, 1 cuillerée à soupe à la fois, pendant que vous pétrissez légèrement la pâte avec une fourchette puis avec vos doigts. (Ne la travaillez pas trop, sinon elle serait dure.) Rassemblez la pâte en une boule (un peu sableuse), enveloppez-la dans du film plastique, et laissez-la reposer au réfrigérateur 15 minutes.

☙ Préchauffez le four à 220 °C/th. 7.

☙ Divisez la pâte en quatre parties, gardez la première et déposez les autres au réfrigérateur. Sur un plan de travail fariné, abaissez la pâte au rouleau sur une épaisseur de 5 mm. Posez un moule rond de 5 cm de diamètre (ou un moule d'une autre forme) à l'envers sur la pâte et avec un couteau, découpez la pâte à 1 cm du bord du moule. Continuez jusqu'à ce qu'un maximum de pâte ait été utilisé. Glissez un couteau ou une spatule glacée sous chaque découpe et tapissez-en les moules, en ôtant la pâte qui déborde. Rassemblez les chutes de pâte et faites-en une boule. Étendez au rouleau et découpez autant de tartes que possible, mais ne retravaillez pas les chutes une seconde fois. Continuez jusqu'à ce que toute la pâte ait été utilisée. Découpez un morceau de papier sulfurisé pour chemiser les moules, puis remplissez-les de poids à tourte ou de haricots secs.

☙ Faites cuire au four pendant 10 minutes, puis ôtez les poids ou les haricots et le papier. Avec une fourchette piquez le fond des tartes, remettez au four 4 à 5 minutes de plus, jusqu'à ce qu'elles soient dorées. Laissez refroidir complètement sur une grille.

☙ Préparez la crème pâtissière : versez 25 cl de lait dans une grande casserole et, à feu moyen, attendez que de petites bulles se forment sur le bord. Pendant ce temps, dans un grand saladier, battez avec un batteur électrique à vitesse moyenne le sucre et les jaunes d'œufs jusqu'à ce que le mélange ait blanchi. Incorporez la farine pour obtenir une pâte épaisse. Quand le lait est prêt, versez-le progressivement dans la préparation précédente, en fouettant sans discontinuer. Quand tout le lait chaud a été absorbé, versez le mélange dans la casserole et portez à ébullition à feu moyen, sans cesser de fouetter. Dès que la crème a épaissi, au bout de 1 ou 2 minutes, retirez-la du feu et battez vigoureusement environ 1 minute, jusqu'à ce que la crème devienne très épaisse. Incorporez alors le beurre et la vanille. Laissez refroidir légèrement. Si la crème pâtissière avait trop épaissi pour pouvoir être étalée après refroidissement, il faudrait ajouter 1 cuillerée à soupe de lait, puis fouetter pour la lisser de nouveau.

☙ Dans une casserole, à feu doux, chauffez la gelée de groseille, en remuant jusqu'à ce qu'elle ait fondu. Retirez du feu. Versez juste assez de cette gelée tiède sur un fond de tarte pour le glacer, en inclinant en tous sens pour la répartir uniformément. Glacez ainsi tous les fonds de tartes, en réchauffant si nécessaire la gelée pour la liquéfier.

☙ Nappez de crème pâtissière le fond glacé des tartelettes sur une épaisseur de 5 à 10 mm. Recouvrez cette couche de crème avec les myrtilles et les framboises. Versez dessus un peu de gelée pour les glacer. Couvrez et réfrigérez pendant au moins 1 heure et au maximum 12 heures.

☙ Laissez les tartelettes à température de la pièce pendant 15 à 20 minutes avant de les servir.

Pour 12 personnes

Figues rôties
à la crème fraîche

*Quand les figues sont rôties ou grillées, leurs sucres
naturels commencent à caraméliser légèrement,
et leur saveur déjà sucrée s'intensifie.
La crème fraîche les adoucit tout en exaltant les arômes.
Toutes les variétés de figues peuvent être utilisées,
à la condition que les fruits soient bien mûrs.
Ma préférée, cependant, est la petite
et presque noire violette de Bordeaux,
délicieusement sucrée et parfumée.*

1 noix de beurre

16 figues très mûres

2 cuillerées à soupe de sucre en poudre

1 cuillerée à café de jus de citron frais

12 cl de crème fraîche

1 cuillerée à soupe de zeste de citron râpé

1 cuillerée à soupe de sucre roux

❦ Préchauffez le four à 200 °C/th. 7. Graissez avec le beurre un plat de cuisson profond pouvant contenir toutes les figues.

❦ Déposez les figues dans ce plat et tournez-les une fois ou deux pour bien les enrober de beurre. Saupoudrez de sucre.

❦ Faites cuire au four 10 à 12 minutes, jusqu'à ce qu'elles soient cuites à cœur. Sortez du four, arrosez de jus de citron et laissez reposer 5 minutes.

❦ Répartissez les figues dans des assiettes à dessert chaudes. Servez tiède, avec 1 cuillerée à soupe de crème fraîche, un zeste de citron et du sucre roux.

Pour 8 personnes

*À chaque saison ses fruits...
Il convient de profiter
à temps de ces délices
éphémères.*

Fromage ou dessert ?

Le fromage fait incontestablement partie des habitudes alimentaires françaises. Il est partie intégrante du repas, même le plus simple. Chaque fois que je me suis arrêtée dans une cafétéria au bord d'une autoroute ou en ville, j'ai toujours été surprise de voir sur les plateaux de mes voisins un morceau de fromage, ne fût-ce qu'une simple part de camembert dans son emballage individuel. Parfois, le fromage remplace même le dessert. Ne lit-on pas sur les menus des restaurants : « fromage ou dessert » ? Et je n'ai jamais été reçue dans une famille française, sans que l'on m'offre du fromage.

Soit un plateau composé pour l'occasion de différentes variétés, soit un unique fromage choisi pour son exceptionnelle finesse et parfaitement affiné. Et pour bien l'honorer, les assiettes sont alors changées ainsi que les couverts. Aussi, quand des Français me rendent visite en Californie, ils me sont toujours reconnaissants de leur offrir du fromage, avouant que cela leur a manqué durant leur voyage.

Pays de la Loire

Tarte Tatin aux coings

La tarte Tatin classique est une tarte aux pommes cuite à l'envers. Ici, la recette d'origine a été légèrement enrichie. Des coings et des raisins de Smyrne accompagnent en effet les pommes, et les fruits ont macéré toute la nuit dans un mélange de vin blanc, de sucre et de vanille avant d'être cuits au four. Le jus des fruits mêlé au beurre et au sucre qui a caramélisé au cours de la cuisson au fond de la tourtière se retrouvera sur le dessus, une fois la tarte retournée sur le plat de service.

3 gros ou 6 petits coings mûrs, pelés, évidés et coupés en tranches d'1 cm d'épaisseur

4 grosses pommes fermes et sucrées (du type golden, reinette ou gala) pelées, évidées et coupées en tranches d'1 cm d'épaisseur

50 cl de riesling ou autre vin blanc fruité

245 g de sucre

1 gousse de vanille

180 g de raisins de Smyrne

30 g de beurre froid

PÂTE

300 g de farine

1 cuillerée à café de sel

125 g de beurre

10 cl d'eau glacée

❦ Dans un grand saladier, mélangez bien les tranches de coing et de pomme, le vin, 125 g de sucre, la gousse de vanille et les raisins. Couvrez et laissez reposer à température de la pièce pendant au moins 4 heures et au plus 24 heures.

❦ Préparez la pâte : dans un autre grand saladier, mélangez la farine et le sel. Détaillez les 125 g de beurre en dés d'1 cm et ajoutez-les à la farine. À l'aide d'un mixer ou de deux couteaux, recoupez le beurre en billes de la taille d'un pois. Ajoutez l'eau glacée, 1 cuillerée à soupe à la fois, tout en pétrissant légèrement avec une

fourchette et ensuite avec vos doigts. Ne travaillez pas trop la pâte, sinon elle deviendrait dure. Rassemblez la pâte en une boule (elle doit être un peu sableuse), enveloppez-la dans du film plastique et laissez-la reposer au réfrigérateur pendant 15 minutes.

♕ Préchauffez le four à 190 °C/th. 7. Avec 15 g de beurre froid, graissez une tourtière d'environ 25 cm de diamètre et de 5 à 6 cm de hauteur. (Choisissez si possible une tourtière en verre transparent, afin que vous puissiez voir le caramel se former dans le fond du plat.)

♕ Saupoudrez le fond de la tourtière avec 60 g de sucre. À l'aide d'une écumoire, sortez les coings, les pommes et les raisins du vin sucré dans lequel ils ont macéré. Disposez environ un tiers des tranches de fruits et des raisins au fond de la tourtière. Saupoudrez le premier tiers avec le sucre restant. Préparez de la même façon deux autres couches. Coupez 15 g de beurre froid en petits dés et éparpillez-les dessus uniformément. Jetez le vin.

♕ Sur un plan de travail fariné, abaissez la pâte en un rond du même diamètre que le plat de cuisson et de 5 mm d'épaisseur à peine. Posez la pâte sur le rouleau à pâtisserie et transportez-la au-dessus de la tourtière. Déroulez-la et déposez-la délicatement sur les fruits. Faites glisser les bords de la pâte le long de ceux de la tourtière. Piquetez le dessus avec les dents d'une fourchette.

♕ Faites cuire au four environ 1 heure, jusqu'à ce que la croûte soit légèrement dorée et qu'un beau caramel doré se soit formé dans le fond du moule.

♕ Sortez du four et laissez reposer 5 minutes. Glissez un couteau le long de la tourtière. Posez dessus un plat de service renversé, maintenez fermement les deux récipients ensemble, retournez, puis soulevez la tourtière. Si quelques tranches de fruits sont restées collées au fond, détachez-les délicatement et remettez-les sur la tarte.

♕ Servez chaud.

Pour 6 à 8 personnes

Centre

Flognarde

Dans toutes les régions de France, on confectionne des entremets à base de pâte à crêpes, soit nature, soit avec des fruits. En Auvergne, ce flan est appelé « flognarde » et il est préparé avec des fruits de la région, coupés en tranches, tels que prunes, poires ou pommes. Dans le Limousin, il est traditionnellement préparé avec des cerises entières et porte le nom de clafoutis.

70 g de beurre

45 g de farine

60 g de sucre

3 œufs

8 cuillerées à soupe de lait

quelques gouttes d'alcool de prune ou d'extrait de vanille

6 prunes rouges, violettes ou vertes, dénoyautées et coupées en tranches de 5 mm d'épaisseur ou 12 petites prunes dénoyautées et coupées en deux (350 g au total)

֎ Préchauffez le four à 200 °C/th. 7. Avec 10 g de beurre, graissez généreusement un plat à quiche de 25 cm de diamètre.

֎ Dans un saladier, battez ensemble avec un mixer la farine, le sucre, les œufs, le lait et l'alcool de prune ou l'extrait de vanille pour obtenir une pâte lisse. Battez vigoureusement encore 1 à 2 minutes pour l'aérer. Versez la pâte dans le plat de cuisson. Disposez les prunes dessus, les unes à côté des autres, mais en une seule couche. Détaillez les 60 g de beurre qui restent en petits morceaux et parsemez-les dessus.

֎ Faites cuire au four environ 30 minutes, jusqu'à ce que le dessus gonfle et que les bords soient bien dorés. Sortez du four, couvrez sans enfermer avec une feuille de papier aluminium et laissez reposer environ 5 minutes, pour que votre flognarde dégonfle légèrement.

֎ Servez chaud, tiède ou à température ambiante.

Pour 4 personnes

Franche-Comté et Alpes

Cocktail de fruits rouges

Les fruits rouges sont souvent panachés pour préparer des confitures, des tartes, des crèmes et bien d'autres desserts. Celui-ci, qui me rappelle ces montagnes où chaque été mes amis vont aux myrtilles, est un des plus simples à réaliser. Faute de myrtilles, vous pouvez les remplacer par des mûres ou bien augmenter tout simplement la quantité de fraises et de framboises.

200 g de fraises équeutées

200 g de framboises

100 g de myrtilles fraîches, équeutées

1 cuillerée à soupe de vinaigre balsamique

25 cl de vin rouge sec (arbois ou bourgogne)

60 g de sucre glace

2 cuillerées à soupe de menthe fraîche ciselée

֎ Coupez les grosses fraises en deux ou en quatre dans le sens de la longueur. Si elles sont petites, laissez-les entières. Dans un saladier, mélangez délicatement les fraises, les framboises et les myrtilles. Arrosez avec le vinaigre balsamique, le vin et le sucre, puis mélangez bien. Couvrez et laissez au réfrigérateur pendant plusieurs heures, au plus une nuit.

֎ Pour servir, répartissez les fruits frais dans des flûtes à champagne ou des coupes. Garnissez avec un brin de menthe et servez immédiatement.

Pour 6 à 8 personnes

La plupart des desserts faits maison sont à base de fruits, parmi eux les clafoutis, les tartes, les compotes, les fruits pochés et les génoises.

Franche-Comté et Alpes

Tarte aux noix

*Dans la région de Grenoble, réputée pour ses noix,
il n'est pas rare de voir des gâteaux aux noix
parader derrière les vitrines des pâtisseries.
Dans cette recette, les noix sont doublement
à l'honneur puisqu'on y ajoute de la liqueur de noix ;
cependant on peut remplacer cette dernière
par du Cointreau ou une liqueur d'orange.*

PÂTE

250 g de farine

60 g de sucre en poudre

*125 g de beurre, détaillé
en dés d'1 cm*

1 œuf

GARNITURE

30 g de beurre fondu et refroidi

100 g de sucre roux

2 œufs

*4 cuillerées à soupe de liqueur de noix
ou de Cointreau*

1 cuillerée à café d'extrait de vanille

200 g de noix coupées en deux et grillées

♛ Placez une grille au tiers inférieur d'un four et
préchauffez à 180 °C/th. 6.

♛ Préparez la pâte : dans un saladier, mélangez la farine
et le sucre en poudre. Ajoutez le beurre et travaillez avec
vos doigts jusqu'à ce que le mélange devienne sableux.
Ajoutez l'œuf et pétrissez avec une fourchette. Étalez
la pâte uniformément dans un moule à tarte de 25 cm
de diamètre à fond mobile. Réservez.

♛ Préparez la garniture : dans un saladier, assemblez le
beurre fondu, le sucre roux, les œufs, la liqueur et la
vanille. Battez avec une cuillère en bois jusqu'à ce que
le mélange devienne homogène. Introduisez les noix
grillées. Versez la garniture dans le moule à tarte.

♛ Laissez cuire au four environ 30 minutes, jusqu'à ce
que la croûte et la garniture soient dorées. Puis, attendez
qu'elle tiédisse. Retirez le pourtour du moule et glissez
la tarte sur un plat de service. Servez tiède.

Pour 12 personnes

Champagne et Nord
Sorbet au champagne

*Quelle superbe tombée de rideau pour une fin de repas
que ce sorbet où domine l'arôme du champagne !
Ou encore un trou normand pour l'entracte du dîner.
Un filet de crème de cassis apportera sa flamme.
Quelques gouttes d'une liqueur de fruit, poire,
framboise ou pêche, en enrichiront la saveur.*

*Seuls les vins élevés dans la zone d'appellation spécifique
et suivant une réglementation rigoureuse peuvent
légalement porter le nom de champagne, mais pour
préparer ce sorbet, d'autres vins pétillants feront l'affaire.
Pour un sorbet de couleur et de saveur subtiles, choisissez
un vin pétillant rosé, sec ou brut. Lors d'une fête,
garnissez le sorbet de violettes ou de pétales de rose confits
et servez dans ce genre de coupes à champagne
très à la mode dans les années 1950.*

1 bouteille (75 cl) de champagne
ou de vin pétillant
60 g de sucre

♛ Dans une casserole, mélangez le champagne ou le vin pétillant avec le sucre. Couvrez hermétiquement avec un film plastique et placez dans la partie la plus froide du congélateur. Laissez geler, en battant toutes les 30 minutes pendant environ 4 heures, jusqu'à ce que le mélange devienne ferme et granuleux.

♛ Mixez-le alors pour briser les cristaux. Vous obtiendrez ainsi une texture aérienne plus légère.

♛ Remettez cette préparation dans la casserole, couvrez avec du film plastique ou du papier aluminium et remettez au congélateur jusqu'au moment de servir. Pour qu'il garde un maximum de saveur, le sorbet doit être servi dans les 48 heures suivant la préparation.

♛ Déposez une boule de sorbet dans chaque flûte ou coupe à champagne, ou bien dans des verres à vin ou des coupelles.

Pour 4 personnes

Normandie

Galette de pommes au fromage

L'avantage avec les pommes, c'est que la plupart d'entre elles se conservent bien, de l'automne jusqu'au printemps. Une aubaine qui a donné naissance à une multitude de recettes. Dans la composition de ce dessert entrent également du fromage de chèvre frais et de la crème fraîche.

1 pâte feuilletée toute prête

125 g de fromage de chèvre frais

155 g de sucre

1 œuf

8 cuillerées à soupe de crème épaisse

quelques gouttes d'extrait de vanille

2 grosses pommes (granny smith, gala ou golden), pelées, épépinées et coupées en tranches de 5 mm

❦ Préchauffez le four à 190 °C/th. 6.

❦ Déroulez la pâte feuilletée et déposez-la sur une plaque de cuisson non graissée. Repliez-en le pourtour pour confectionner un rebord.

❦ Dans un saladier, battez ensemble le fromage de chèvre, 125 g de sucre, l'œuf, la crème et la vanille pour obtenir une crème lisse. Étalez cette préparation uniformément sur la pâte feuilletée. Disposez les tranches de pommes en cercles concentriques. Saupoudrez le sucre restant uniformément sur les pommes.

❦ Faites cuire environ 30 minutes, jusqu'à ce que la pâte ait bien gonflé et que les pommes soient légèrement dorées. Sortez du four et couvrez sans enfermer avec une feuille de papier aluminium pour laisser reposer votre galette une dizaine de minutes.

❦ Servez-la tiède ou à température ambiante.

Pour 6 personnes

Assortiment de fromages

Il existe plusieurs façons de composer un plateau de fromages. La plus classique est de présenter cinq à sept fromages de différentes régions et familles. Parmi elles, on trouve les fromages frais de vache ou de chèvre, puis, les fromages à pâte molle, tels que le camembert. D'autres fromages fermentés à pâte molle sont dits « à croûte lavée » car celle-ci est essuyée régulièrement avec un linge trempé dans de la saumure. Elle prend alors une couleur orangée, comme celle du livarot et du munster. Les bleus, fromages marbrés de moisissures bleues, appartiennent à la famille des pâtes persillées. Viennent ensuite les pâtes pressées non cuites, consommées après 3 à 6 mois de maturation (morbier, saint-nectaire). Enfin, on trouve les fromages à pâte pressée cuite, à laquelle appartiennent le comté et le beaufort, vieillis au moins 1 an avant d'être mis en vente. Les fromages de chèvre peuvent appartenir à chacune de ces familles, selon leur mode de fabrication.

Une autre façon de composer un plateau de fromages consiste à choisir trois fromages de la même région et de les accompagner avec un vin du terroir correspondant. Avec le fromage de chèvre, vous pouvez servir des vins très frais à très secs, voire moelleux, type sauternes. Dans tous les cas, pour préserver au mieux leur saveur, les fromages devront être sortis du réfrigérateur au moins 1 heure 30 avant d'être présentés.

Pays de la Loire

Pain perdu aux cerises

Bien que le pain perdu soit un entremets des plus rustiques, la combinaison des textures, des saveurs et des couleurs en fait un dessert aussi délicieux qu'appétissant.

60 g de sucre

8 cuillerées à soupe d'eau

1 graine de badiane (anis étoilé)

1 cuillerée à soupe de kirsch (facultatif)

180 g de cerises équeutées (bigarreaux ou griottes)

4 œufs

2 cuillerées à soupe de lait

4 tranches de brioche ou de pain de mie rassis d'1 cm d'épaisseur

45 g de beurre

sucre glace ·

Dans une casserole de taille moyenne, mélangez le sucre et l'eau. Portez à ébullition, en remuant pour faciliter la dissolution du sucre. Ajoutez la badiane et le kirsch, si vous avez choisi d'en utiliser. Laissez bouillonner 4 à 5 minutes, en remuant de temps en temps, jusqu'à ce qu'un sirop léger se soit formé. Ajoutez les cerises et poursuivez la cuisson 7 à 8 minutes afin qu'elles amollissent. Retirez du feu et couvrez pour maintenir au chaud.

Dans un plat creux assez grand pour contenir à plat les 4 tranches de brioche, battez ensemble les œufs et le lait. Ajoutez les tranches de brioche et laissez-les s'imbiber 1 à 2 minutes, puis retournez-les pour que l'autre côté absorbe ce qui reste de liquide.

Dans une poêle, laissez fondre le beurre à feu moyen. Déposez-y le pain 6 à 8 minutes au total, afin qu'il dore bien de chaque côté.

Présentez 1 tranche de pain tiédie sur chaque assiette à dessert et répartissez dessus les cerises chaudes et leur jus de cuisson. Saupoudrez de sucre glace et servez. N'oubliez pas de prévenir vos invités que les cerises ne sont pas dénoyautées !

Pour 4 personnes

Provence
Rissoles d'abricots

*Cette recette est l'avatar d'une pâtisserie frite dégustée
à Digne-les-Bains, dans les Alpes-de-Haute-Provence,
un jour de marché. Extraite d'une grosse bassine à friture,
elle me fut tendue toute chaude, enveloppée
dans un morceau de papier.*

*L'étal se composait d'une table, d'un parasol
et d'une ardoise annonçant « Rissoles ».
Même si la pâte n'était pas celle des rissoles de Savoie,
le principe restait, semblait-il, à peu près le même.
Elles avaient l'apparence de gros raviolis qui auraient
été frits puis saupoudrés de sucre glace.
Le marchand proposait également des rissoles salées,
aux épinards, aux pommes de terre et au fromage,
préparées avec la même pâte.*

PÂTE

300 g de farine

2 jaunes d'œufs

1 cuillerée à soupe d'huile d'olive

2 cuillerées à soupe d'eau

*600 g de confiture d'abricots épaisse comportant
de gros morceaux de fruits*

huile légère pour friture (colza, par exemple)

sucre glace

꙰ Pour préparer la pâte, versez dans l'ordre la farine,
les jaunes d'œufs, l'huile d'olive et l'eau dans un mixer.
Faites tourner jusqu'à ce qu'une boule collante se forme.
Déposez cette pâte sur un plan de travail fariné et
pétrissez-la 5 à 7 minutes, jusqu'à ce qu'elle devienne
élastique et puisse être abaissée au rouleau. Enveloppez
la pâte dans un film plastique et laissez-la reposer à
température ambiante pendant 30 minutes.

꙰ Divisez cette boule de pâte en deux parts égales. Sur
un grand plan de travail bien fariné, abaissez la première
boule de pâte en un rectangle de 40 cm x 50 cm et
3 mm d'épaisseur. À l'œil nu, divisez cette feuille en
carrés d'une dizaine de centimètres. Déposez 3 cuillerées
de confiture au centre de chaque carré, puis étalez-la
jusqu'à 1 cm des bords.

꙰ Abaissez la boule de pâte qui reste en une feuille de
même taille. Déposez cette seconde feuille au-dessus
de la première. Avec le tranchant de la main, pressez la
feuille du dessus sur celle du dessous pour laisser

apparaître des lignes entre les petits tas de garniture, et
ainsi délimiter les carrés.

꙰ Avec une roulette de pâtissier ou un couteau pointu,
découpez la pâte le long de chacune de ces lignes pour
détacher les carrés. (Vous pouvez alors procéder tout
de suite à la cuisson, sinon disposez-les en une seule
couche et sans qu'ils se touchent sur un torchon fariné
ou sur du papier sulfurisé, saupoudrez-les bien de farine
et couvrez-les avec un autre torchon ou une autre feuille
de papier sulfurisé. Il vous sera possible de les garder
ainsi plusieurs heures.)

꙰ Dans une poêle assez profonde, versez l'huile sur 2 à
3 cm de hauteur et chauffez à feu moyen jusqu'à 180 °C.
Contrôlez la température avec un thermomètre à friture,
ou en lâchant dedans une goutte d'eau, qui devra
grésiller. Plongez les carrés, à petites doses et en faisant
en sorte qu'ils ne se touchent pas. Laissez dorer le
premier côté, environ 1 minute. Avec des pinces,
retournez-les et cuisez le second côté, en comptant le
même temps. Sortez-les et déposez-les sur du papier
absorbant pour qu'ils s'égouttent. Gardez chaud à four
doux ou servez au fur et à mesure qu'ils sont prêts.

꙰ Juste avant de les offrir, saupoudrez-les avec un peu
de sucre glace tamisé. Servez chaud.

Pour 5 à 6 personnes (environ 20 rissoles)

Caves et affinage

À part les fromages frais, tous les autres sont vieillis. Chaque type de fromage a son point de maturation optimum, on dit alors qu'il est « fait à point ». Les spécialistes de l'affinage du fromage, les affineurs, achètent des fromages de toutes sortes à des producteurs et les font vieillir en cave.

Visiter une cave d'affinage s'apparente presque à un tour de France gourmand ! Sur des parois souvent taillées à même le roc s'alignent des étagères chargées de fromages.

Voyage géographique et géométrique où se côtoient des centaines de cylindres, pyramides, roues, disques et carrés, de Savoie, d'Auvergne, du Nord, du Pas-de-Calais, de Normandie, de Lorraine, d'Alsace, de Bourgogne, des Alpes et de Provence, placés sous les bons soins des maîtres affineurs en tablier blanc.

En haut, dans la boutique, mille bonnes odeurs titillent les narines et invitent à la dégustation.

Ile-de-France
Crème caramel

Comme la mousse au chocolat, la crème caramel est omniprésente dans tous les restaurants. On peut même en acheter en pots individuels dans les supermarchés. Néanmoins, si vous souhaitez y consacrer quelques minutes, ce délicieux entremets est facile à réaliser.

250 g de sucre
50 cl de lait
50 cl de crème épaisse
8 œufs
1 pincée de sel
1 cuillerée à café d'extrait de vanille
eau bouillante à discrétion

❦ Versez 125 g de sucre dans un moule à manqué, puis posez-le sur la cuisinière à feu doux. En tenant le bord du moule avec une manique, inclinez-le en tous sens pendant que le sucre fond et se caramélise. Quand tout le sucre est devenu liquide et a pris une belle couleur dorée, retirez le moule du feu. Inclinez-le encore en tous sens pour que le fond et les côtés soient uniformément enrobés de caramel. Réservez.

❦ Préchauffez le four à 165 °C/th. 6.

❦ Dans une casserole, mélangez à feu moyen le lait et la crème jusqu'à ce que de petites bulles apparaissent sur les bords. Pendant ce temps, dans un saladier, battez les œufs. Ajoutez les 125 g de sucre restants, le sel et la vanille, et battez pour bien intégrer le tout. Versez lentement le mélange de lait et de crème dans les œufs, en fouettant sans discontinuer.

❦ Versez la préparation dans le moule chemisé de caramel. Déposez ce moule dans un plat de cuisson. Versez de l'eau bouillante dans ce plat jusqu'à mi-hauteur du moule. Laissez cuire au four 35 à 45 minutes, jusqu'à ce qu'un couteau enfoncé au centre en ressorte parfaitement net. Sortez du four et laissez refroidir à température ambiante.

❦ Pour démouler, glissez un couteau tout autour du bord. Posez à l'envers un plat de service sur le moule. Maintenez les deux récipients ensemble, renversez afin que le plat se trouve en dessous. Secouez le moule, puis enlevez-le. La crème doit tomber doucement sur le plat de service. Servez à température ambiante ou légèrement rafraîchi au réfrigérateur.

Pour 8 personnes

GLOSSAIRE

Les termes que nous avons répertoriés ici correspondent aux produits et aux recettes proposés dans cet ouvrage. Pour les éléments que vous ne trouverez pas dans ce glossaire, reportez-vous à l'index.

ANCHOIS

Ces petits poissons à la peau argentée, marinés, conservés dans l'huile ou dans le sel, sont très appréciés dans le sud de la France et leur délicate saveur permet de rehausser un certain nombre de plats, soit avec autorité, soit de façon discrète. Bien qu'ils fréquentent également les eaux de l'océan Atlantique, les meilleurs anchois sont ceux que l'on trouve en bancs immenses le long des côtes méditerranéennes. Les meilleurs anchois – les plus frais et les plus charnus – sont ceux qui sont conservés entiers entre deux couches de sel. On les trouve conditionnés en boîtes de 500 g ou plus, ils sont alors vendus au poids dans des magasins spécialisés et dans certaines épiceries fines. Si vous ne trouvez pas d'anchois salés, achetez des filets d'anchois à l'huile d'olive d'une bonne marque. Choisissez ceux qui sont conditionnés en pots de verre plutôt qu'en boîtes, vous pourrez ainsi juger par vous-même s'ils sont suffisamment charnus.

POUR UTILISER DES ANCHOIS AU SEL : rincez-les longuement sous l'eau courante froide et ôtez la peau à l'aide d'un petit couteau pointu. Incisez le long de la ligne dorsale et coupez les nageoires. Fendez le ventre du poisson, puis décollez l'arête principale du côté de la tête et détachez-la de la chair en même temps que les petites arêtes latérales. Rincez les filets, séchez-les avec du papier absorbant, puis disposez-les dans un récipient en verre ou en une autre matière inaltérable. Recouvrez d'huile d'olive. Après avoir couvert hermétiquement le récipient, rangez-le au réfrigérateur. Vous pourrez ainsi conserver vos anchois pendant 15 jours.

ARMAGNAC

Cette eau-de-vie de raisin porte le nom d'un ancien comté français, qui eut pour capitale, entre autres, Auch, en Gascogne. Elle est fabriquée dans les Landes, le Gers et le Lot-et-Garonne à partir de vins blancs locaux, et distillée une seule fois (alors que le cognac est distillé deux fois), puis vieillie dans des tonneaux neufs (tandis que le cognac l'est dans de vieux fûts) fabriqués avec du cœur de chêne. Cela donne un alcool plus parfumé et au goût de terroir plus prononcé que son célèbre cousin. Un armagnac hors d'âge se déguste en réchauffant le verre dans sa paume, mais c'est aussi une eau-de-vie que l'on utilise dans certaines recettes.

ARTICHAUTS

En Provence on les appelle bien joliment des « museaux de chat ».

Ce sont en fait les gros bourgeons floraux d'une variété de chardon. D'abord cultivés en Italie, ils ont été introduits en France par Catherine de Médicis au XVIe siècle. Aujourd'hui il en existe de nombreuses variétés cultivées au nord et au sud de la Loire. La Bretagne et la Normandie sont réputées pour leurs artichauts à grosses têtes rondes, notamment le « Camus », qui sont récoltés depuis le milieu du printemps jusqu'au début de l'hiver. Dans le Midi, ce sont des variétés à plus petits capitules qui sont cultivées, dont le fameux « Violet de Provence » récolté au printemps et à l'automne. Sa petite pomme violette a la taille et la forme d'un gros citron, on peut consommer cet artichaut cru et en totalité quand il est très jeune, sinon il est préférable de le faire cuire.

BOUDIN NOIR

Ce boudin au goût puissant est composé de sang et de gras de porc assaisonnés et mis en boyaux.

CALVADOS

Distillée à partir du cidre, cette eau-de-vie normande d'une belle couleur ambrée exhale une délicieuse odeur de pomme. Dégusté le plus souvent après le repas, voire dans le café du matin, ou utilisé pour aromatiser les plats salés et sucrés, le calvados se boit également au milieu du repas, pour faciliter la digestion, c'est ce qu'on appelle le « trou normand ». Autrefois vendu dans des cruches en terre cuite, il est aujourd'hui le plus souvent conditionné dans des bouteilles en verre.

LES CÂPRES

Le câprier est un arbrisseau sauvage qui pousse dans tout le sud de la France, il produit de petits boutons à fleurs gris-vert – les câpres – qui sont conservés dans le sel ou confits dans le vinaigre pour servir d'assaisonnement ou de condiment, utilisés entiers ou finement hachés.

CHARCUTERIE

Ce mot sert à désigner l'ensemble des produits frais, salés, séchés ou fumés à base de viande ou d'abats de porc, de gibier, de volaille, de bœuf mais aussi de crustacés ou de poisson. Vous rencontrerez dans ce livre les préparations suivantes :

JAMBON ~ Un jambon est une cuisse de porc que l'on peut acheter cuit (jambon blanc) ou cru, c'est-à-dire salé, séché et parfois fumé. Le jambon cru, populaire dans toute la France, peut être servi en hors-d'œuvre sous forme de fines tranches, comme ingrédient d'un plat dont il relèvera le goût, ou pour envelopper des légumes ou des fruits secs. Le jambon dit « de pays » est un jambon cru préparé selon une tradition régionale. Celui du Pays basque est ainsi frotté avec du piment d'Espelette moulu.

PÂTÉ ~ Ce mot désigne une préparation composée d'un hachis de viande ou de poisson assaisonné de divers condiments. Il est cuit au four et servi chaud ou froid, en tranches épaisses, généralement au début du repas.

RILLETTES ~ Menus morceaux de viande (de porc, d'oie, de canard, de lapin ou de poisson), cuits dans la graisse et servis en hors-d'œuvre.

ROULADE ~ La roulade est une tranche de poitrine de porc (assez proche de la *pancetta* italienne), que l'on aromatise d'herbes avant de l'enrouler autour d'une farce.

SAUCISSES ~ Ces boyaux remplis de viande hachée et assaisonnée se déclinent en de multiples préparations. On distingue ainsi les « pormoniers », de Savoie, composés de cœur de porc, d'épinards ou bettes ; les « diots », petites saucisses savoyardes

LES FROMAGES

« Comment peut-on espérer gouverner un pays qui possède 246 variétés de fromages ? » se lamentait non sans humour sans doute Charles de Gaulle en 1962. Et d'ailleurs ne feignait-il pas d'ignorer qu'en réalité il en existe près de 400 variétés répertoriées. En voici quelques-uns mentionnés dans ce livre.

BEAUFORT – C'est un fromage de vache à pâte pressée et cuite produit en Savoie, son aspect extérieur et sa pâte jaune pâle le font ressembler au gruyère suisse, c'est pourquoi il est parfois appelé « gruyère de Beaufort ». Sa saveur est douce avec un léger goût de noisette, sa pâte lisse est percée de trous petits et peu nombreux.

BLEU DE BRESSE – Spécialité de Bresse, dans l'est de la France, ce fromage au lait de vache est veiné de bleu. Il est apprécié pour son goût délicat et sa consistance crémeuse qui permet de l'étaler avec un couteau sur du pain.

CAMEMBERT – Riche et crémeux, avec un goût fruité et légèrement relevé, cette spécialité de la ville normande de Camembert et de ses environs est l'un des fromages les plus réputés de France. Fait de lait de vache local, il est rond et dodu, sa croûte fleurie blanche et duveteuse présente de petites taches jaune orangé quand il arrive à maturité, sa pâte est alors d'un jaune qui rappelle le beurre, souple et lisse, mais pas encore coulante. Les camemberts trop faits dégagent une forte odeur d'ammoniac.

COMTÉ – Il ressemble au gruyère suisse, aussi est-il parfois appelé « gruyère de Comté ». C'est également un fromage au lait de vache, fabriqué dans le Jura et réputé pour sa consistance moelleuse et sa saveur fruitée.

EMMENTAL – Dans de nombreux cantons alpins de Suisse, on produit l'*emmentaler* ou emmental suisse. L'emmental français est fabriqué en Savoie et en Franche-Comté. Il est reconnaissable à sa couleur jaune paille et ses trous aussi gros que des cerises ; sa pâte moelleuse, pressée et cuite a un petit goût de noisette. Il se présente en meules de grandes dimensions.

FROMAGE FRAIS – Ce terme s'applique à tous les fromages qui en sont au stade du lait caillé, qui a été égoutté mais qui conserve encore une partie de son petit-lait et n'a pas encore eu le temps de fermenter. On en fabrique dans toute la France avec du lait de vache écrémé ou de chèvre ; quelquefois enrichi de crème, il est consommé le plus souvent au petit déjeuner ou au dessert avec un peu de sucre, de miel, de confiture ou avec un fruit frais.

FROMAGES DE CHÈVRE – Sous cette dénomination se décline une grande variété de fromages au lait de chèvre. Il y a les frais, doux et agréablement parfumés, que l'on mange en fin de repas. Après quelques jours, ils sont encore moelleux et de goût léger, mais au fur et à mesure de leur vieillissement, ils deviennent plus durs et plus forts. Certains sont vendus parsemés de brins de sarriette ou enrobés de cendre de bois, d'autres enveloppés dans des feuilles de châtaignier ou de vigne, ou marinés dans l'huile d'olive, d'autres encore sont des pâtes cuites. Les plus vieux sont si durs qu'ils peuvent être râpés.

GRUYÈRE – Il tient son nom du village des Alpes suisses d'où il est originaire. C'est un fromage au lait de vache à la saveur plus prononcée que les autres fromages suisses, sans doute à cause du temps de maturation qui prend de 6 à 12 mois.

MORBIER – C'est un fromage de vache à pâte pressée lisse et souple, originaire d'un monastère de Franche-Comté. De forme cylindrique, de 5 à 12 kg, il se distingue par la raie gris-bleu que dessine la couche de cendre qui le traverse horizontalement. À l'origine, les moines fabriquaient ce fromage en deux temps : sur la masse de caillé issue de la traite du matin, ils étalaient une couche de cendre de bois, afin de la protéger, jusqu'à ce qu'ils ajoutent celle de la traite du soir.

MUNSTER – Fabriqué en Alsace et dans les Vosges, il fait partie de la famille des fromages à croûte lavée, qui prend une couleur orangée. Sa pâte molle rappelle celle du beurre, mais sa saveur est relevée.

PETIT-SUISSE – Malgré son nom, c'est un fromage frais enrichi de crème fabriqué dans toute la France et vendu sous forme de petits cylindres conditionnés le plus souvent par paquets de six. Ils sont appréciés pour leur pâte lisse, leur douceur et leur fraîcheur.

RACLETTE – Le fromage à raclette appartient à la famille du gruyère. Autrefois, on le faisait fondre devant un feu de bois et on « raclait » la partie fondue, d'où le nom de raclette. De nos jours, il existe des appareils électriques pour le faire fondre. Il est fabriqué en Suisse, mais aussi en France, notamment en Savoie.

REBLOCHON – Fabriqué en Savoie, ce fromage de vache se présente sous la forme d'un petit disque traditionnellement emballé entre deux fines pellicules de bois. Quand il est jeune, sa pâte est souple mais ferme, plus âgé il devient très onctueux.

ROQUEFORT – Ce légendaire fromage de brebis veiné de bleu est produit essentiellement dans l'Aveyron, dans la commune de Roquefort-sur-Soulzon. Il est apprécié pour sa texture riche et crémeuse, ainsi que sa saveur piquante et très personnelle. On l'affine dans les caves des grottes calcaires du Causse. On le goûte en l'écrasant à la fourchette.

SAINT-NECTAIRE – Ce fromage auvergnat se distingue par sa croûte grise parfois parsemée de moisissures jaunes. Sa pâte pressée mais non cuite est semi-dure ; elle dégage une belle saveur de terroir.

TOMME DE SAVOIE – C'est un fromage de vache de forme ronde à la pâte pressée non cuite des montagnes de Savoie. Il est aussi appelé tomme grise à cause de la couleur de sa croûte. Sa pâte souple révèle un léger goût de noisette.

HERBES

Certains cuisiniers français cultivent les herbes et plantes aromatiques à travers leur cuisine comme dans leur potager, ils parcourent la campagne et les collines quand ils le peuvent pour remplir leur besace de plantes oubliées ou difficiles à trouver sur le marché, réhabilitant ainsi certaines saveurs d'antan.

ANETH – Cette plante aromatique à la saveur légèrement anisée est utilisée dans la cuisine française pour aromatiser le vinaigre et les petits légumes conservés dans le vinaigre, ainsi que les salades, les poissons, les œufs et le fromage.

BASILIC – Cette plante très parfumée, qui se consomme fraîche, s'épanouit parfaitement dans le Midi, aussi est-elle couramment utilisée dans la cuisine provençale comme condiment et aromate. Elle se marie parfaitement avec les tomates mûries au soleil, mais aussi avec bien d'autres légumes, les pâtes et les salades ou un carpaccio de bœuf.

CERFEUIL – Plante aromatique printanière, qui ressemble au persil à feuilles plates, mais avec une saveur légèrement anisée, elle est particulièrement utilisée dans le Pays basque, en Touraine et en Provence. Il se marie bien avec des aliments à saveur délicate comme les salades, les légumes cuits, les œufs, les poissons et le poulet.

CIBOULETTE – Ces fines herbes vertes appartiennent à la famille des oignons, elles sont donc utilisées pour apporter un léger goût d'oignon aux aliments à saveur douce comme les salades, les œufs, les fromages frais, les poissons et la volaille.

CORIANDRE – Une espèce de persil chinois ou arabe, aux feuilles vertes, qui produit aussi des graines utilisées entières ou moulues comme condiment. La coriandre fraîche apporte une forte saveur piquante et acidulée qui convient à une grande variété de plats salés.

ESTRAGON – Originaire de Sibérie, cette herbe odorante, au goût légèrement anisé, a traversé l'Asie et l'Europe avant d'arriver dans les cuisines françaises au XVᵉ siècle. L'estragon français est de saveur plus douce que l'estragon russe, il est cependant souvent utilisé pour aromatiser le vinaigre de vin, la moutarde de Dijon, il parfume les sauces et certains aliments comme les poissons, la volaille et les œufs.

LAURIER-SAUCE – Les feuilles persistantes, longues et pointues du *Laurus nobilis*, appelé laurier-sauce, sont le plus souvent ajoutées, fraîches ou sèches, aux plats qui doivent cuire longtemps et font partie du fameux « bouquet garni ».

LAVANDE – Une des senteurs et un des spectacles qui caractérisent le plus la Provence. Ses fleurs odorantes couvrent d'un manteau au bleu mauve intense champs et collines du sud de la France au début de l'été. Elles embaument tout, et leurs fleurs séchées mises en sachets dans le linge de maison, non contentes de le parfumer, le protègent des nuisibles.

MARJOLAINE – De saveur plus douce que celle de son cousin l'origan, cette herbe est utilisée fraîche ou séchée dans tout le Midi. Elle accompagne bien les viandes grillées, la volaille et les poissons et parfume agréablement les plats de légumes frais ou de haricots secs.

MENTHE – Il existe plus de 600 variétés de menthe. La plus utilisée est la menthe verte, pour la pointe de fraîcheur qu'elle apporte aux légumes et aux viandes rôties, notamment l'agneau. Les feuilles de menthe sont aussi utilisées en infusion ou pour aromatiser un thé vert.

OSEILLE – Cette plante vivace composée de feuilles oblongues à la saveur acide est semblable à celle du citron, et comme lui riche en vitamine C. Les jeunes feuilles peuvent être mangées crues en salade. La plupart du temps, on la fait cuire et, réduite en purée, elle va colorer et donner du goût aux sauces. On en fait également des potages, elle entre dans la composition de farces et relève la saveur de certains aliments comme les œufs, le poisson et le veau.

PERSIL PLAT – Originaire du sud de l'Europe, il est utilisé comme condiment ou en décoration et il apporte une saveur vive et fraîche à de nombreuses variétés de plats salés et notamment les grillades. Ce persil à feuilles plates a un goût plus prononcé et plus subtil que le persil frisé.

ROMARIN – Son nom vient du latin *rosmarinus* qui signifie « rosée de mer ». C'est un arbuste au feuillage persistant qui pousse bien dans tout le Midi. Son arôme puissant ne se marie pas avec tous les plats. C'est également une plante médicinale et on l'utilise en parfumerie.

ROQUETTE – Déjà les Romains cueillaient dans la nature cette salade sauvage au goût poivré. Elle entre dans la composition du mélange de feuilles de salades diverses ou mesclun.

SARRIETTE – Plante vivace, très répandue dans le Midi, elle a une saveur forte et épicée qui se marie bien avec les haricots secs, les viandes fumées, le porc, les fromages et les sauces tomate. En Provence, elle porte le nom de « poivre d'âne », son goût poivré rehaussant, dit-on, la maigre nourriture des ânes.

SAUGE – La sauge est une plante que l'on rencontre fréquemment en Provence et en Languedoc, ses feuilles duvetées, d'un gris-vert très particulier, sont parfumées et ont une saveur légèrement amère qui aromatise agréablement le porc, le veau, le gibier et les viandes séchées ou fumées. Certaines variétés, comme la sauge officinale, sont utilisées en pharmacopée.

THYM – On le trouve à l'état sauvage dans tout le Sud. Il aromatise certaines viandes avant même l'intervention du cuisinier, car les oiseaux et les lapins de garenne qui s'en régalent en ont la chair parfumée. C'est l'élément clef du bouquet garni et l'herbe la plus utilisée pour accompagner les viandes riches comme le mouton, le porc, le canard et l'oie. Il est également employé en tisane, notamment pour ses vertus digestives.

assaisonnées de noix de muscade et de cannelle, ou encore le fameux « cervelas » de Lyon, fourré de truffes ou de pistaches.

SAUCISSON ~ Grosse saucisse crue ou cuite, séchée ou fumée, qui se conserve longtemps et que l'on sert coupée en fines rondelles.

COGNAC

La légende raconte qu'un certain chevalier de la Croix-Marron, Charentais de souche, aurait au XVIIᵉ siècle inventé le cognac via un processus inédit de double distillation. Il aurait dit, après l'avoir goûté : « Cet alcool s'est emparé de mon âme. » Le cognac, réputé dans le monde entier, est produit dans une région strictement délimitée qui couvre les seuls départements de Charente et de Charente-Maritime. Cette eau-de-vie résulte de la double distillation d'un vin blanc local qui est ensuite vieilli de deux à cinquante ans dans des fûts de chêne dont le tanin apporte cette belle couleur ambrée et cet arôme si particulier. Bien souvent, le cognac que l'on achète résulte d'un assemblage d'eaux-de-vie d'âges et de crus différents.

COING

Le fruit du cognassier est cultivé plus particulièrement dans l'est de la France. Semblable à une grosse poire bosselée de couleur jaune, il est recouvert d'un fin duvet. Sa chair dure ne peut être consommée crue, en raison de sa saveur âpre. En revanche, une fois cuit, il se révèle doux et moelleux, et parfume délicieusement les compotes, confitures, gelées et pâtes de fruits.

CORNICHON

Préparés avec une variété de concombre spécialement cultivée pour que ses fruits soient cueillis verts et très petits, les cornichons sont conservés dans du vinaigre et servis en condiment avec les pâtés, terrines et autres charcuteries.

CRÈME FRAÎCHE

La crème fraîche peut être crue ou pasteurisée, épaisse ou liquide (fleurette), double ou légère… On emploiera l'une ou l'autre selon l'usage voulu : pâtisseries, sauces, assaisonnement de veloutés…

CRÉPINE

Cette fine membrane veinée de gras, tel un voile de dentelle, enserre à l'origine les viscères du porc. Elle est principalement utilisée pour envelopper des préparations à base de chair à saucisse, appelées « crépinettes ». On s'en sert également pour recouvrir la surface des pâtés et des terrines, pour farcir des choux ou encore pour entourer le rôti de veau, afin d'éviter qu'il se dessèche lors de sa cuisson. La crépine s'achète fraîche ou salée chez le boucher. Si elle est trop sèche et difficile à manipuler, il suffit de la faire tremper 5 minutes dans de l'eau chaude pour qu'elle s'assouplisse.

FRUITS À ÉCALE

Les noix, noisettes, amandes, châtaignes et autres fruits à écale ont une place de choix dans les menus, de l'apéritif au dessert. Salés ou sucrés, verts ou grillés, moulus ou effilés, ils s'invitent partout ! En Provence, les amandes se dégustent parfois encore vertes et molles. Les châtaignes, qui pullulent en Ardèche et dans les Cévennes, garnissent des plats de gibier ou agrémentent des pâtisseries. Pistaches, noix, noisettes et pignons de pin entrent dans la composition de gâteaux mais aussi de certains mets salés ; ils truffent les terrines et parsèment salades et gratins. Pour faire griller ces fruits, il suffit de les étendre en une seule couche sur un plat et de les laisser dans un four à 165 °C/th. 6 durant 5 à 10 minutes. Dès qu'ils commencent à brunir, sortez-les et laissez-les refroidir à température ambiante. Ainsi grillés, il est facile de les débarrasser de leur écale en les frictionnant, encore chauds, dans un torchon.

GENIÈVRE

Cet arbuste à feuilles persistantes produit des baies noires à la saveur poivrée et légèrement résineuse. Celles-ci s'invitent dans de nombreuses préparations de gibier et de porc, particulièrement dans les régions du Nord-Est et des Alpes. Elles servent notamment à aromatiser la choucroute, les marinades, les farces et les pâtés. Avant de les utiliser, il est conseillé de les piler grossièrement afin de libérer leur arôme.

HARICOTS

Dans les potagers comme dans les jardins maraîchers, les Français cultivent une grande variété de haricots, que l'on peut diviser en deux catégories principales : ceux qui se mangent en entier, sans partage, et ceux que l'on écosse. Les premiers sont appelés haricots verts (bien que certaines variétés soient jaune pâle, d'où leur nom de « haricots beurre »), et les mange-tout dont on mange la cosse et les graines peu développées. Dans les haricots à écosser, on ne consomme que les graines fraîches ou sèches, elles sont appelées aussi haricots noirs. On trouve dans le commerce des haricots secs toute l'année. Parmi les nombreuses variétés, citons les flageolets, des petits haricots verts et tendres à saveur délicate ; des haricots d'un blanc crémeux comme les gros cocos ou les lingots plus petits ; les Soissons verts ou blancs, les haricots rouges, cultivés en Amérique centrale, etc. Les fèves ressemblent aux énormes haricots de Lima et se consomment fraîches comme sèches. Après avoir écossé les fèves fraîches, il est conseillé de les peler, c'est-à-dire d'ôter la pellicule extérieure, qui est un peu dure, avant de les cuire, mais la plupart des Provençaux ne le font pas, surtout si les fèves sont jeunes et très tendres.

POUR ÉCOSSER UN HARICOT, tenir la gousse entre les doigts, tirez sur le fil et l'ôter, puis fendre avec les pouces pour l'ouvrir. Il suffit alors de la maintenir ouverte au-dessus d'un saladier et de glisser le pouce ou l'index à l'intérieur de la cosse pour recueillir les haricots.

KIRSCH

Cette eau-de-vie de fruit typiquement alsacienne est issue de la double distillation de cerises sauvages très acides dont on a conservé le noyau, qui apporte une légère saveur d'amande. cet alcool à la fois sec et fruité, souvent servi en digestif, entre aussi dans la préparation de salades de fruits, de pâtisseries et de confiseries diverses.

LARD

Le lard désigne la couche de graisse située sous la peau du porc. Coupé en minces tranches, il sert à « barder » les rôtis pour éviter qu'ils se dessèchent à la cuisson. Haché, il entre dans la composition des saucisses, pâtés, terrines et farces. Découpé en lardons, il accompagne ragoûts, fricassées, salades…

LENTILLES VERTES DU PUY

Ce label AOC désigne des lentilles au petit grain bombé gris-vert que l'on cultive dans le bassin du Puy-en-Velay, en Auvergne. Outre leur saveur incomparable, elles présentent l'avantage de ne pas se déliter à la cuisson.

MÂCHE

Cette salade aux feuilles tendres, savoureuses et arrondies en rosette, s'invite dans les assiettes de septembre à mars. Également connue sous le nom de « doucette », elle se consomme généralement en salade, mais peut aussi être cuite à la façon des épinards.

MOUTARDE DE DIJON

Près de la moitié de la production de moutarde française provient de Dijon, en Bourgogne. Elle est obtenue en broyant finement des graines de moutarde noire ou brune, puis en mêlant la farine obtenue à du verjus, un suc acide extrait des raisins verts. Ce condiment à la saveur plus ou moins piquante et épicée relève marinades, rôtis, sauces et vinaigrettes. Les recettes dites « à la dijonnaise » sous-entendent l'emploi de cette moutarde.

OLIVES

On distingue les olives vertes (récoltées avant maturité) et les olives noires (récoltées à maturité complète). Toutes deux sont conservées dans de la saumure, puis éventuellement dans de l'huile. Elles sont grignotées seules à l'apéritif ou introduites dans des hors-d'œuvre, cakes, salades et autres mets salés. Les plus réputées sont sans doute les petites olives noires de Nice, celles de Nyons et les grosses kalamata, noires de Grèce, au goût très prononcé.

PAIN RASSIS ET CHAPELURE

Quand le pain est rassis, au bout d'un ou deux jours, voire plus s'il s'agit de pain de campagne, on peut, après avoir ôté la croûte, émietter la mie et s'en servir pour préparer des farces. Il peut aussi être réduit en chapelure que l'on saupoudrera sur le dessus des gratins.

PRÉPARER LA CHAPELURE : ôtez et jetez la croûte du pain, mettez la mie dans un robot ménager équipé d'une lame en métal et laissez tourner jusqu'à ce que vous ayez obtenu la finesse désirée. Faites-la alors sécher en l'étalant sur une plaque de cuisson que vous glisserez dans le four préchauffé à 165 °C/th. 6, pendant environ 15 minutes. Si vous voulez une chapelure plus grillée, poursuivez la cuisson, une quinzaine de minutes supplémentaires en remuant une ou deux fois, jusqu'à ce qu'elle soit légèrement dorée.

PETITS POIS

Récoltés au printemps dans les plaines du Nord, de l'Ouest et du Bassin parisien, les petits pois, qui se consomment toujours cuits, sont fort appréciés pour leur délicieuse saveur sucrée. Comme ils se congèlent bien, on peut en consommer en toutes saisons.

SAFRAN

Nom d'une certaine variété de crocus dont les stigmates fournissent une épice très aromatique et… très onéreuse. Particulièrement présent dans la cuisine provençale, le safran parfume et colore de jaune orangé nombre de plats salés et sucrés. Mieux vaut l'acheter sous forme de stigmates entiers ou de filaments, plutôt que réduit en poudre, car les « succédanés » de safran pullulent (il arrive que l'on vous vende du safran moulu frauduleusement « coupé » de curcuma ou de safran bâtard).

TOMATE

Rapportée du Pérou par les explorateurs espagnols au XVIᵉ siècle, la tomate (ou « pomme d'amour ») se décline en de multiples variétés : tomate en grappe, charnue, olivette, tomate cerise. C'est, l'été, l'emblème de la cuisine du sud de la France ! Pour peler une tomate, pratiquez à l'aide d'un petit couteau pointu, une incision en X à sa base. Plongez ensuite la tomate dans une casserole d'eau bouillante pendant environ 20 secondes, puis aussitôt après dans un bol d'eau glacée. Tirez alors sur la peau en partant de l'incision. Pour l'épépiner, coupez-la en deux dans sa largeur, puis pressez-la délicatement.

VINAIGRE

Comme son nom l'indique, le vinaigre (« vin aigre ») résulte de l'oxydation du vin (ou autre liquide alcoolisé) qui subit une seconde fermentation sous l'action de l'oxydation (une acétification se produit au contact de l'air). Il existe des vinaigres de vin, de cidre ou de malt, ainsi que des vinaigres aromatisés à la framboise, au miel… La qualité d'un vinaigre, qu'il soit blanc ou rouge, dépend de la qualité du vin à partir duquel il est fait, il en reflète les caractéristiques. Le vinaigre de Champagne, par exemple, se distingue par sa saveur particulièrement délicate. Le vinaigre de framboise, obtenu par macération de framboises fraîches dans du vinaigre de vin blanc, dégage un subtil arôme fruité, tandis que le vinaire de cidre évoque le goût de la pomme. Le vinaigre de Banyuls, élaboré à partir d'un vin doux naturel du Roussillon, est très proche du vinaigre balsamique italien.

LES BOUILLONS

Pour préparer les recettes suggérées dans ce livre, mieux vaut utiliser des bouillons de bonne qualité en conserve ou surgelés, en prenant soin de les choisir le moins salés possible. Mais rien de vous empêche, si vous avez le temps, de les préparer vous-mêmes !

BOUILLON DE BŒUF

3 kg de viande et d'os de bœuf

2 oignons jaunes grossièrement hachés

1 poireau nettoyé et grossièrement haché

2 carottes épluchées et grossièrement hachées

1 branche de céleri grossièrement hachée

25 cl d'eau chaude

6 gousses d'ail

4 branches de persil plat frais

10 grains de poivre

3 branches de thym frais

2 petites feuilles de laurier séchées

☙ Préchauffez le four à 220 °C/th. 7. Placez la viande et les os de bœuf dans un grand plat de cuisson métallique et faites-les rôtir 1 heure 30, en les retournant de temps en temps, jusqu'à ce qu'ils soient bien dorés. Mettez-les ensuite dans un faitout et réservez le jus resté dans le plat. Recouvrez généreusement d'eau froide, portez doucement à ébullition en écumant soigneusement. Réduisez le feu et laissez frémir à découvert pendant 2 heures en ajoutant de l'eau autant de fois que nécessaire, afin que la viande et les os restent toujours bien immergés. Écumez de temps en temps.

☙ Pendant ce temps, placez le plat de cuisson sur le feu et ajoutez au fond de gras les oignons, le poireau, les carottes et le céleri. Faites revenir à feu vif 15 à 20 minutes en remuant souvent, jusqu'à ce que les légumes caramélisent sans pour autant brûler.

☙ Une fois le bœuf bouilli, ajoutez-y les légumes. Versez 25 cl d'eau chaude dans le plat de cuisson et déglacez-le en raclant bien pour décoller tous les sucs attachés au fond. Ajoutez ce jus dans le faitout. Assemblez l'ail, le persil, les grains de poivre, le thym et les feuilles de laurier dans un carré de mousseline, réunissez les coins et nouez-les bien serrés avec un brin de ficelle, puis plongez le tout dans la marmite. Remettez à cuire à petit feu et à découvert pendant 6 heures, voire toute la journée.

☙ Retirez la marmite du feu et sortez les éléments solides à l'aide d'une écumoire. Passez le bouillon au tamis, puis chemisez ce dernier d'une mousseline et filtrez de nouveau le bouillon. Laissez-le refroidir à découvert. Avant de vous en servir, ôtez avec une cuillère la couche de graisse qui se sera formée à la surface. Vous pouvez conserver ce bouillon dans un récipient bien étanche pendant 5 jours au réfrigérateur et jusqu'à 2 mois au congélateur.

Pour 4 à 5 litres de bouillon

BOUILLON DE POULET

2 ½ kg de morceaux de poulet dégraissé

3 litres d'eau

1 oignon jaune haché

1 carotte épluchée et coupée en rondelles

12 brins de persil plat frais

1 cuillerée à café de thym frais (ou ½ cuillerée à café de thym sec)

1 feuille de laurier séchée

☙ Placez les morceaux de poulet dans un grand faitout en compagnie des autres ingrédients et recouvrez avec les 3 litres d'eau. Portez doucement à ébullition, en écumant régulièrement la surface. Réduisez le feu et laissez bouillonner à découvert jusqu'à ce que la viande se détache des os, soit 3 ou 4 heures, en ajoutant de l'eau autant de fois que nécessaire pour maintenir le niveau de départ. Passez le bouillon au tamis, puis chemisez ce dernier d'une mousseline et filtrez de nouveau le bouillon. Laissez-le refroidir à découvert. Avant de vous en servir, ôtez avec une cuillère la couche de graisse qui se sera formée à la surface. Vous pouvez conserver ce bouillon dans un récipient bien étanche pendant 5 jours au réfrigérateur et jusqu'à 2 mois au congélateur.

Pour 3 litres de bouillon

BOUILLON DE LÉGUMES

1 ¼ kg de légumes variés coupés en morceaux, tels que poireaux, céleri, tomates, champignons, haricots verts, épinards et bettes

1 oignon jaune grossièrement haché

1 carotte épluchée et grossièrement hachée

12 brins de persil plat frais

1 pincée de thym frais

1 feuille de laurier séchée

☙ Versez les légumes, l'oignon et la carotte dans un faitout. Rassemblez le persil, le thym et la feuille de laurier dans un carré de mousseline, réunissez les coins, nouez-les bien serrés avec un brin de ficelle et plongez-le dans la marmite. Recouvrez largement d'eau, une dizaine de centimètres au-dessus du niveau des légumes. Portez à ébullition sur feu vif, puis aussitôt après, réduisez le feu et laissez bouillonner à découvert jusqu'à ce que le bouillon exhale un parfum appétissant, soit 1 heure 15. Ajoutez de l'eau autant de fois que nécessaire pour maintenir le niveau de départ. Retirez du feu et passez au tamis fin. Utilisez votre bouillon aussitôt ou laissez-le refroidir à découvert. Vous pouvez conserver ce bouillon dans un récipient bien étanche pendant 5 jours au réfrigérateur et jusqu'à 2 mois au congélateur.

Pour 2 à 3 litres de bouillon

INDEX

~ A ~

Abricots
  Coquelets farcis aux abricots
    et figues sèches, 143
  Pudding au pain
    et aux fruits secs, 227
  Rissoles d'abricots, 243
Affineurs, 244
Agneau
  Brochettes de rognons, foie
    et lardons, 138
  Cassoulet, 144-145
  Côtelettes d'agneau grillées, 94
  Gigot d'agneau
    à la boulangère, 129
Ail
  Brocolis à l'ail, 168
  Champignons sauvages grillés
    à l'ail et au persil, 173
  Harissa, 120
  L'aïoli, 111
  Pistou, 79
  Rôti de veau à l'ail, 107
  Rouille, 123
Aïoli, 111
Amandes, 160
Anchois
  conservés dans le sel, 246
  grillés au vinaigre de Banyuls, 66
Anguille grillée, 103
Apéritifs, 58
Appellation d'origine contrôlée
  (AOC), 80
Artichauts
  Asperges et artichauts
    aux olives noires
    et au parmesan, 157
  aux crevettes, 195
  Lotte de mer aux olives
    et aux artichauts, 99
  Salade de fèves printanières, 75
Asperges
  au beurre d'estragon, 158
  et artichauts aux olives noires
    et au parmesan, 157
Aubergines
  Ratatouille, 46

~ B ~

Babas au rhum, 207
Beaufort, 64
Beignets
  de morue, 102
  de salsifis, 176
Betteraves
  Gratin de betteraves aux lardons, 164
  L'aïoli, 111
  Trio de crudités, 42
Bœuf
  aux carottes, 95
  Bouillon, 251
  Entrecôte marchand de vin, 140
  Joue de bœuf braisée, 113
  Steak frites, 135
Boudin noir aux pommes, 100
Bouillabaisse, 123
Bouillons, 251
Boulangeries, 199-200
Bourride, 55
Brochettes
  de pruneaux au romarin, 47
  de rognons, foie et lardons, 138
Brocolis à l'ail, 168
Brouillade de truffes, 73
Bugnes, 215

~ C ~

Calmars
  aux olives et aux herbes
    de Provence, 117
  Salade de calmars
    et de riz safrané, 67
Canard (voir aussi foie gras)
  au miel de lavande, 93
  Salade de lentilles au magret, 72
  Salade verte aux gésiers confits, 54-55
Carottes,
  à l'aneth, 171
  Bœuf aux carottes, 95
  Couscous aux légumes, 120
  L'aïoli, 111
  Lentilles aux carottes
    et au céleri-rave, 190
  Terrine de légumes au coulis
    de framboises, 174-175
  Trio de crudités, 42
Cassoulet, 144-145
Céleri
  Cœurs de céleri braisés, 189
  Salade de champignons, de céleri
    et de chèvre sec, 44
Céleri-rave
  Lentilles aux carottes
    et au céleri-rave, 190
  Terrine de légumes au coulis
    de framboises, 174-175

Cèpes
  Champignons grillés à l'ail
    et au persil, 173
  farcis, 186
  Omelette aux champignons
    sauvages, 39
Cerises
  Clafoutis aux cerises, 226
  Pain perdu aux cerises, 242
Champagne
  Sorbet au champagne, 239
Champignons
  Cèpes farcis, 186
  Girolles à la crème, 163
  Omelette aux champignons
    sauvages, 39
  Pintade aux choux
    et aux marrons, 108-109
  Ris de veau aux champignons,
    136-137
  Rouelle de veau au cidre, 125
  Salade de champignons, de céleri
    et de chèvre sec, 44
  sauvages, 108
  sauvages grillés à l'ail et au persil, 173
Charcuterie, 246
Châtaignes, 160
Chocolat
  Fondant au chocolat, 214
  Mousse au chocolat, 221
Chou
  farci, 192
  Pintades aux choux
    et aux marrons, 108-109
  rouge aux pommes
    et au genièvre, 162
Choucroute garnie, 104
Cidre
  Rouelle de veau, 125
Clafoutis aux cerises, 226
Cocktail de fruits rouges, 236
Cœurs de céleri braisés, 189
Coings
  Crêpes aux coings
    et à l'armagnac, 235
  Tarte Tatin aux coings, 234-235
Compote d'oranges sanguines, 208
Concombres à l'aneth, 170
Confitures, 217
  Rissoles d'abricots, 243
Coq au vin, 112
Coquelets aux abricots
  et figues sèches, 143
Côtelettes d'agneau grillées, 94
Courgettes chaudes aux noix
  et au roquefort, 164

Couscous aux légumes, 120
Crabe
    au beurre sur lit d'algues, 130
    Bouillabaisse, 123
Crème
    au caramel, 244
    Demoiselles de Cherbourg
        à la crème, 132
    Figues rôties à la crème fraîche, 233
    fraîche, 126
    Girolles à la crème, 163
    Salsifis à la crème, 189
    Saumon à la crème
        et au muscadet, 126
Crêperies, 49
Crêpes aux coings
    et à l'armagnac, 225
Crevettes
    Artichauts aux crevettes, 195
Crozets au beurre noir, 100
Crudités, 42

~ D ~

Daube de sanglier, 114
Demoiselles de Cherbourg
    à la crème, 132
Digestifs, 229

~ E ~

Eaux-de-vie, 136
Échalotes caramélisées, 184
Endives
    gratin d'endives, 191
Entrecôte marchand de vin, 140
Épinards à la crème
    et aux œufs durs, 185
Escargots
    à la bourguignonne, 36
    au bleu de Bresse, 57

~ F ~

Fenouil
    braisé, 181
    Glace au fenouil, 213
Fèves
    aux fleurs de thym, 160
    Salade de fèves printanières, 75
Figues
    Coquelets aux abricots
        et aux figues sèches, 143
    rôties à la crème fraîche, 233
    Salade de melon et de figues,
        à la crème de basilic, 34
Flageolets aux herbes, 178
Flognarde, 236

Foie
    Brochettes de rognons, foie
        et lardons, 138
    Pâté de campagne à l'armagnac, 62
    Salade de foies de volailles, 50
Foie gras, 76
    aux raisins, 76
    Terrine de foie gras, 70
Fondant au chocolat, 214
Fondue, 96
Fraises
    Cocktail de fruits rouges, 236
    Tarte à la rhubarbe
        et aux fraises, 218
Framboises
    Fruits rouges au vin, 236
    Tartelettes aux fruits, 230
    Terrine de légumes au coulis
        de framboises, 174-175
Frites
    Steak frites, 135
Fromages
    assortiment de fromages, 241
    cave et affinage, 244
    Courgettes chaudes aux noix
        et au roquefort, 164
    Crozets au beurre noir, 100
    Escargots au Bleu de Bresse, 57
    Fondue, 96
    frais au miel, 209
    fromage ou dessert ?, 234
    Gratin d'endives, 191
    Gratin dauphinois, 157
    Gratin de betteraves aux lardons, 164
    Gratin de poireaux, 179
    Galette de pommes au fromage, 241
    pistou, 79
    pour commencer le repas, 39
    Raclette, 124
    Salade de champignons,
        de céleri et de chèvre sec, 44
    Salade de Savoie, 64
    Salade de tomme de Savoie
        aux noisettes, 61
    Tarte au roquefort
        et aux tomates, 40
    Tartiflette, 159
    un zeste de fromage, 186
Fruits, 222
    Cocktail de fruits rouges, 236
    Confitures, 217

~ G ~

Galettes
    de pommes au fromage, 241
    de potiron, 176

Gâteaux
    babas au rhum, 207
    de mûres, 217
    Flognarde, 236
    Fondant au chocolat, 214
Gésiers
    Salade verte aux gésiers confits, 54-55
Gigot d'agneau à la boulangère, 129
Girolles
    à la crème, 163
    Champignons grillés à l'ail
        et au persil, 173
    Omelette aux champignons
        sauvages, 39
    Pintade aux choux
        et aux marrons, 108-109
Glace
    au fenouil, 213
    au miel de lavande, 210
Gratin
    d'endives, 191
    dauphinois, 157
    de betteraves aux lardons, 164
    de pêches, 223
    de poireaux, 179

~ H ~

Haricots
    Cassoulet, 144-145
    Écosser les haricots, 246
    Fèves aux fleurs de thym, 160
    Flageolets aux herbes, 178
    L'aïoli, 111
    Salade de fèves printanières, 75
    Soupe au pistou, 79
Harissa, 120
Herbes de Provence, 117
Homard, 132
Huile d'olive, 99
    Sardines marinées aux tomates
        et à l'huile d'olive, 43
Huîtres, 69
    chaudes à la vinaigrette
        « pomme d'amour », 69
    Soupe aux huîtres
        et aux aromates, 64

~ J ~

Jambon
    Choucroute garnie, 104
    persillé, 52
Joue de bœuf, 113

~ L ~

Lapin
    aux pruneaux, 133
    grillé à la moutarde, 138

Terrine de lapin, 80-81
Lard fumé
    Brochettes de pruneaux au romarin
        enveloppées de lard fumé, 47
Lardons
    Gratin de betteraves aux lardons, 164
    Brochettes de rognons, foie
        et lardons, 138
Lavande
    Glace au miel de lavande, 210
    Canard au miel de lavande, 93
Légumes
    Bouillabaisse, 123
    Bouillon, 251
    Couscous aux légumes, 120
    L'aïoli, 111
    Ratatouille, 46
    sauvages, 181
    Soupe au pistou, 79
    Terrine de légumes au coulis
        de framboise, 174-175
    Trio de crudités, 42
Lentilles
    aux carottes et au céleri-rave, 190
    Salade de lentilles au magret, 72
Lotte de mer aux olives
    et aux artichauts, 99

~ M ~

Marchés, 167
Marrons, 160
    Pintade aux choux
        et aux marrons, 108-109
Melons
    à maturité, 202
    Salade de melon et de figues
        à la crème de basilic, 34
Miel, 210
    Canard au miel de lavande, 93
    Fromage frais au miel, 209
    Glace au miel de lavande, 210
Morue salée
    Beignets de morue, 102
    L'aïoli, 111
Moules
    à la marinière, 49
    Bouillabaisse, 123
    farcies, 59
Mousse au chocolat, 221
Mûres
    Gâteau de mûres, 217

~ N ~

Navets farcis, 166
Noisettes, 160
    Salade de tomme de Savoie, 61

Noix, 160
    Courgettes chaudes aux noix
        et au roquefort, 164
    Salade de poulet rôti aux noix, 119
    Tarte aux noix, 238

~ O ~

Œufs
    Brouillade de truffes, 73
    Épinards à la crème
        et aux œufs durs, 185
    L'aïoli, 111
    Omelette aux champignons
        sauvages, 39
    Piperade, 182
    Quiche lorraine, 35
    Salade de pissenlit
        aux œufs pochés, 57
    Soufflé aux pruneaux
        et à l'armagnac, 229
Oie, voir Foie gras
Oignons
    Gigot d'agneau
        à la boulangère, 129
    Pissaladière, 33
    Soupe à l'oignon gratinée, 51
Olives
    Asperges et artichauts aux olives
        noires et au parmesan, 157
    Huile d'olive, 99
    Lotte de mer aux olives
        et aux artichauts, 99
    Poisson aux olives et aux herbes
        de Provence, 117
Omelette aux champignons
    sauvages, 39
Oranges
    Compote d'oranges sanguines, 208

~ P ~

Pain
    bagnat, 75
    chapelure, 246
    Coquelets aux abricots
        et figues sèches, 143
    Fondue, 96
    perdu aux cerises, 242
    Pudding au pain et aux fruits secs,
        227
Pan bagnat, 75
Pâté de campagne à l'armagnac, 62
Pâtes
    Couscous aux légumes, 120
    Crozets au beurre noir, 100
    Soupe au pistou, 79
Pâtisseries, voir aussi tartes, 199-200
    Bugnes, 215

Galette de pommes
    et au fromage, 241
Pêches
    Gratin de pêches, 223
Petits pois
    Terrine de légumes au coulis
        de framboise, 174-175
    Couscous aux légumes, 120
Pintade aux choux
    et aux marrons, 108-109
Piperade, 182
Pissaladière, 33
Pissenlit
    Salade de pissenlit
        aux œufs pochés, 57
    sauvage, 181
Pistou, 79
Poireaux
    Gratin de poireaux, 179
    sauvages, 181
Poires au thé et aux épices, 220
Poissons
    Anchois grillés au vinaigre
        de Banyuls, 66
    aux olives et aux herbes
        de Provence, 117
    Beignets de morue, 102
    Bouillabaisse, 123
    Bourride, 55
    L'aïoli, 111
    Lotte de mer aux olives
        et aux artichauts, 99
    Rillettes de poisson, 78-79
    Sardines aux tomates et marinées
        à l'huile d'olive, 43
    Saumon à la crème
        et au muscadet, 126
    Sole meunière, 118
Poivrons
    Piperade, 182
    Poivrons grillés, 168
    Ratatouille, 46
Pommes
    Boudin noir aux pommes, 100
    Chou rouge aux pommes
        et au genièvre, 162
    Galette de pommes au fromage, 241
    sautées, 209
    Tarte Tatin aux coings, 234-235
Pommes de terre, 151-153
    Choucroute garnie, 104
    Gigot d'agneau à la boulangère, 129
    Gratin dauphinois, 157
    L'aïoli, 111
    Raclette, 124
    rôties aux herbes, 182
    Soupe au pistou, 79

Steak frites, 135
Tartiflette, 159
Porc, *voir aussi* lard fumé,
    jambon, lardons, saucisses
    Cassoulet, 144-145
    Choucroute garnie, 104
    Pâté de campagne à l'armagnac, 62
Potagers, 174
Potiron
    Galettes de potiron, 176
    Velouté de potiron
        avec du cerfeuil, 44
Poulet
    Bouillon
    Salade de poulet rôti aux noix, 119
    Salade verte aux gésiers confits, 54-55
    demi-deuil, 141
Pruneaux
    Brochettes de pruneaux
        au romarin, 47
    Chou farci, 192
    Lapin aux pruneaux, 133
    Soufflé aux pruneaux
        à l'armagnac, 229
Prunes
    Flognarde, 236
Pudding au pain
    et aux fruits secs, 227

~ Q ~

Quiche lorraine, 35

~ R ~

Raclette, 124
Raisins
    Foie gras aux raisins, 76
    Pudding au pain
        et aux raisins secs, 227
Ratatouille, 46
Reblochon 159
Rhubarbe
    Tarte à la rhubarbe et à la fraise, 218
Rhum
    Babas au rhum, 207
Rillettes de poisson, 78-79
Ris de veau
    aux champignons, 136-137
Rissoles d'abricots, 243
Riz
    Chou farci, 192
    Salade de calmars et de riz safrané, 67
Rognons
    Brochettes de rognons,
        foie et lardons, 138
Rôti de veau à l'ail, 107
Rouelle de veau au cidre, 125

Rouille, 123

~ S ~

Sablés de Caen, 213
Salade
    de calmars et de riz safrané, 67
    de champignons, de céleri
        et de chèvre sec, 44
    de fèves printanières, 75
    de foies de volailles, 50
    de lentilles au magret, 72
    de melon et de figues
        à la crème de basilic, 34
    de pissenlit aux œufs pochés, 57
    de poulet rôti aux noix, 119
    de Savoie, 64
    de tomates, 170
    de tomme de Savoie aux noisettes, 61
    verte aux gésiers confits, 54-55
Salsifis
    à la crème, 189
    Beignets de salsifis, 176
Sanglier en daube, 114
Sardines marinées aux tomates
    et à l'huile d'olive, 43
Sauces
    Coulis de framboises, 174-175
    Harissa, 120
    Pistou, 79
    Rouille, 123
Saucisses
    Cassoulet, 144-145
    Choucroute garnie, 104
    Chou farci, 192
    Navets farcis, 166
    Terrine de lapin, 80-81
Saumon à la crème
    et au muscadet, 126
Scarole
    Salade de foies de volaille, 50
    Salade de Savoie, 64
Sel marin, 195
Sole meunière, 118
Sorbet au champagne, 239
Soufflé aux pruneaux
    et à l'armagnac, 229
Soupe
    à l'oignon gratinée, 51
    au pistou, 79
    aux huîtres et aux trois aromates, 64
    Bouillabaisse, 123
    Bourride, 55
Steak frites, 135

~ T ~

Tarte
    à la rhubarbe et aux fraises, 218
    au roquefort et aux tomates, 40
    aux noix, 238
    Tartelettes aux fruits, 230
    Tatin aux coings, 234-235
Tartiflette, 159
Tellines à l'arlésienne, 36
Terrine
    de foie gras, 70
    de lapin, 80-81
    de légumes au coulis
        de framboise, 174-175
Tomates
    Cassoulet, 144-145
    Pan bagnat, 75
    ratatouille, 46
    Salade de tomates, 170
    Sardines marinées aux tomates
        et à l'huile d'olive, 43
    Tarte au roquefort
        et aux tomates, 40
    Trio de crudités, 42
Trio de crudités, 42
Truffes, 73
    Brouillade de truffes, 73
    Poulet demi-deuil, 141

~ V ~

Veau
    Brochettes de rognons, de foie
        et de lardons, 138
    Ris de veau aux champignons,
        136-137
    Rôti de veau à l'ail, 107
    Rouelle de veau au cidre, 124
Velouté de potiron au cerfeuil, 44
Vin, 85-86, 136
    Coq au vin, 112
    Entrecôte marchand de vin, 140

REMERCIEMENTS

Georgeanne Brennan souhaite remercier toutes les personnes qui l'ont aidé pour cet ouvrage : Robert Wallace, Jim Schrupp, Ethel Brennan, International Olive Oil Council, Diane Harris Brown, Warren Carroll, Linda Russo, Charlotte Kimball, Guy et Josselyene Quard, Huguette Front, Violette et Patrick Kapp, Paul Schrupp, Marie et Marcel Palazolli, Georgina et Denys Fine, Robert et Françoise Lamy, Susan et Michael Loomis, Denise et Jean-Pierre Moullé, Caméron et Gérald Hirigoyen, Anne Degrégnaucourt, Adele et Pascal Degrémont, Jean d'Alos, Pascal et Christine Arcé, André et Lillian Caplan, Wendely Harvey, Hannah Rahill, Sharon Silva, Lilia Gerberg, Kari Ontko, George Dolese, Noel Barnhurst, et Steven Rothfeld.

Noel Barnhurst remercie ses assistants, Noriko Akiyama et Jessica Martin. George Dolese remercie son assistante Leslie Busch pour son remarquable savoir-faire culinaire, sa patience et sa bonne humeur, et Waterborn Inc. pour leurs escargots frais. Mary Ann Cleary remercie les fournisseurs qui ont aimablement ouvert leurs portes et qui ont mis à disposition leurs produits pour ce projet : à San Francisco, The Butler & The Chef, Nest, Pierre Deux, Le Marché de Sion, et Sue Fisher King ; à San Mateo, Draeger's ; à Fairfax, Coquelicot ; à Petaluma, Bluestone Main.

Steven Rothfeld souhaite remercier les personnes suivantes pour leur généreuse assistance : Maryse Masse et Isabelle Durighello de Relais & Châteaux pour avoir proposé des fabuleux lieux à photographier, André Chabert du Château de Rochegude, Michèle Gombert du Château de la Treyne, et M. & Mme Lainé du Château de Roumégouse. Merci également à Hannah Rahill pour sa remarquable organisation éditoriale et son savoir-faire, ainsi que des remerciements spéciaux à la graphiste Kari Ontko pour cette magnifique mise en page.

Weldon Owen aimerait remercier les personnes et les établissements suivants pour leur aide et leur soutien : à San Francisco, Linda Bouchard, Ken DellaPenta, Sandra Eisert, Irène Elmer, Sharilyn Hovind, Beverly McGuire, Karen Richardson, et Kristen Wurz ; et en France, le Château de Roussan à Saint-Rémy-de-Provence.

WELDON OWEN INC.

Président Directeur Général : John Owen
Président : Terry Newell
Responsable d'exploitation : Larry Partington
Responsable des éditions étrangères : Stuart Laurence
Assistante d'édition : Hannah Rahill
Rédacteurs consultants : Sharon Silva, Norman Kolpas
Graphiste : Kari Ontko, India Ink
Iconographe : Sandra Eisert
Directeur de fabrication : Stephanie Sherman
Responsable de fabrication : Chris Hemesath
Rédacteur adjoint : Dana Goldberg
Styliste culinaire : George Dolese
Assistante styliste culinaire : Leslie Busch
Calligraphie : Jane Dill

Cet ouvrage appartient à une collection conçue et réalisée par Weldon Owen Inc., San Francisco, en collaboration avec Williams-Sonoma.

© 2004 Maxi-Livres pour l'édition française.

© 1999 Weldon Owen Inc.

Georgeanne Brennan : textes et recettes ; Chuck Williams : directeur de la publication ; Noel Barnhurst : photographies des recettes ; Steven Rothfeld : photographies des paysages.

p 2 Trio de crudités, Pintade aux choux et aux marrons et Pommes de terre rôties aux herbes (recettes pages 42, 108 et 182) simplement dressés dans le parc du Château de Roussan à Saint-Rémy-de-Provence. **pp 4-5** Les gracieuses arches du Pont-Neuf à Toulouse se reflètent dans la Garonne. **pp 6-7** La vigne côtoie les tournesols dans ce paysage du Lubéron, aux environs de Lacoste. **pp 8-9** Datant du XVe siècle, la cathédrale Saint-François de Sales à Chambéry offre aux regards le plus vaste ensemble de peintures en trompe-l'œil d'Europe. **pp 12-13** Dans les Pyrénées Orientales, le charmant petit port de Collioure, réputé pour ses anchois, séduit par sa lumière.

POUR L'ÉDITION FRANÇAISE

Sous la responsabilité de la direction produits Maxi-Livres

Direction : Alexandre Falco.

Responsable des publications :
Françoise Orlando-Trouvé.

Responsable de l'ouvrage : Bénédicte Sacko.

Réalisation : Atelier Gérard Finel, Paris.

Traduction/adaptation : Elisabeth Guillot, Jocelyne Warolin.

Révision : Florent Founès, Dominique Lesbros.

Mise en pages : Christian Millet.

Malgré le soin apporté à la réalisation, cet ouvrage peut comporter des erreurs ou omissions. Nous remercions le lecteur de bien vouloir nous faire part de toute remarques à ce sujet.

ISBN 2-7434-4945-4

Imprimé à Singapour.